Y WISG SIDAN

Elena Puw Morgan

GOMER

Argraffiad cyntaf: 1939
Ailargraffiad i Lyfrgelloedd: 1969

ISBN 1 85902 265 0

Diweddariad gan Catrin Puw Davies, 1995

Dymuna'r cyhoeddwyr gydnabod cymorth
Adrannau Cyngor Llyfrau Cymru.

Argraffwyd gan
Wasg Gomer, Llandysul, Dyfed

Y WISG SIDAN

RHAGYMADRODD

Sioned Lleinau Jones

Mae ambell gyfandir yn dal i fod yn baradwys i ddaearegwyr, archaeolegwyr a naturiaethwyr—yn llawn antur a chyffro ac yn fwrlwm o ryfeddodau na ddaethpwyd â hwy i olau dydd cynt. Mae modd cyplysu'r syniad hwn â gwaith Elena Puw Morgan, gwraig y mae ei nofelau, i raddau helaeth, wedi bod yn gyfandir anghyfarwydd i feirniaid er cyhoeddi ei nofel gyntaf, *Angel y Llongau Hedd*, ym 1931. O safbwynt diwylliant a hanes llenyddiaeth Gymraeg, mae'n ffigur pwysig. Er nad oedd, am resymau personol, mor gynhyrchiol â rhai o awduron hanner cyntaf yr ugeinfed ganrif, mae i'w gwaith gryn bwys wrth ystyried datblygiad y nofel fel ffurf ar lenyddiaeth yng Nghymru.[1]

Gwobrwywyd y nofel hon yn Eisteddfod Genedlaethol Abergwaun ym 1936, a'i chyhoeddi ar ei ffurf derfynol ym 1939. Mae'n debyg mai'r elfen gystadleuol hon sy'n gyfrifol am strwythur adrannol y gwaith, gan y gellir ei rhannu'n daclus dwt i ddechrau, datblygiad, a diweddglo, fel y gellir hefyd gydag un arall o'i chyfansoddiadau eisteddfodol, *Y Graith*. Ond ni ddylid, am un eiliad, ystyried hyn fel gwendid yng ngwaith yr awdures, er y gall rhai o'r cyd-ddigwyddiadau a ymgorfforir yn y gwaith fod yn dreth ar hygrededd y darllenydd.

Y Wisg Sidan yw nofel gyflawn gyntaf Elena Puw Morgan ar gyfer oedolion, er iddi gyhoeddi mân weithiau ar gyfer plant a hunangofiant yr hen sipsi, *Nansi Lovell*, yn gynharach yn y 1930au. Yn y nofel hon, gwelir ei threiddgarwch ar ei ddyfnaf, wrth iddi ymdrin yn fanwl â bywyd traddodiadol wledig ac uniaith Gymraeg Cymru'r bedwaredd ganrif ar bymtheg a dechrau'r ugeinfed ganrif. Ys dywed Gwilym R. Jones amdani:

> Yr artist creadigol yn rhoi cywirach llun o fywyd na'r hanesydd.[2]

Cyflawnodd hynny er nad ei hardal na'i chyfnod hi ei hun a gofnodir ganddi. Yn sicr, ceir yn ei gwaith ogwydd tuag at fro mebyd ei thad yn ardal amaethyddol Castell Newydd Emlyn.[3] Ceisiodd Bobi Jones egluro cymhelliad yr awdures i ysgrifennu:

> Hiraethu y mae hi am y bywyd gwledig a ddiflannodd, a'i Chymraeg hi'n costrelu'r hen briod-ddulliau a fu.[4]

Ceir ganddi bortread o'r gymdeithas haenol, yn fonedd a gwerin, tyddynwyr a phentrefwyr, gwladwyr a threfwyr. Mae dau begwn i'w chymdeithas, sef y tyddyn a'r plas, a pherthyn ei chymeriadau i'r naill neu'r llall; anaml iawn y ceir man canol rhwng y ddau.

Yn ardal Corwen, yng ngogledd-ddwyrain Cymru, y ganwyd ac y magwyd Elena Puw Morgan. Yn ferch i'r gweinidog Annibynnol darllengar a diwylliedig Lewis Davies, cafodd fagwraeth bur gul, er na phrofodd anfantais arhosol yn sgil hynny. Yn rhyfedd iawn, nid yw ei gweithiau creadigol yn adlewyrchu'r un mymryn ar ei bywyd cynnar fel merch y Mans. Mae'r gymdeithas y cyfeiria ati yn rhyw hanner paganaidd ac yn dra goddefol o anfoesoldeb. Ond hyd yn oed wedyn, ni chaiff hi ei denu i foesoli na doethinebu. Ys dywed Bobi Jones eto:

> . . . ffenomen encilgar a dibwys yw crefydd yn ei llyfrau hi . . . ac nid oes dim ôl unrhyw fath o brofiad Cristnogol.[5]

Dylanwadwyd ar weithiau awduron eraill o'r un cyfnod, yn cynnwys Kate Roberts (y caiff Elena Puw Morgan ei chymharu'n anorfod â hi), yn fwy gan ysgol a chapel, ac o ganlyniad maent yn fwy strwythuredig a moesol eu rhagolwg ar fywyd. Un o'r cymeriadau cyfoethocaf a chyflawnaf yn *Y Wisg Sidan*, er enghraifft, yw'r ddyneiddiol a'r gyfriniol Saro'r Wern, sy'n rym hollbresennol ym mywyd y prif gymeriad, Mali Meredur, Ty'n-yr-Ogof, ac yn gweithredu fel mam faeth iddi. Perthyn i Saro gyntefigrwydd hynafol a phaganiaeth wledig, anghristnogol, yn arbennig o ystyried ei diddordeb mewn proffwydo'r dyfodol. Mae ganddi, serch hynny, rhyw ddiwinyddiaeth grefyddol draddodiadol bendant, sy'n brigo i'r wyneb yn ystod argyfyngau. Argyfwng hefyd sy'n denu cymeriadau digrefydd megis Seimon Meredur yn ôl i'r gorlan ysbrydol, wrth iddo alw am wasanaeth y gweinidog pan mae ar ei wely angau.

Craidd storïol *Y Wisg Sidan* ac *Y Graith* fel ei gilydd yw ymdriniaeth o helyntion merched ifanc yn eu harddegau wrth geisio ymgodymu â'u hamgylchiadau ar gorstiroedd a llethrau anhydrin Cymru, a'u treialon wrth estyn eu hadenydd y tu hwnt i fröydd eu mebyd. Amrywiadau ar un thema yw Mali Meredur, sy'n trigo gyda'i brawd hŷn ar dyddyn Ty'n-yr-Ogof, a Dori Llwyd, merch hynaf Ifan a Gwen, Y Llechwedd. Gormesir y ddwy gymaint o fewn yr uned deuluol, a chan amgylchiadau economaidd, nes yr enynnir ynddynt ddyhead cryf am wella'u byd. Yn wahanol i Seimon, a gafodd gyfle i benderfynu drosto'i hun, nid yw Mali blwyfol, naïf, yn gyfarwydd ag unrhyw beth ar wahân i fywyd gyda'i brawd ar eu tyddyn anghysbell. Nid oes ganddi ddiddordeb mewn allanolion megis ei hymddangosiad, na'i dillad; neu o leiaf, os oes, mae ei hadnoddau'n rhy brin i wneuthur unrhyw beth yn eu cylch. Hyn yn fwy na dim a enilla iddi'r enw o fod yn 'eneth od'. Ond yr eironi yw mai'r foment y dechreua gymryd diddordeb yn ei hymddangosiad, y dechreua ei thrafferthion hefyd. Cymera un o hen ffrogiau sidan ei mam at yr hynod Saro i'w hadnewyddu ar gyfer ymweliad hirddisgwyliedig a dirgel â'r Ffair Bleser leol. O wisgo'r ffrog hon, teimla Mali druan ei bod yn ymdoddi'n well i'w hamgylchiadau newydd. Ond y ffaith ei bod yn edrych mor rhyfedd yn y wisg honno sy'n ei dwyn i gysylltiad â Tim Huws, meistr chwareus Plas-yr-Allt, yr hwn a weddnewidia ei bywyd unwaith ac am byth. Drwy ei pherthynas ag ef, ceir darlun o werin sy'n cael eu hecsbloetio a'u defnyddio gan y dosbarthiadau uwch. Ond er gwaethaf camdriniaeth Mali ym Mhlas-yr-Allt, pery'n ffyddlon tan y diwedd, ac â mor bell â chynnig lloches i'r hen Tim Huws ar un o adegau tywyllaf ei fywyd, ac yntau heb gartref, heb arian, a heb deulu i ofalu amdano. Ond hyd yn oed wedyn, caiff Mali ei gwadu ganddo drachefn, wrth iddo gamgymryd y wisg sidan arwyddocaol o liw'r gwin fel eiddo i Lili, ail wraig meistr Plas-yr-Allt, yn hytrach nag eiddo Mali ei hun. Eiddo, nid pobl, oedd yn bwysig i Tim felly, tra bod naïfrwydd a sensitifrwydd benywaidd Mali yn ei rhwystro rhag gweld ei meistr am yr hyn ydyw, sef twyllwr trachwantus a thruenus.

Cynyddu a wna ysbryd a chryfder cymeriad Mali yn ystod y nofel. Nodweddir cymeriadau benywaidd Elena Puw Morgan yn aml â'r cryfder hwnnw. Dyna Sioned Ifans Tŷ-draw ac Ann Huws Plas-yr-Allt, ill dwy yn gwybod eu meddwl eu hunain, ac yn barod iawn i weithredu i'r perwyl hynny. Er bod gan gymeriadau gwrywaidd, megis y grwgnachlyd awdurdodol Seimon Meredur a Tim Huws, y merchetwr cellweirus, ran flaenllaw i'w chwarae yn natblygiad Mali, ffigurau cefndirol ac arwynebol ydynt. Fel yng ngweithiau Kate Roberts, merched sydd ar flaen y gad, a chanddynt hwy y mae'r gallu i wneud y gorau o'r gwaethaf. Mae gan gymeriadau megis Saro ryw allu arbennig i roddi pethau mewn persbectif mewn dull clinigol bendant. Mae ei hymarferoldeb hi a Sioned Ifans hithau i'w ganmol ochr yn ochr â diniweidrwydd eithafol Mali ar y dechrau.

Ond dyna ni, ffrwyth eu cymdeithas yw cymeriadau Elena Puw Morgan i gyd, ac mae'r gymdeithas yn *Y Wisg Sidan* yn un gyfyng, anghysbell a llwm. Brwydr gyson fu bywyd ar dyddynnod Ty'n-yr-Ogof a Thŷ-draw i gadw'r ddysgl ariannol yn wastad. Mae cysgodion marwolaeth a'r Wyrcws yn rhai cyffredin a real iawn iddynt. Rhydd nofelau'r awdures hon, yn anad yr un awdur Cymraeg arall bron, yr argraff fod dylanwad y tir yn drwm ar ei chymeriadau, ac yn rym ffurfiannol ar eu bywydau. Mae'r sylw:

> Gwrtaith gwael ydoedd erwau anffrwythlon y mawnogydd i haelioni diangenrhaid,[6]

yn un deifiol, ac yn allweddol wrth geisio dealltwriaeth o'r cymeriadau unigol. Mae'r cymeriadau hwythau'n ymwybodol o ddylanwad ffactorau megis y tymhorau arnynt. Yn wir, bron na ellid ystyried yr amgylchfyd naturiol fel cymeriad ychwanegol yn y nofel arbennig hon.

Nid am y rhesymau amlwg yn unig y bu cyfnod yr Ail Ryfel Byd yn un trist yng Nghymru, gan i Elena Puw Morgan hithau ollwng ei hysgrifbin tua'r un adeg. Diau i'r golled o'r herwydd fod yn un fawr.

[1] D. J. Williams, *Barddoniaeth a Beirniadaethau, Eisteddfod Genedlaethol Caerdydd, 1938,* tt. 130-134, Cyngor yr Eisteddfod Genedlaethol, 1938.

[2] Gwilym R. Jones, 'Ail-Gloriannu Elena Puw Morgan', *Y Faner*, Chwefror 10, 1984, t. 13.

[3] Marian Tomos, 'Bywyd a Gwaith Elena Puw Morgan'. Traethawd M.A., Bangor, 1980.

[4] Bobi Jones, *Llenyddiaeth Gymraeg 1902-1936,* Pennod 'Y Nofel', Barddas, 1978.

[5] Ibid.

[6] Elena Puw Morgan, *Y Wisg Sidan, t. 13.*

RHAN I

PENNOD I

Roedd y ddau fochyn yn y cwt yn rhochian yn ddolefus ers hydoedd, a'r dwsin ieir ar y buarth yn pigo'n wancus yn rhigolau cerrig y drws, ond ni chymerai Mali sylw ohonynt mwy na phetaent heb fod yno. Am naw mlynedd allan o'r ddwy ar bymtheg a dreuliasai hi yn Nhy'n-yr-Ogof, hwynthwy fu ei gofal cyntaf ar ben bore, haf a gaeaf. Wedi eu diwallu hwy, byddai'n hen bryd godro'r fuches, ac yna baratoi'r fowlenaid bara llaeth enwyn a fodlonai Seimon. Ar ôl cwblhau hyn oll y bwytâi ac yr yfai hi. Ond heddiw—rhochied y moch, piged yr ieir, a brefed y gwartheg, fyddai yma na bara llaeth enwyn na godro pan ddychwelai Seimon o'r caeau. Ysgydwodd Mali'r briwsion bara amyd oddi ar ei glin, a drachtio'r diferyn olaf o laeth o'i chwpan.

'Rhaid imi ei chychwyn hi,' meddai wrthi'i hun, 'cyn y daw Seimon yn ôl i stormio 'mod i heb wneud hanner diwrnod o waith cyn mynd.'

Roedd edrych ar yr aelwyd oer a'r llestri budron ar y bwrdd yn rhoddi iddi'r pleser mwyaf a deimlodd erioed—ar wahân i un.

'Nid y fi raid cynnau'r tân,' canai yn ei chalon. 'Nid y fi raid cynnau'r tân na golchi'r llestri. O! mi ddaw Seimon at ei goed cyn hir.'

Gorweddai ei chlud yn barod ganddi ar y gadair. Nid oedd ond pecyn di-lun mewn lliain coch, ond cynhwysai'r cyfan oedd ganddi ar ei helw. Cipiodd ef o dan ei chesail a cherdded yn chwim dros y trothwy ac o'r buarth, heb aros eiliad i edrych yn ôl mewn atgof na ffarwél. Ger llidiart y cae isaf, cyfarfu â Seimon. Ni ddangosodd ef unrhyw syndod o'i gweld.

'Mynd wyt ti, 'te?'

'Ie.'

'Mi edifarhei am bob blewyn sydd ar dy ben.'

'Mi gaf weld. Mi gei dithau weld hefyd pan gyrhaeddi di'r tŷ y bore yma, Seimon.'

Yna ymlaen, heb yr un ail olwg ar Seimon chwaith. Roedd hen lanc yr Hafod, pan gollodd ei chwaer y llynedd, wedi cyflogi morwyn i wneud ei gwaith; ond chwarddai Mali wrth feddwl am Seimon yn trachlo ymlaen ar ei ben ei hun, yn rhy gybyddlyd i dalu cyflog morwyn ac yn colli mwy na hynny trwy ddilunwch. Fe glywsai am rai yn cymryd gwraig am ei bod yn rhatach i'w chadw na morwyn. Dim peryg i Seimon wneud hynny chwaith. Ac ymhle y câi o wraig fyddai'n bodloni heb bilyn newydd trwy'r blynyddoedd, fel y gwnaethai hi? Fe'i cofiai ei hunan yn blentyn, yn gorfod torri llewys ei ffrog am eu bod yn rhy gul i fynd dros ei phenelin, heb sôn am fod hefyd yn rhy gwta. Cofiai chwerthin plant y pentre am fod godre'i gwisg gymaint yn uwch na'i phenliniau. Yna, un diwrnod, rhoddodd Seimon allwedd yn ei llaw, gan ddweud,

'Dyma agoriad y bocs mawr sy'n y siambr. Mae dillad fy mam i gyd ynddo fo—digon iti am dy oes, dim ond iti eu cymryd yn gynnil.'

A dyna fu ganddi byth wedyn. Edrychent iddi hi ar y pryd yn llawnder mawr, ac ymfalchïai ynddynt fel arwydd o rywbeth a glywsai un tro gan wraig un o'r ffermydd cyfagos: 'Mi syrthiodd dy fam yn is na'i stad wrth ddod i Dy'n-yr-Ogof acw, wel'di, a hithau wedi arfer gweini ym Mhlas-y-Glyn, o bob man.' Ond sylweddolai ers amser bellach nad oedd cynnwys y gist yn llawnder na digonedd. Er nad oedd ei thad yn grintach fel Seimon, nid oedd ganddo ddigon yn weddill yn ei bwrs, ar ôl talu byw a'r rhent, i allu fforddio llawer o wario ar ddillad, ac felly gwisgoedd ei morwyndod a fu gan Ann Meredur drwy gydol chwarter canrif ei bywyd priodasol. Er i'w defnydd fod yn dda, a'i gofal hi ohonynt yn ddiarhebol, mae pum mlynedd ar hugain o wisgo dygn yn gadael ei ôl ar y defnyddiau gwytnaf, heb sôn am ddeuddeng mlynedd o segurdod ar drugaredd y gwyfynod yn y gist.

Yn ffodus i Mali, roedd hen ffrind i'w mam yn byw bryd hynny ychydig o'r pentref, a hithau wedi gweld newid byd ers yr amser y bu'n gweini ym Mhlas-y-Glyn ar yr un adeg ag Ann Meredur. Ati hi y rhedodd Mali i adrodd am drysorau'r gist.

'Wel, mae arnat ti ddigon o angen rhywbeth drosot, Duw a ŵyr,' ebe honno. 'Does gen i mo'r modd i wneud yr hyn fynnai fy nghalon iti. Dwyf i ddim rhyw lawer o wniadwraig fy hun, ond mi allwn dy ddysgu i dacluso mymryn ar y dillad yna.

Tyrd ag un neu ddau o'r pethau salaf gyda thi y tro nesa, a chadw'r lleill nes y byddi di'n hŷn.'

Ond pan drodd Mali i chwilio'n fanylach, fe ganfu fod pigo'r 'pethau salaf' yn orchwyl pur anodd. Gydag un eithriad, profodd cynnwys y gist yn siomedig iawn.

'Does ond gwneud y gorau fedrwn ni,' cysurai Margied Ty'n-lôn. 'Dyna iti'r bais stwff yma. Fe all honno hepgor dau led yn hawdd, ac fe ddaw'r darnau gorau o'r rheini i drwsio'r gweddill ohoni. Mi allwn aildorri'r betgwn yma hefyd i wneud gwasg iti. Fydd o ddim yn daclus yn y byd ond siawns na fydd o'n edrych yn well na'r hyn sydd gen ti'n awr.'

Bu Margied farw ymhen ychydig fisoedd ar ôl hyn, ond arhosodd ei choffadwriaeth yn hwy nag eiddo llawer, yn y lledau a dynnodd Mali o beisiau stwff ei mam. Dim ond dwy ohonynt oedd ar ôl erbyn hyn, a'r ddwy honno fel etifeddion o'r lleill i gyd, gan fod Mali yn cadw pob dernyn gweddol gyfan o'r rhai salaf oll at drwsio'r gweddill gwell. Rhesi coch a glas ar ddu oedd ar yr orau o'r ddwy, a hyd yn hyn fu dim rhaid eu cymysgu â lliwiau eraill, er bod y bais druan wedi mynd yn gul iawn o ymborthi parhaus ar ei lled ei hun. Am y llall, anodd fyddai penderfynu pa rai o'r rhesi berthynai iddi hi ei hun a pha rai i'w chlytiau. Hon a lanwai un gongl o'r pecyn.

Ni fynnai Mali gyrraedd Plas-yr-Allt mewn pais mor glytiog â honno, er na fynnai wisgo'i ffrog fereina ddu i'r daith chwaith. Honno fuasai gwisg pleser a chrefydd ganddi unwaith, pan ddigwyddai ddyfod i gyffyrddiad ag un o'r ddau. Fe dynnwyd lledau o honno hefyd, hyd na ellid hepgor yr un arall, ond nid oedd wedi'i chlytio eto heblaw â'i defnydd ei hun, a theimlai Mali'n eithaf bodlon arni. Ni faliai'i chymdogion yn Llanllŷr fwy na mwy am y ffasiwn, ac nid oedd dillad merched y ffermwyr mwyaf cefnog yno ryw lawer yn wahanol i'r rhai a wisgent ddeng mlynedd ynghynt.

Yr unig bethau gwerth sôn amdanynt yn ei phecyn oedd y ddau drysor a arweiniodd at y rhyfeddod ei bod hi'n troedio'r ffordd hon o gwbl, a Seimon gartref yn Nhy'n-yr-Ogof yn hwylio'i frecwast ei hun—y neisied amryliw, a'r ffrog sidan. Ie, sidan! A phwy o ferched Llanllŷr a feddai un debyg iddi? Sidan o liw'r gwin, a hwnnw mor drwm a thrwchus nes ei fod bron â sefyll allan ohono'i hun, a'r unig un o ddillad y gist nad amharwyd arno gan wyfyn! Blysiodd Mali lawer am wisgo'r ffrog hon ac addawodd iddi ei hun y gwnâi hynny cyn gynted fyth ag y cyrhaeddai ei phymtheg oed. Felly, yr hamdden cyntaf wedi'r pen blwydd hwnnw, aeth ati i'w gwisgo. Er ei siom, roedd y ffrog lawer yn rhy fawr iddi, yn rhy llaes ei godreon, ei gwasg a'i llewys yn rhy hir, a'r penysgwydd rywle rhwng ei phenelin a'i chesail. Gwelai hyd yn oed Mali na wnâi'r tro felly, a chydiodd mewn siswrn i'w thorri fel y gwnâi â'r dillad eraill. Yna ataliodd ei llaw.

'Mae hi mor hardd! Trueni imi ei difetha hi. Falle, ond imi ofyn i Seimon, y caf i fynd â hon at y wniadwraig i'w gwneud.'

Ychydig ddyddiau'n ddiweddarach, daeth Seimon i ofyn am y mân wlân a heliasai hi oddi ar y gwrychoedd ac oddi ar dwmpathau grug a llwyni eithin y mynydd—eu peth hwy eu hunain, ac eiddo'r cymdogion oedd yn ddigon da eu byd i allu hepgor gwlana eu hunain. Fel amheuthun mawr, fe'i canmolodd hi.

'Da ferch. Mae gen ti gydaid gwell nag arfer eleni. Mae pob ceiniog yn werthfawr ar y byd drwg yma.'

Mentrodd hithau sôn am y ffrog, a gwniadwraig.

'Rwy'n siŵr na chostiai hi fawr iawn ac fe fyddai gystal â newydd i mi wedyn. Mae hi'n ormod o lawer fel y mae.'

Edrychodd Seimon arni fel petai'n ei gweld am y tro cyntaf.

'Ydi, mi wn. Roedd fy mam yn fwy merch nag a fyddi di byth, a synnwn i ddim nad oedd hon ar yr helaetha iddi hithau hefyd. Gan y Sgweiar y cafodd hi, hen un i'r Ladi, ac roedd honno'n wraig braf iawn medden nhw. A'm mam yn priodi 'nhad wedyn!'

A chwarddodd Seimon—peth anghyffredin iddo fo.

Dilynodd Mali ymlaen gyda'r hyn oedd o ddiddordeb iddi hi. Doedd o ddim o bwys ganddi o ble y daethai'r ffrog i'w mam. Iddi hi gael ei gwisgo oedd y peth mawr. Ni roddai Seimon nac addewid na gwrthodiad.

'Cadw hi am dipyn. Mi ddaw'n nes atat ti mewn blwyddyn neu ddwy ac mi fydd yn rhatach i'w hail-wneud wedyn.'

Bodlonodd Mali. Roedd byw yn Nhy'n-yr-Ogof wedi dysgu amynedd iddi, ac ychydig o gyfle a roddai Seimon i gymowta nac i freuddwydio. Ond fel y nesâi ei phen blwydd yn ddwy ar bymtheg oed, ailgydiodd y syniad ynddi o wisgo'r ffrog sidan.

'Rwyf i wedi tyfu a lledu llawer mewn dwy flynedd,' ebe hi, a gwir oedd hynny i raddau, ond nid oedd y gwahaniaeth ynddi yn ddigon i lenwi'r ffrog sidan.

Soniodd wrth Seimon eto, ond gyda llai o lwyddiant na'r tro cynt.

'Rwyt ti, fel y merched i gyd, â dy feddwl ar ddim ond dillad. Pa ddisgwyl sydd i mi dalu arian mawr am wiriondeb fel yna? Mae'r ffrog yn rheiol fel y mae. Os gwnaeth hi'r tro i fy mam ac i Ladi'r Plas, oedd ganwaith mwy golygus merched na thi, fe wnaiff y tro i tithau.'

Yna, am y tro cyntaf erioed, fe ffraeodd â Seimon. Derbyn ei eiriau garw mewn distawrwydd a'u troi drosodd yn ei meddwl a wnâi fel arfer, ac eithriad mawr fyddai iddi ddweud gair bach yn ôl.

'Thelaist ti'r un geiniog imi erioed. Mi allet fentro talu am wnïo'r ffrog, a phawb yn deud y dylet fod yn rhoi cyflog imi am weithio mor galed.'

'Cyflog, yn wir, a minnau wedi helpu 'nhad i'th fagu di er pan fu farw fy mam a thithau'n ddim ond baban; ac wedi edrych y cyfan ar d'ôl di er pan gollwyd 'nhad, naw mlynedd i'r haf yma. Os na fydd gwell trefn na hyn arnat ti, chei di mo'r ffrog o gwbl. Yn wir, o ailfeddwl, dwyf i ddim yn siŵr na fydd ei hangen hi arna i fel prawf . . .'

'Prawf?' holodd Mali. 'Prawf o beth?'

Eithr nid oedd rhagor i'w gael ohono, ac ni feddyliodd hithau ychwaneg am y gair ym mhoethder y cweryl ynghylch y ffrog.

Dyna'r ffrog, felly, fel y cyntaf—a'r lleiaf—o'r rhesymau a'i harweiniodd i adael Ty'n-yr-Ogof. Bu'n ofni trwy'r dydd Sul glywed Seimon yn holi amdani ac yn gorchymyn nad âi â hi ymaith. Dyna lanwai ei meddwl pan gyfarfu ag ef ar y llwybr gynnau.

Arafodd ychydig. Wedi'r cyfan nid oedd cymaint brys, dim ond iddi gyrraedd cyn nos. Rhaid ei bod wedi cerdded tair neu bedair milltir, oherwydd roedd wedi pasio'r Oror ers tro byd, a dwy filltir a hanner a gyfrifid rhwng yno a Thy'n-yr-Ogof. Dyna'r lle pellaf iddi fod ar y ffordd yma cyn hyn, ond doedd dim peryg iddi fethu gan mai trwy Lanala y cyrhaeddai Blas-yr-Allt. Roedd y ffordd i Lanala bron yr un â'r ffordd i Draethaur ac fe glywsai ddigon o sôn am honno adeg diwrnod plesera'r ardal. Oni ddysgodd hi amdani ar ei chof, fel petai hynny'n ddigon i'w chario gyda'r haid lawen i lan y môr?

'Dilyn y ffordd galed am chwech neu saith milltir o bentre Llanllŷr, ac yna troi i lawr ar hyd ffordd drol ger talcen eglwys Llanïor.'

Roedd hynny'n ddigon hawdd. Wedyn, efallai, byddai'n fwy anodd dod o hyd i'r llwybr. Teimlai'n flinedig eisoes gan y mwd gludiog trwchus a lynai wrth ei chlocsiau a'u trymhau. Byddai ar ei thraed trwy gydol y dydd gartref, ond nid oedd yn gyfarwydd â cherdded dygn ar ffordd galed. Cerddai filltiroedd lawer weithiau gyda'i gwlana, ond dros borfa a rhostir a grug yr oedd hynny.

Clywodd dinc haearn ar gerrig ac ailbrysurodd ei chamau. Dyma gyfle i holi ei ffordd ac efallai i orffwys ychydig. Gwelai hen dorrwr cerrig ar ochr yr heol yn curo'n hamddenol ar garreg lefn, gron. Gerllaw iddo ar un ochr roedd pentwr o gerrig mân, miniog, a thwr o rai bras, llyfnion ar y llaw arall. Dewisodd Mali'r rhai olaf yma fel y rhai esmwythaf.

'Ga i eistedd am funud gyda chi?' gofynnodd.

Cododd yr hen ŵr ei ben a syllu arni trwy'r mân ograu duon a orchuddiai'i lygaid. Gwnâi'r rheini i Mali deimlo'n fwy hyf arno rywfodd na phe gwelsai ei lygaid noeth.

'Cei, neno'r Tad,' atebodd. 'Rwyt ti'n ddiarth ffordd hyn, mi wela i.'

'Merch Ty'n-yr-Ogof,' eglurodd Mali. Gwyddai o leiaf foesgarwch ei hardal ei hun—sef ateb cwestiynau cyn eu gofyn ichi'n iawn.

'Ty'n-yr-Ogof!' pensynnai yntau. 'Aros di, yr ochr arall i'r Bwlch, yntê?'

'Ie,' atebodd Mali, 'ddwy filltir i'r mynydd o Lanllŷr.'

'Dyna fo. Mae gen i amcan go dda am ddarn mawr o'r sir yma, er na fûm i ond unwaith yn Llanllŷr chwaith—yn y Cyfarfod Holi Pwnc un dydd Nadolig gryn bymtheng mlynedd yn ôl. Rwy'n siŵr braidd hefyd 'mod i'n adnabod gŵr Ty'n-yr-Ogof o ran ei weld.'

'Seimon Meredur, fy mrawd.'

'Rhaid 'mod i'n camgymryd 'te. Mae hwnnw y meddyliwn

i amdano fo yn ddyn mewn gormod o oed i fod yn frawd i ti.'

'Roedd Seimon yn bedair ar hugain pan aned fi,' eglurodd Mali.

'Neno'r Tad! Wyt ti ar drafael bell, 'ngeneth i?'

'I Blas-yr-Allt. Wyddoch chi ble mae hwnnw?'

'Plas-yr-Allt? Ym mhlwyf Llanala'n rhywle, ac mae pentre Llanala'n siŵr o fod chwech neu saith milltir oddi yma.'

'Oes gen i gymaint â hynny eto?' ochneidiodd Mali.

'Oes, os nad mwy. Mi wn i fod y Plas yna gryn bellter o'r pentre. Wyddost ti am eglwys Llanïor?'

'Na wn i.'

'Wel, mae'n rhaid iti fynd yn dy flaen am ddwy filltir go helaeth i ddod ati hi, ac wedyn tro di i lawr y lôn gul i gyfeiriad y môr ac mi ddoi i lwybr culach fyth sy'n rhedeg gyda'r môr. Canlyn di hwnnw am dair neu bedair milltir arall. Gwylia ar dy droed hefyd. Mae yna hen dyllau cas ar hyd-ddo fo, ond mi arbedi ddwy filltir drwy osgoi'r ffordd fawr. Pan gyrhaeddi di bentre Llanala, mi elli holi ymhellach fan honno.'

'Ydi'r Plas ar lan y môr?' gofynnodd Mali.

'Na, troi oddi wrth y môr fyddi di yn Llanala, dybiwn i, ond mae'n debyg y clywi di ei sŵn o, fel o'r fan yma, a falle'i weld o o rai o'r caeau.'

'Ydyn ni'n clywed y môr o'r fan yma?'

'Tyrd efo mi,' gwahoddodd yr hen dorrwr cerrig, gan godi'n fusgrell o'i grwmach. Dilynodd Mali ef rai llathenni i fyny'r ffordd.

'Dring di i ben y clawdd fan hyn. Glywi di o'n awr?'

Bu swyn i Mali yn enw'r môr bob amser, er na welsai mohono erioed. Clustfeiniodd yn awr a chlywodd ryw ru dwfn, pell, na chredai yn ei byw mai'r môr ydoedd gan mor annhebyg yr oedd i'w dychymyg amdano, ond atebodd, 'Clywaf,' er mwyn boddhau'r hen ŵr.

'Mynd yno'n forwyn wyt ti, debyg?' holodd yntau eto.

'Ie, yn drydedd forwyn.'

'Hy! Yn ôl beth glywais i, fydd yno byth yr un ben-forwyn. Mae'r feistres yn ormod o hen styrmant i'r un eneth o brofiad ei dioddef hi; ac mae'n rhatach ganddi hithau weithio fel y coblyn ei hun, a chael ail a thrydedd forwyn i wneud y gweddill yng nghysgod eu gwaith eu hunain, am gyflog llai.'

'Mi wyddoch am y lle, felly?' plymiai'r eneth.

'Na wn wir, ond fel y gwn i am bob man yn y pen yma o'r sir. Mi fu dwy neu dair o'r cyffiniau yma'n aros yno o dro i dro, ond roedd hi ymhell iawn o fod yn ddinas barhaus. Ond na hidia! Felly y dysgi di drin y byd yma, wel'di.'

'Y meibion sy'n ffarmio yno, yntê?' meddai Mali'n ddidaro.

'Meibion? Wyddwn i ddim fod yno'r un plentyn, os na chyfrifi di'r gŵr yn un. Aros di. Dyw 'nghof i ddim cystal ag y bu. Pwy oedd o, hefyd?'

'Mae o wedi'i gladdu, rwy'n meddwl,' ebe Mali.

'Ydi o'n wir! A minnau heb glywed dim! Ond dyna! mae'r lle mor anghysbell oddi yma.'

Atgoffwyd yr eneth nad oedd hi eto wedi cyrraedd pen hanner ei thaith, a neidiodd i lawr o'r gwrych.

'Mae'n well imi gychwyn,' meddai, 'neu mi ddaw yn nos arna i.'

'Paid â brysio gormod,' cynghorodd yr hen ŵr. 'Cymer heddiw i ti dy hun. Mi gyrhaeddi yno'n hen ddigon buan.' Yna, wrth weld fod Mali eisoes wedi cychwyn, galwodd ar ei hôl, 'Cofia mai'r llwybr heibio talcen yr eglwys piau hi, os na chei di gynnig dy gario ar hyd y ffordd galed.'

'Diolch,' galwodd Mali'n ôl.

Ailgydiodd yr hen greadur yn ei forthwyl gan fwmial rhyngddo ac ef ei hun,

'Neno'r Tad, beth ar y ddaear glywais i am ŵr y fan yna? Mae 'nghof i wedi mynd yn gandryll, ydi wir.'

Prysurodd Mali ymlaen yn fywiocach o'r mymryn seibiant, a'r sicrwydd ei bod ar y ffordd iawn ac nad oedd ond dwy filltir rhyngddi ac eglwys Llanïor. Byddai'n newid braf cael troi i'r ffordd laswelltog. Roedd cerdded y ffordd galed mor flin ac undonog.

Daeth i olwg yr eglwys yn annisgwyliadwy. Adeilad isel, llwyd oedd hi, ei ffenestri wedi torri ac wedi eu byrddio â choed yn lle gwydr. Roedd y glwyd, fel popeth arall ynglŷn â'r lle, wedi hen falurio, a dringodd Mali drosti i'r fynwent. Petasai'n anterth haf, buasai ar ei heithaf i'w thramwy, a thros ei phen mewn danadl, mieri, a glaswellt bras. Yn awr, fodd bynnag, roedd rhew ac eira'r gaeaf wedi medi llawer ar y gwylltineb hwn a'r twf newydd heb ddechrau. Edrychodd ar y beddfeini. Ffurf cist oedd iddynt gan mwyaf, a'u defnydd o lechfaen llwydlas. Ychydig o'r enwau oedd yn ddarllenadwy ond ni wnâi hynny wahaniaeth cyn belled ag yr oedd Mali yn y cwestiwn. Rhisglasai'r meini neu gorchuddiesid hwy â mwswgl, ac roedd conglau ac ochrau rhai ohonynt wedi agennu'n holltau hagr. Yn y canol safai tair ywen, a'u boncyffion praff wedi ymrannu'n ddegau o geinciau gan henaint. Eisteddodd Mali ar un o'r ceinciau. Roedd yr hir gerdded, a'r bwyta bore, wedi codi newyn arni.

'Mi fûm yn ddwl na bawn i wedi dod â'r darn torth i'm canlyn,' dwrdiai'i hun, 'a finnau wedi cael digon o wers ynglŷn â hynny ddiwrnod y Ffair.'

Ond waeth heb â gofidio'n ofer a'r drwg wedi'i wneud, a throdd i'w llongyfarch ei hun ar gael lle sych i orffwys, heb beryg i neb dieithr ddod ar ei thraws. Ei bwriad ar y cyntaf oedd cael ennyd o fwyniant yno; ond wrth eistedd yn llonydd, daeth dychymyg, na châi fawr o gyfle gartref, rhwng gwaith a blinder, i aflonyddu arni. Dechreuodd edrych ar yr agennau yn y cistiau llech a dychmygu gweld wynebau'r meirwon yn rhythu arni drwyddynt. Ar y cyntaf tybiai allu clywed adlais gwan o su'r môr, y gwrandawsai arno yng nghwmni'r torrwr cerrig, ond yn awr fe wyddai mai siffrwd y meirw ydoedd ac nid su'r eigion. Chwyddodd nes llanw ei chlustiau a'i holl ymwybod. Cwynai ambell un o'r meirwon na bai wedi cyrraedd yno'n gynt. Cwynfannai un arall oherwydd iddo gyrraedd cyn pryd a'r gwynfydau a flysiai heb eu profi.

Aeth ei meddyliau'n drech na'i blinder a dihangodd oddi yno mewn dychryn. Nid arafodd ei chamau am hir wedi cyrraedd y ffordd a arweiniai at y môr—os teilyngai gael ei galw'n ffordd, yn wir. Nid oedd ond toriad lled trol rhwng dau wrych, a'r olwynion wedi creu rhigolau dyfnion iddynt eu hunain a'r rheini heddiw yn ffosydd rhedegog; ond roedd y codiad rhyngddynt yn laswellt esmwyth, caredig i draed blin. Cariodd ei harswyd hi filltir neu ddwy ar ei ffordd, ac yna daeth pethau i'w lle drachefn. Trodd siffrwd y meirw yn ddiamwys sŵn y môr ac yn fwy eglur o lawer na chynt. Daeth ei sgwrs â'r torrwr cerrig yn ôl i'w meddwl: 'hen styrmant'.

Digon posib, ond gallai hi ddal cryn dipyn wedi byw cyhyd efo Seimon. Rhyfedd na chlywsai'r hen ŵr fod yno blant, ond fe gyfaddefai'i hun na wyddai fawr am y lle ac efallai mai nai, neu berthynas arall, oedd y dyn ifanc. Byddai awgrym am garwriaeth yn bechod mawr yng ngolwg Seimon, a'i thad o'i flaen, ac felly prin y gwnâi gydnabod iddi'i hun mai'r atgof am y dyn ifanc llygatlas a melynwallt hwnnw oedd yr ail a'r prif reswm dros iddi adael Ty'n-yr-Ogof ac anturio i le dieithr am y tro cyntaf erioed.

PENNOD II

Yr wythnos cynt y bu Ffair Fawrth y Dref. Arferai'r ardaloedd o fewn cylch pymtheng milltir dyrru yno'n gyfan bron, ac eithrio Mali a Seimon wrth gwrs. Blysiai hithau lawer am gael mynd, ond gwyddai mai gwae hi petai hi'n awgrymu hynny.

Yna digwyddodd yr annisgwyl.

Beth amser cyn hyn, roedd tecell berwedig wedi troi ar draed Sioned Ifans Tŷ-draw. Er yr hanner dwsin o gaeau corsiog a'u gwahanai, hwy oedd cymdogion nesaf Ty'n-yr-Ogof, a threuliodd Mali fwy o amser yn Nhŷ-draw yn ystod y tair wythnos ddilynol nag a wnaethai trwy gydol ei hoes cyn hynny.

'Mae'n eithaf i fod yn gymdogol,' barnai Seimon.

Ni olygai fawr anhwylustod iddo ef fod ei chwaer yn rhedeg yno ddwywaith neu dair yr wythnos, i bobi, corddi, a rhoi crap ar olchi'r pethau rheitiaf. A phwy wyddai na allai ddigwydd bod yn dda iddo yntau wrth Ifan Tŷ-draw rywbryd eto? . . . I Mali, oedd â llond ei dwylo eisoes, y costiai'r gymwynas, gan na chaniatâi Seimon i'r amser a dreuliai yn Nhŷ-draw dolli dim ar y gwaith a wnâi gartref. Er hynny, croesawai hi'r newid yn ei bywyd undonog ac ymddangosai ffermdy diaddurn Tŷ-draw yn wychder annisgrifiadwy iddi o'i gymharu â Thy'n-yr-Ogof.

Ni ddatblygodd dim cyfeillgarwch rhyngddi hi a Sioned Ifans. 'Geneth od' oedd hi yng ngolwg honno o hyd, 'ond yn ddigon da ei chael hi ar dro fel hyn'; ac nid oedd dim yn y ffermwraig hithau i gyffwrdd â Mali. Ni ddisgwyliai hi dâl am ei chymwynas. Gwrtaith gwael ydoedd erwau anffrwythlon y mawnogydd i haelioni dianghenraid felly. Ac ni warafunai mai Seimon fyddai'n cael yr ad-daliad, os deuai o gwbl. Dysgodd hi gryn dipyn yno. Ni chawsai erioed ei haddysgu sut i drin menyn na dim byd arall, ac fe wnâi yn wyrthiol ac ystyried ei hanfanteision. Roedd gan Sioned Ifans y gair o fod yn un anodd i'w boddio, ac roedd Mali'n gorfod cario'r ystên fenyn i mewn ati bob tro a'i gyweirio o dan ei chyfarwyddyd hi. Teimlai'r eneth yn chwithig ar y dechrau wrth gael rhywun yn busnesa yn ei gwaith. Ni faliai Seimon sut y gwneid unrhyw beth—cael ei gwblhau, a hynny heb wario dim arno, oedd ei ddelfryd ef. Ond fe sylweddolodd Mali ar derfyn y wers gyntaf fod y menyn yn galetach ac yn well ei liw na dim a welsai ganddi hi ei hun o'r blaen, ac o hynny allan fe dderbyniodd addysg Sioned heb ronyn o wrthryfel.

Pan wellodd y ffermwraig, peidiodd Mali â mynd yno. Roedd ganddi ddigon i'w wneud heb hynny, a chefnogwyd mohoni hi erioed i hel tai. Ni feddyliodd ragor am y peth, heblaw i ofidio weithiau na bai ei choffor a'i dresel hi yn loyw fel rhai Tŷ-draw. Dywedai Sioned Ifans mai cŵyro cyson ddeuai â nhw felly, ond yr unig gŵyr y credai Seimon ynddo oedd eli penelin.

'Mi gŵyrodd Mam ddigon ar y rhain yn ei hamser, a phetait tithau'n rhwbio tipyn, mi gaet hwnnw i'r golwg. Petai hynny o bwys. Thâl gwiriondeb felly byth mo'r rhent.'

Addawsai Sioned fymryn o gŵyr iddi ond fe anghofiodd ei roi wedyn, ac ni siomwyd mo Mali. Gwyddai yr ystyrid teulu Tŷ-draw yn glòs, a chyda'r pencampwr yn y ddawn honno o'i blaen yn feunyddiol, ni synnid hi gan grintachrwydd neb arall.

Yna, un min nos, dyma Ifan Ifans yn hercian yn araf dros y caeau brwynog.

'Mae'r Ffair Bleser yn y Dref ddydd Sadwrn, a mymryn o fusnes yno gan Sioned a minnau. Mi fydd raid inni gymryd y siandri, ac mi drawodd i'n meddwl ni falle yr hoffai Mali gael ei chario efo ni. Mi fu hi'n bur dda pan oedd y wraig acw yn methu mynd o gwmpas.'

Brysiodd Seimon i ateb.

'Doedd hynny ond rhwng cymydog a chymydog. Mi gewch chi a minnau, Ifan Ifans, ei drin o rhyngom a'n gilydd eto.'

'Cawn, cawn,' cytunodd Ifan, 'ond mae'r feistres acw'n deud na chostiai o ddim i roi lle i Mali.'

'Gwna di dy ddewis, 'te,' ebe Seimon yn sarrug, 'ond yn fy marn i, gwiriondeb ydi rhedeg i ffeiriau heb fod eisiau dim byd.'

'O! diolch ichi, Ifan Ifans,' meddai Mali, a'i hwyneb yn disgleirio. 'Pryd fyddwch chi'n cychwyn?'

'Dywed ryw hanner awr wedi wyth. Fel hynny, mi fydd yna ddigon o amser i ti a ninnau i fwydo'r pethau a gwneud y gwaith rheitiaf cyn cychwyn. Does dim galw am inni gychwyn yn rhy gynnar. Mi awn yno'n hwylus mewn teirawr.'

Roedd Mali wedi llonni drwyddi ac nid oedd yr anfodlonrwydd ar wyneb Seimon yn mennu dim arni. Nid oedd yn bwriadu gofyn am yr un ddimai o bres ganddo ef, a hithau'n cael ei chario am ddim, hyd yn oed petai ar ei chythlwng drwy'r dydd ar ôl cyrraedd yno.

Trodd Ifan Ifans yn ei ôl i'r drws.

'Mynd â thamaid yn ein poced oeddym ni'n feddwl wneud, Mali.'

Roedd hi'n amlwg ar ei dôn na olygent gymryd briwsionyn yn rhagor na digon i'w diwallu hwy eu dau.

'Hy!' arthiai Seimon, 'a does dim tebyg i ryw hoeta fel'na am godi stumog.'

Dyna pryd y llanwodd y ffrog sidan fryd Mali drachefn, ac y dechreuodd ei dychymyg chwarae o'i chwmpas o ddifrif.

Y noson honno, cyn mynd i'r gwely, mentrodd yn ofnus sôn wrth ei brawd.

'Mi fyddai hyn yn gyfle da imi gael y ffrog sidan. Rwy'n siŵr y gwnâi Martha Jones hi erbyn dydd Sadwrn, petawn i'n rhedeg â hi yno fory.'

'Beth wyt ti'n gyboli, dywed?'

'Wyt ti ddim yn cofio, Seimon, iti addo unwaith y cawn i ailwneud y ffrog goch pan gyrhaeddwn i fy nwy ar bymtheg oed?'

'Addewais i ddim ffasiwn beth. Y cyfan ddwedais i oedd y cawn i weld y pryd hynny sut fyd fyddai hi, ac mi ŵyr pawb yn ei synnwyr nad ydi hi'n fyd ffrogiau sidan, beth bynnag.'

'Ond Seimon, fydda i byth yn cael pilyn newydd fel y merched eraill, dim ond ambell i bâr o glocsiau.'

'Mae yma ddigon o sŵn wedi bod ynghylch honna o'r blaen. Paid â gadael imi dy glywed di'n sôn amdani byth eto. Mi wnaeth y tro fel y mae hi i'th well di, ac mi wnâi eto hefyd petai angen.'

Ni feiddiai Mali ddal ato'n hwy, ond roedd fel petai gwrthryfel cannoedd o foreau oer, rhewllyd yn ymladd ag ewinrew a llosg eira; ac o brynhawniau tesog, croen-chwyslyd, traed-ddolurus o fewn i ledr a choed caled, wedi'u crynhoi a'u lapio ym mhlygiadau sidan esmwyth y ffrog goch. Nos drannoeth, fe'i gwnaeth hi'n becyn a cherddodd â hi dros y waun i dŷ Saro'r Wern. I Martha Jones y bwriadai ar hyd y blynyddoedd ei chymryd. Roedd tŷ honno yn y pentref, ond roedd tair milltir a hanner o ffordd i'r Wern, a hynny ar hyd y llwybr byrraf. Ond ni feiddiai Mali fynd â gwaith i Martha heb gymryd yr arian i dalu amdano gyda hi. Er fod Saro bron yn gwbl ddieithr iddi, roedd rywfodd yn well ganddi ddangos ei thlodi iddi hi nag i'r llall, oedd â'i thŷ yn enwog fel man cyfnewid newyddion y fro.

Ychydig iawn a wnïai Saro yn awr. Câi'r gair yn yr ardal o fod yn well crefftwraig na neb yn y wlad, wedi treulio blynyddoedd yn Llundain i ddysgu, ac wedi'i gwerthu ei hun i'r diafol yno hefyd, meddai'r bobl a wyddai am bethau felly. Pan ddaeth adref gyntaf bu mynd mawr ar ei gwnïo. Tyrrai merched y ffermydd mawr i gyd ati, nes i'r si fynd ar led fod anlwc yn dilyn ei gwaith. Bu farw un cyn gwisgo'r dillad priodas gwych a weithiwyd iddi. Taflwyd un arall oddi ar ei cheffyl, a gwisg o wneuthuriad Saro oedd amdani hithau. Yn raddol daethpwyd i weld fod pob merch o amgylchiadau gweddol a fyddai farw yn yr ardal, wedi cael dillad gan Saro rywdro neu'i gilydd.

'Yr hen beiriant yna sydd ganddi,' oedd y ddedfryd. 'Â'u dwylo y golygai'r Brenin Mawr i ferched wnïo, a ddaw dim daioni o ymyrryd â'i fwriadau O.'

Felly yr aeth gwnïo Saro yn ddim amgen na thraddodiad; ond agorodd drws bywoliaeth arall iddi cyn i'r llall orffen cau. Ei thad oedd ffisigwr y plwyf. Os oedd yna rywbeth na wyddai ef am rin y dail a'r blodau at afiechydon—yna nid oedd yn werth ei wybod. Er syndod pawb, pan fu farw'r hen ŵr, fe gafwyd fod ei ferch yr un mor hyddysg a medrus ag yntau. Ond âi hi gam ymhellach nag ef, neu o leiaf fe'i gyrrwyd felly gan y cymdogion. Os oedd hi mewn gwirionedd wedi'i gwerthu'i hun i'r diafol, fe safai i reswm na wnaethai hi mo hynny heb daro bargen. Gan mai rhannu ei gyfrinachau ydi'r ffordd rataf i'r gŵr hwnnw dalu, ymresymai'r ardalwyr fod Saro'n sicr o fod gymaint â hynny'n fwy gwybodus na hwy. Ac fe dalent iddi am yr wybodaeth honno.

Doedd neb yn honni credu fod dim yn y peth, ac roeddynt i gyd yn gresynu fod neb mor ddwl â chredu'r fath ffwlbri—yn enwedig os digwyddai rhywun daro arnynt yn ymyl y Wern liw nos. Wrth gwrs, mofyn am dipyn o drwyth i'r plant at y peswch, neu i'r wraig at galon guro, y bydden nhw. Roedd peth felly'n iawn yn ei le—ond am y llall, wfft iddo fo!

Y tywydd, yr anifeiliaid, a chariadon oedd pynciau arbennig Saro yn y maes yma. Fe sibrydid hefyd ei bod yn barod i wasanaethu fel canolwraig rhwng y diafol ac unrhyw un a deimlai ar ei galon daro bargen ag ef. Chwarae teg i Saro, ni chyhoeddai hi byth mo'i galluoedd yn y maes diwethaf yma. Fel doctores yr edrychai hi arni'i hunan, ac am rinweddau'r brymlys, yr agrimoni, y droedrudd, a'u cyffelyb y soniai hi bron bob amser.

Crwydrai filltiroedd yma a thraw i gasglu ei llysiau. Fe welsai Mali hi lawer gwaith wrth wlana, a'i greddf oedd cilio rhagddi mewn braw. Yn awr, fodd bynnag, o dan gymhelliad y ffrog sidan, aeth i chwilio amdani o fwriad.

'Petai raid imi fy ngwerthu fy hun i'r Un Drwg yn dâl am i Saro wnïo imi, fyddai hi yr un gronyn gwaeth arna i nag ydi hi'n awr.'

Er na fu hi yn y Wern erioed o'r blaen, roedd ganddi amcan lled dda o'r ffordd yno. Roedd wedi hen arfer â gwlana ar y waun a gwyddai mai'r bwthyn uncorn yn y pant, ar ei gwr pellaf, oedd cartref Saro. Cerddodd yn gyflym er mwyn croesi'r waun liw dydd, ond er hynny roedd yn llwyd dywyll arni'n curo ar ddrws y bwthyn.

'I mewn,' gwaeddodd y llais rhyfeddaf a glywsai Mali yn ei hoes. Daeth hwn â'r diafol gryn lawer yn nes ati, ond er gwaethaf yr ias a'i meddiannai, i mewn â hi. Cymerodd ysbaid i gynefino â'r tywyllwch.

'A! ie. Mali Ty'n-yr-Ogof!' meddai llais arall, o gyfeiriad y marwydos ar yr aelwyd.

'Mali Ty'n-yr-Ogof,' crawciodd y llais dieithr cyntaf, o rywle yn ymyl.

Brawychwyd Mali a bu bron iddi â ffoi.

'Paid â dychryn,' ebe'r llais o'r aelwyd eto. 'Mi gei olau ar bethau toc.'

Gwelai'r eneth erbyn hyn fod Saro'n eistedd ar stôl isel yn union o dan fantell y simnai; ond er i'r hen wraig oleuo dwy gannwyll frwyn, a thaflu dyrnaid o friglach ar y tân nes peri i hwnnw wreichioni'n gafodau eirias, methai â gweld neb i gyfrif am y llais rhyfedd a roddodd gymaint o fraw iddi. Roedd yno fath ar gawell enfawr ar y bwrdd crwn, ac fe dybiai hi i'r sŵn darddu o ymyl fan'ny, ond dim ond aderyn mawr dieithr oedd yn hwnnw, a'r lliwiau gwychaf a welsai Mali erioed yn tanbeidio'i blu.

Methai'n lân â thraethu'i neges, nid yn gymaint am ei bod heb arfer siarad â dieithriaid, ond am ei bod ag ofn Saro.

'Wel, 'merch i,' ebe'r ddoctores, 'eisiau cariad wyt ti?'

'Nage, Saro Owen. Nid eisiau cariad sydd arna i, ond eisiau ffrog newydd, petaech chi mor garedig â'i gwneud imi.'

'Fe weithia hynny i'r un peth â'r llall yn y pen draw,' meddai Saro'n sychlyd. 'Yr un peth yn union.'

'Yn union,' crawciodd yr eco cras drachefn.

Neidiodd Mali mewn dychryn mwy eto.

Chwarddodd Saro.

'Yr eneth wirion! Does yna ond Mol. Fy Mol dlos, gall i, sy'n hŷn na thi a minnau gyda'n gilydd.'

Cofiodd Mali eto am y Gŵr y teimlai mor ddiystyrllyd ohono wrth gychwyn oddi cartref, a chlosiodd mor bell ag y gallai oddi wrth y cawell.

'Tyrd, eistedda,' gwahoddodd yr hen wraig. 'Os nad wyt ti am gariad heno, fuaset ti ddim yn hoffi cyffur i agor ychydig ar galon Seimon dy frawd a gwneud gŵr hael ohono fo?'

'Does yna'r un cyffur yn y byd fuasai'n gwneud hynny,' sicrhaodd Mali hi yn benisel, 'neu fuasai dim rhaid imi ddod ar eich gofyn chi heno.'

'Beth sy'n dy flino di?' holodd y llall.

Tynnodd hithau'r wisg o'i phlygion a'i hestyn i Saro.

'Ffrog orau fy mam,' eglurodd, 'ac mae ei gwasg yn rhy dynn a'i godre'n rhy llaes i mi, a minnau ei heisiau at y Ffair ddydd Sadwrn, ac mi feddyliais falle y buasech chi'n ei hail-wneud imi.'

Ysgydwodd Saro'r wisg i'w llawn hyd gan graffu'n fanwl arni.

'Fy merch fach i, wnïais i yr un pwyth ers blynyddoedd . . . A dyna lle'r aeth hon? . . . Wrth gwrs! Mi fu dy fam yn gwasanaethu ym Mhlas-y-Glyn, on'd do? Goeli di 'mod i'n cofio'n dda fod yn un o chwech yn gweithio ar hon yn Llundain? Roedden nhw'n deud bryd hynny ei fod o'n ddefnydd a phara ynddo fo . . . Ond pam ddod ata i, yn lle Martha'r pentre? Glywaist ti ddim fod anlwc yn dilyn fy ngwnïo i bob amser?'

'All anlwc ddim fy nghyffwrdd i,' meddai Mali mewn ymffrost trist. 'Does gen i ddim byd i'w golli, ddim cymaint â cheiniog i dalu am y ffrog, ac mi feddyliais falle y cawn i dalu ichi mewn rhyw ffordd arall. Waeth gen i sut, am y caf i fy ffrog yn barod at y Ffair.'

Gwenodd Saro.

'O, wela i. Meddwl dy werthu dy hun i'r diafol oeddet ti, debyg.'

Gwridodd Mali. Sylweddolodd yn rhy ddiweddar na ddylasai fod wedi dangos mor eglur i'r hen wraig beth oedd barn y wlad amdani. Ond roedd Saro'n brysur yn chwilio ac yn chwalu'r wisg ac fel petai wedi anghofio popeth arall.

'Ie, dyma fo, y staen gwin hwnnw . . . Bron na wnawn i hi, petai ddim ond er mwyn yr hen amser, a wnâi Martha ddim ond ei difetha hi petai hi'n cael ei dwylo arni . . . . Fe wnaf i iddi dy ffitio di, beth bynnag.'

'Sut caf i dalu?' holodd Mali yn hanner distaw, gan ofni'r ateb.

'Mi gei wneud deuddydd neu dri o waith imi,' meddai Saro. 'Rwyf i'n brysur iawn, erbyn yr helia i bopeth sydd ei eisiau mewn tŷ fel hwn, yn danwydd a brwyn ac yn ddail a phryfetach, heb sôn am eu paratoi wedyn, ac mae'r lle yma sobor o angen tro. Mi arferai fy mam druan ddeud 'mod i'n cadw mwy o sŵn ynghylch lle glân na neb welodd hi erioed, ond fod rhaid i rywun arall ei wneud o imi.'

'Mi ddof yn siŵr,' addawodd Mali yn llawen. Wedi'r cwbl, roedd gwaith a hithau yn hen gydnabod, ac yn llawer gwell yn y pen draw na'r syniad o daro bargen â'r diafol. 'Pryd gaf i ddechrau?'

'Dywed drennydd. Mi alla i gael hon wedi'i thacio amdanat ti erbyn hynny. Mi fydd yn gryn waith cael yr hen beiriant i weithio, a dydi 'ngolwg i ddim yr hyn fyddai o. Ie, drennydd fydd orau.'

'Fydd orau,' sgrechiodd Mol, ond ni chynhyrfodd Mali gymaint y tro yma.

Aeth adref fel petai ar adenydd y gwynt, er ei bod wedi tywyllu a hithau'n gorfod dewis y ffordd hwyaf, trwy'r pentref.

Yn ffodus iddi hi, roedd Seimon hefyd wedi cael ei gadw'n hwy na'i ddisgwyl, fel mai ychydig iawn o amser oedd yna er pan gyrhaeddasai yntau adref. Gofynnodd iddi'n sarrug ymhle y bu hi, yn gadael i'r tân bron ddiffodd fel hyn.

'Doedd gen i'r un ewin o sebon yn y tŷ,' esgusododd ei hun, 'ac mi fu raid imi redeg i mofyn darn calen. Mae Wiliam Dafis yn deud y gwnaiff pedwar wy dalu amdano fo.'

Gofalai Seimon bob amser am gasglu'r wyau ei hun a'u rhoi bob yn ychydig i Mali, fel y rhannai pobl eraill arian.

'Pedwar wy am beth dianghenraid fel yna!' rhochiodd yn awr. 'Pa eisiau sebon byth a hefyd sydd arnat ti? Does ond deufis er pan gefaist ti glap o'r blaen. Rwy'n ofni fod mynd i helpu Sioned Tŷ-draw wedi gwneud mwy o ddrwg i ti na wnaiff o byth o les i mi. Eli penelin sydd eisiau at lanhau ac nid rhyw sothach fel sebon.'

Dioddefodd Mali y cerydd yn dawel. Fe wyddai ei fod yn llai na'r un a gawsai pe dywedsai wrth ei brawd ymhle y bu hi cyn galw yn y siop. Byddai'n rhaid iddi gyfaddef am drennydd, ond digon i'r diwrnod ei ddrwg ei hun.

Cododd ymhell cyn dydd fore Iau ac roedd wedi gorffen ei swyddi erbyn i Seimon gyrraedd i lawr. Braidd yn gilwgus yr edrychai ef.

'Beth dâl hen lol fel hyn, tybed? Mae rheswm ar godi'n fore. Waeth gen i petait ti ar dy draed bron drwy'r nos yn yr haf, ond yr adeg yma o'r flwyddyn dim ond difetha golau ydi o. Rwyt ti wedi llosgi cymaint ar gannwyll y lantarn stabal ers neithiwr ag a wnawn i mewn mis.'

'Mae'r gwaith wedi'i wneud, beth bynnag,' atebodd Mali'n swta, 'ac mi adawa i lond bowlen o lymru iti at dy ginio.'

'Wyt ti'n mynd i wlana?' gofynnodd Seimon, fymryn yn fwy llariaidd ei dôn.

'Nac ydw. Mi addewais ychydig oriau o waith i Saro'r Wern, ac rwy'n mynd yno heddiw.'

Cododd Seimon ar ei draed.

'Beth ydi dy feddwl di, dywed? Gweithio i bobl eraill, a minnau'n slafio'n y fan hyn i'th gadw di! Roedd o'n ddigon iti wastraffu amser yn rhedeg a thuthio i bobl Ty-draw yna, allwn i feddwl, heb fynd i gludo ar draws gwlad i hen witsh y Wern.'

'Waeth un gair na chant,' meddai Mali. 'Rwy'n mynd. Mae'r gwaith mwyaf wedi'i wneud yma, ac mi orffenna i y gweddill heno. Doeddet ti ddim yn fodlon talu am wneud fy ffrog, ac felly does dim ond imi weithio i Saro amdani.'

'Yr hen Ffair felltith yna sy'n dy glopa di fyth, ie? Dwyt ti ddim yn werth dy halen i mi yma, efo dy hoeta a'th gymowta tragywydd.'

Ni ddywedodd Mali air ymhellach, ond ei pharatoi ei hun at gychwyn. Wnaeth Seimon yntau yr un ymdrech arall i'w hatal, dim ond canu'n rwgnachlyd yn ei gorn. Mewn gwirionedd fe'i syfrdanwyd i raddau mawr, gan na welsai mo Mali'n ei wrthwynebu erioed o'r blaen. Ufuddhau iddo a wnaethai hi bron bob amser cyn hyn—os nad yn siriol, o leiaf yn ddistaw.

PENNOD III

Pan gyrhaeddodd Mali fwthyn y Wern, cafodd y drws ar agor, y cawell yn gorffwys ar stôl fawr ger y rhiniog, a'r aderyn dieithr yn pincio'i blu o dan belydrau anwadal heulwen gwanwyn ifanc.

'Tyrd i mewn,' gwahoddodd Saro o'r gegin.

'I mewn,' eiliodd yr aderyn.

Pan ufuddhaodd, deallodd Mali pam fod y cawell wedi colli'i le ar ganol y bwrdd. Fe lenwid hwnnw'n awr gan y peiriant yr oedd y sôn amdano wedi treiddio hyd yn oed i feudwyaeth Ty'n-yr-Ogof. Fe ymddangosai i Mali fod yr hen wraig wedi tynnu'r peiriant yn ddarnau, a gorchuddid gweddill y bwrdd gan y darnau hynny, a llu o fân arfau.

'Mae cymaint o amser ers pan fûm i'n gweithio efo hwn,' cwynai Saro, 'nes fod ei du mewn wedi rhydu'n ofer; ond fe'i caf i o i drefn toc.'

Synnai Mali sut oedd teclyn mor fudr â hwn yn mynd i weithio ffrog ei breuddwydion hi, ac arswydai wrth feddwl am ddwylo budr, seimlyd yr hen wraig yn cyffwrdd â'r sidan tonnog tlws.

'Dechreua ar y siambr. Mi gei ddigon o ddŵr o'r pistyll yng ngwaelod y cae,' cyfarwyddodd Saro. 'Mae yna focsaid o raean afon o dan y fainc garreg wrth y drws, a sebon yn y rhwyd o dan y simnai. Gofala na wnei di daflu na llosgi dim byd o gwbl, heb i mi gael edrych drosto fo'n gynta.'

Gwelsai Mali y noson cynt fod y gegin yn bur llawn, ond nid oedd goleuni'r tân a'r ddwy gannwyll frwyn yn ddigon i ddangos maint y llanast. Gorweddai pecynnau mawr a bach yn bendramwnwgl ar draws ei gilydd, a brithid y distiau gan hoelion lle hongiai bwndeli o lysiau sychion yn gymysg â pharau o esgidiau a chlocsiau a hen hetiau gwellt. Ond os oedd y gegin yn ddrwg, roedd y siambr yn waeth. O'r braidd y gallai Mali gael lle i roi ei throed i lawr. Nid oedd Ty'n-yr-Ogof a Thŷ-draw yn cymharu mewn destlusrwydd, ond roedd mor ychydig o ddodrefn a chelfi yn y blaenaf ohonynt fel mai gorchwyl hawdd oedd cadw'r lle yn ddi-lwch a threfnus. Fodd bynnag, nid oedd ganddi amser yn awr i synfyfyrio uwchben yr anhrefn. Addawsai ei lanhau, a'i lanhau a wnâi. Gweithiodd fel dwy am weddill y bore, yn cario dŵr o'r pistyll a'i ferwi, a chario holl gynnwys y stafell allan i'r awyr agored.

'Lwc ei bod hi'n braf,' meddai ynddi'i hun, 'neu wn i ddim ble rhown i'r pethau yma. Fuasai yna ddim lle i'w chwarter nhw yn y gegin, beth bynnag.'

Yn raddol, o fynych gerdded yn ôl a blaen, fe gollodd lawer o'i harswyd o'r lle a daeth yn ddigon hyf i symud y stôl oedd yn dal cawell yr aderyn, er mwyn iddi gael llwybr clir at y drws. Ymysgydwodd yr aderyn a chrawcian,

'Yn ara deg, y gabetshen lipa.'

Edrychodd yr eneth yn ddychrynedig ar Saro, ond ni chymerodd honno unrhyw sylw, dim ond dal ati i droi olwyn teclyn y diafol.

'Siawns na wnaiff o weithio'n ddigon esmwyth nawr,' ebe hi, 'ac wedi imi ddatod rhai o wniadau'r bodis yma, mi gymerwn ni baned fach o de dail mafon.'

Profodd un llwnc o'r te dail yn ddigon i Mali, ond mwynhaodd y bara gwyn a'r cymysgedd melys, gludiog a daenodd Saro arno iddi.

'Wedi'i wneud o siwgr a ffrwyth y rhosynnau gwylltion,' eglurodd yr hen wraig. 'Mae gen i eirin a mafon a mefus wedi eu gwneud yr un fath yn yr hen gwpwrdd yna. Mi fyddai yna fynd garw ar bethau fel hyn yn Llundain erstalwm. Mi gadwan am flynyddoedd, dim ond rhoi digon o siwgr ac o ferwi iddyn nhw.'

'Yn ara deg. Yn ara deg,' sgrechiai'r aderyn.

'O'r gore, o'r gore, Mol fach. Mae yma ddigon o le iti'n awr, 'mechan i, a llymaid o de cynnes.'

Dygodd y cawell at y bwrdd a thywallt peth o'r te mafon i lestr ynddo, a math ar hadau neu fân ronynnau i lestr arall.

Wedi sgwrio a rhwbio nerth braich gyda'r graean a'r sebon, roedd y siambr o'r diwedd yn barod i osod y celfi'n ôl ynddi.

'Dyna hi,' cymeradwyodd Saro o ben y drws, 'yn debyg i fel y byddai hi gan fy mam erstalwm. Mi fydda i wrth fy modd mewn lle glân. Allwn i byth gael fy modloni ar le i aros pan oeddwn i yn Llundain. . . . Ond cyn iti wneud dim rhagor, gad imi daro'r ffrog yma amdanat ti.'

Anghofiodd Mali am ei graean a'i sebon a'i phiser mewn eiliad, a rhedodd i olchi'i dwylo.

'Mae cryn waith arni eto, cofia di,' eglurodd Saro, 'er 'mod i'n ail-wneud cyn lleied ag y galla i arni. Fydd wiw imi roi'r mashîn ond ar ambell i fan. Mae darnau mawr ohoni'n gofyn eu gwnïo â llaw a'r hen dŷ yma mor dywyll. Fydd dim imi ei wneud ond cymryd cadair ar garreg y drws.'

'Mae hi'n cau yn haws o lawer,' meddai Mali.

'Ydi. Mi dorrais fodfeddi lawer o'i godre, mwy na digon i allu gollwng clamp o bisyn i mewn o dan bob cesail. Roedd y Ladi mor fain a dwyt ti erioed wedi dy wasgu dy hun. Mi gymrais beth o'r godre i godi'r gwddf hefyd, wel'di, o achos agor i lawr at y ddwyfron y byddai pob gwisg werth sôn amdani yn amser Ladi Llwyd. Yna mi symudaf y lês gwyn oedd ar y frest at flaen y llewys. Braidd yn rhy gwta ydi'r rheini i ti, am fod cymaint o ôl gwaith ar dy freichiau di. Wedyn mae gen i bentwr o fotymau bach gwyn a smotyn aur arnyn nhw yn rhywle. Mi rof y rheini, yn glòs glòs at ei gilydd, i gau'r bodis.'

Tra siaradai, roedd Saro wrthi'n brysur â'i dwylo yn gwastatáu fan yma ac yn pinsio fan arall. Yna,

'Tynn hi'n awr. Fydd hi ddim ymhell ohoni, rwy'n disgwyl.'

'A heb dynnu dim o'i lled?' Roedd Mali wedi hen alaru ar weld ei pheisiau'n culhau o drwsiad i drwsiad, a hithau'n debycach i goes ysgub nag i ferch.

'Mi ddwedais i wrthyt ti fod digon yn sbâr yn y godre, on'do?' atebodd y wniadwraig yn ddiamynedd.

Unig ffordd Mali o ddangos ei diolchgarwch oedd ymroi ati â'i holl egni i olchi a rhwbio'r dodrefn y tu allan i'r drws. Nid oedd yma, fwy nag yn Nhy'n-yr-Ogof, unrhyw ddarpariaeth at gŵyro, ond darganfu'r eneth trwy sêl newydd fod golchi'r celfi'n ofalus, a'u rhwbio'n egnïol wedyn â brethyn sych, yn codi graen a rhesi tlws yr hen dderw nes eu bod yn edrych bron cystal â rhai Sioned Ifans.

'Mi wna i yr un fath â'n rhai ninnau yr wythnos nesa, os ca i lonydd gan Seimon,' penderfynodd.

Cariodd y dodrefn yn ôl i'w lle, ond er ei siom ymddangosai'r cwrt bach bron mor llawn â chynt. Trodd at yr hen wraig a oedd, erbyn hyn, a chlogyn mawr drosti, yn gwnïo ym mhen y drws a'i chadair yn dynn wrth stôl yr aderyn.

'Dyna'r dodrefn i mewn, Saro Owen. Oes rhai o'r pethau yma i fynd yn ôl, neu eu taflu nhw i gyd?'

'Cymer di ofal, ferch, na thefli di'r un llwchyn heb i mi roi caniatâd,' bloeddiodd Saro'n gynhyrfus. 'Y nefoedd fawr! Dyna'r drwg o'r glanhau yma. Mae o'n codi rhyw ysfa ar fenywod anwybodus i daflu pethau da i ffwrdd. Does wybod faint o drysorau gwerthfawr sydd wedi eu colli erioed trwy ffyliaid fel y ti.'

Deffrôdd yr aderyn wrth sŵn y dymestl yn llais ei feistres.

'Yn ara deg. Yn ara deg,' llefodd, 'neu myn y perchyll poethion mi'th lynca i di'n fyw.'

Ciliodd yr eneth mewn braw gan feddwl am eiliad ddychrynedig y byddai cwmni Seimon a'i rinc yn fwy diogel iddi nag un y ddwy orffwyllog yma, tros iddi orfod aberthu'r ffrog sidan.

'Taw, Mol,' gorchmynnodd Saro; ac yna wrth Mali, yn fwy llariaidd na chynt, 'Paid â chymryd atat, 'merch i. Dyma ffordd Mol a minnau. Mi ddysget arfer â ni petait ti yma dipyn. Tyrd â'r bwndeli yna imi bob yn un ac mi ddweda i wrthyt ti pa rai ohonyn nhw sydd i'w taflu.'

Ond er siom i Mali, ychydig ryfeddol oedd nifer y rhai y caniatawyd iddi eu taflu.

Gafaelai ynddynt yn obeithiol iawn ar y dechrau.

'Mae'r rhain wedi hen wywo,' meddai'n awgrymiadol.

Ysgydwodd Saro ei phen.

'Mae hi bron yn ben-tymor arnyn nhw ac maen nhw o gymaint â hynny'n fwy crin, ond rhaid imi eu cadw nes daw'r amser i gasglu rhai yn eu lle nhw. Dod hwnna ar y rhes bachau gogyfer â'r ffenest. Rhes y chwysu fydda i'n galw honno, a mintys Mair yw'r rheina. Dyna'r mintys poethion ar lawr draw fan'cw hefyd—nage, y nesaf ond un—dyna fo. Rho'r ddau yna yn agosaf i'w gilydd.'

Doedd ond bodloni ar ysgwyd bwndeli a chael cymaint o lwch ag a ellid ohonynt felly.

'Hongia'r rheina ar y bachau gogyfer â'r gwely. Ffa'r corsydd ydyn nhw, a wermod—at gryfhau . . . Mi elli daflu hwnna . . . a hwnna . . . a'r llall acw hefyd. Y wreiddrudd, y brymlys, a'r milddail oedd yn weddill o'r haf cyn y diwethaf ydyn nhw, ac mae gen i ddigon o rai y llynedd i bara hyd y daw'r blodau eto.'

Dyna'r drwg o orfod gofyn i'r hen wraig! Y bwndeli bychain oedd yn cael eu taflu, a chadw'r rhai mawr bob tro.

'Ac ar y rhes bachau agosaf i'r drws, rho'r dail robin acw, wedi'u clymu â llinyn glas, wel'di, a'r rhedyn blodeuog efo fo—dyna'r bwndel mwyaf sydd ar ôl.'

Felly y daliwyd ati, un yn cyfarwyddo a'r llall yn cario, nes bod y nenfwd mor llawn ag o'r blaen.

'Ydych chi am gadw'r bocsys yma i gyd?' Roedd tinc ymbilgar yn llais Mali.

'Sych di'r tu allan iddyn nhw â cherpyn ac wedyn mi fyddan yn rheiol,' oedd yr ateb. 'Wel, 'te . . . gad weld . . . rwyt ti'n blagus ar y naw efo dy glirio. Falle fod yna ddau neu dri efo'r un peth ynddyn nhw a dim ond yn hanner llawn. Os felly, mi gei wacáu'r cyfan i un ac mi gymera innau'r bocsys gwag i ddal rhywbeth arall . . . Gwreiddiau lili wen y dŵr—mae hwnna'n werthfawr iawn. Rho fo o dan ben y gwely, y gongl agosaf yma. Siawns na fydd hi'n ddigon da imi wrtho fo y gwanwyn yma. Mi wranta i y bydd yna beth wmbredd o ddolur gwddf o gwmpas . . . A'r gwreiddiau eraill yna wrth draed y gwely yr un ochr . . . Beth ydi'r rhain, dywed? O, ie, tresgl y moch. Wrth y traed yr ochr arall i'r gwely . . . Rhisgl y dderwen sy yn hwn . . . Aros funud, mae yma risgl y poplys gwyn a'r poplys du i fod yn rhywle . . . y ddau focs bach acw . . . ac ar y chwith iti dacw risgl y pren melyn. Dod y rheina i gyd efo'i gilydd y tu ôl i'r drws, a'r hadau cacamwnci yma wrth droed y gwely yn y gongl arall.'

Cododd Mali gaead un bocs pren, mwy a thrymach na'r lleill, ond fe'i gollyngodd yn glec, fel petai wedi llosgi'i bysedd. Math ar bridd seimlyd oedd ynddo a hwnnw'n gwau o fywyd.

Chwarddodd Saro am ei phen.

'Fy mhryfed genwair i. Dydi hi ddim bob amser yn gyfleus i'w hel nhw yn y gaeaf, ac mae'n rhaid imi eu cael at wneud . . . Hwde, Mol! Dyma iti damaid o gig ffres,' a chydiodd yn un o'r pryfed, gan ei ddarnio a'i daflu i'r aderyn. 'Waeth iti heb ag agor y lleill yna,' meddai wrth Mali, 'neu mi sgrechi eto. Malwod sydd yn un, a chen llyffant wedi'i sychu yn y llall. Gwna le iddyn nhw yn rhywle . . . A dyna'r cawgiau acw. Eli meillion sydd ynddyn nhw bob un. Hel o at ei gilydd, iti gael golchi'r rhai gweigion. Mi fydd yn dda imi wrthyn nhw y gwanwyn yma. O dan y ffenest mae lle'r eli yna . . . Dyna ti wedi gorffen yn go lew nawr, ac mae hi wedi mynd yn rhy oer i minnau aros allan yn hwy. Tywallt ddŵr berwedig ar y dail mafon yna ac mi yfwn ni baned fach, petai o wedi stwytho mymryn. Wedyn mi gaf i daro'r ffrog amdanat ti unwaith eto cyn iddi nosi.'

Mwynhaodd Mali'r te dail mafon yn well y tro yma, ac addunedodd iddi'i hun y gwnâi ddysglaid ohono i'w brawd a hithau. Tybed na fyddai dail mafon yn ddigon rhad hyd yn oed i Seimon? Yna cofiodd fod angen ei felysu a rhoddodd y gorau i'r syniad. Ni wastraffent hwy yn Nhy'n-yr-Ogof arian ar bethau ofer fel siwgr.

'Mae hi'n barod!' meddai'n llawen pan wisgwyd y ffrog amdani ar ôl gorffen bwyta.

'Nac ydi eto,' cywirodd Saro. 'Dim ond pwythau bras sy'n ei dal wrth ei gilydd. Rhaid imi gael lliw dydd i'w gwnïo'n iawn.'

Nid Mali Ty'n-yr-Ogof, yn gweithio o fore gwyn hyd nos i frawd crintachlyd, oedd yn gwisgo'r ffrog goch, ond un o ferched bonheddig y wlad, yn meddu ar bob tlysni, rhinwedd, a moethau y gallai dychymyg diddysg ei chrëwr ei chynys-gaeddu â hwy. Ond dychwelodd y Fali iawn pan ddiosgwyd yr hud, a chofiodd y byddai'r anifeiliaid yn disgwyl am eu swpera a Seimon adref o'r mynydd yn wyllt ei dymer os na byddai ei frywes yn barod eto heno.

'Rhaid imi frysio,' meddai wrth yr hen wraig. 'Tybed fyddech chi'n fodlon imi gymryd y dillad gwely adre efo mi, yn lle eu golchi nhw yma?' Gallai eu cadw o olwg Seimon rywfodd neu'i gilydd.

'Byddwn i, yn ddigon bodlon,' sicrhaodd Saro hi. 'Fu erioed yn dda gen i aroglau golchi, ac mae yna ddigonedd o ddillad newid yn gynnes yn y gist acw. Tyrd â nhw'n ôl nos fory os byddan nhw'n barod, neu gad nhw tan wedyn. Mi fydd y ffrog iti yr un fath.'

Caniataodd ffawd iddi gyrraedd adref, a'i baich dillad gyda hi, cyn i Seimon ddod o'r mynydd, a chafodd gyfle i guddio'r dillad ac i swpera'r anifeiliaid cyn iddo gyrraedd. Ni chymerodd ef unrhyw sylw ohoni, ond i ddweud yn sarrug, a'r ddau'n dechrau ar eu ffioleidiau brywes,

'Gweithio i eraill a bwyta 'mwyd i!'

Drannoeth fe lwyddodd i dynnu'r dillad trwy'r dŵr heb yn wybod iddo. Ei brysurdeb ef y dyddiau hynny oedd cau adwyon y mynydd, a byddai i ffwrdd am oriau bwygilydd. Roedd y dillad yn fudr iawn a sebon Mali'n brin a hithau'n golchi yn ôl synnwyr y fawd a dim arall, ond fe gawsant lonydd drwy'r pnawn i sychu ar laswellt y mynydd a chlawdd y weirglodd fach, a cherrig ar eu cornelau rhag i wynt direidus Mawrth chwarae castiau â hwy. Ac felly, hyd yn oed os oedden nhw braidd yn byglyd ac anllewyrchus eu golwg, roedd aroglau glân y ddaear a'r perthi arnynt.

Awr cyn iddi dywyllu, cychwynnodd Mali am y Wern, er mwyn cael croesi'r waun wrth olau dydd.

Roedd Saro â'r ffrog yn barod iddi.

'Gad imi'i gweld hi amdanat ti unwaith eto . . . Ydi wir, mae hi'n dy ffitio i drwch y blewyn, ac yn edrych yn dda iti hefyd, o achos, er nad ydi dy wyneb yn llawer o beth, mae gen ti gorff eitha taclus. Tynn dithau dy wallt dros dy glustiau fel hyn. Mi edrychi'n well o'r hanner. Fu yr hen Saro ddim yn gweithio yn un o siopau gorau Llundain, ac yn forwyn wisgo i Ladi Llwyd cyn hynny, heb ddysgu rhywbeth.'

'Gyda'r Ladi oedd biau'r ffrog yma?' holodd Mali. Roedd hyn yn newydd mawr iddi.

'Ie siŵr, a hi gafodd le imi fel gwniadwraig yn y fan lle'r arferai hi brynu'i dillad. Dyna sut yr wyf i'n cofio mor dda am y ffrog. A deud y gwir, mi fu amdanaf innau unwaith neu ddwy, pan oedd y Ladi oddi cartre. Ond cofia hyn—anlwc ddygodd ei gwisgo i mi.'

Ond doedd hynny'n mennu dim ar Mali. Roedd hi unwaith eto'n wraig fawr o ran ei meddwl, wedi llwyr anghofio'r carpiau o dan ei sidan. Buasai wedi hoffi gwisgo'r ffrog i fynd adref ond ofnai i Saro chwerthin am ei phen os soniai am hynny.

'Wn i ddim sut i ddiolch ichi, Saro Owen,' meddai, 'ond mi

ofala i ddod i lanhau'r gegin yma ichi cyn gynted fyth ag y galla i.'

'Paid â brysio, 'merch i,' ebe'r hen wraig. 'Mi wnaiff y tro'n iawn nes i'r hin gynhesu. Roeddwn i'n teimlo'r siambr yn ddigon oer neithiwr. Mae tipyn bach o lwch cyn gynhesed â dim.'

'Yn ara deg. Yn ara deg,' sgrechiodd Mol.

Chwarddodd Mali, ond roedd yn sŵn mor ddieithr yn ei chlustiau fel y tawodd bron cyn dechrau. Yn ei balchder o'r ffrog roedd ei harswyd o'r aderyn od wedi llwyr gilio, a'i hofn o Saro wedi rhoi lle i edmygedd diderfyn o'i galluoedd fel gwniadyddes.

Galwodd honno hi'n ôl wedi iddi fynd ychydig gamau o'r tŷ.

'Cofia di beth ddwedais i—mai anlwc ddaeth i mi o wisgo'r ffrog yna. Bydd di'n ofalus ohonot dy hun.'

Cychwynnodd Mali wedyn, ond clywai lais Saro'n ei dilyn,

'A gofala am wneud dy wallt fel y dangosais i iti.'

PENNOD IV

Cafodd Mali dderbyniad sur iawn pan gyrhaeddodd adref.

'Wyt ti'n dal i gyboli dy ben efo'r hen Ffair a'r hen ffrog wirion yna? Wel, waeth iti heb. Rwyt ti wedi cael digon o'th ben ymlaen a heb wneud affliw o ddim yr wythnos yma. Mi fydda i'n lladd y mochyn fory. Mi ddwedodd Wiliam y Siop wrthyf i heddiw fod ganddo fo ffrind yn y Gweithiau eisiau mochyn cyfan wedi'i halltu, ac y cymer o'r serth hefyd, os gall Huw'r mab ei gael o i fynd yn ôl efo fo ddydd Mawrth. Felly rhaid iti aros gartre fory.'

'Wel, wna i ddim iti, Seimon, a dyna ben,' fflamiodd Mali. 'Dyma fi heb erioed fod mewn Ffair na Chyfarfod Holi Pwnc nac ar lan y môr ar ddiwrnod Traethaur.'

'Rwyt ti cystal â fi, felly,' meddai Seimon yn ôl.

Ac roedd hynny'n ddigon agos at y gwir. Eithriad mawr fyddai i Seimon fyned i ffair un o'r pentrefi agosaf. Os gallai werthu heb fynd yno, fe wnâi. Ni chofiai Mali amdano erioed yn tywyllu'r un o ffeiriau'r Dref. Ni bu erioed yn Nhraethaur chwaith o fewn cof iddi hi, ond deallodd rywdro yr arferai fynd yno yn fachgennyn gyda'i dad a'i fam ar ddiwrnod gŵyl yr ardal. Yr un modd gyda'r capel. Roedd wedi dieithrio'n lân oddi wrtho er cyn cof iddi hi, a chyn y diwygiad mawr a ysgubodd y wlad ym mlynyddoedd ei phlentyndod cynnar hi. Tra oedd ei thad yn fyw, âi Mali gydag ef i gapel y Llan ar dro, ond wedi iddo farw fe beidiodd hithau. Roedd gwawd y plant am ei gwisg wedi ei gwneud yn swil i fynd i olwg pobl ac nid oedd Seimon yn caniatáu llaesu dwylo ar y Sul mwy na rhyw ddiwrnod arall. Bu farw'r hen weinidog ac yn raddol blinodd y blaenoriaid gerdded i Dy'n-yr-Ogof, a chytunwyd i gyfrif Seimon a Mali, ynghyd â Saro'r Wern, ymysg yr eithriadau y methodd llanw diwygiad '59 â'u taflu i ddiogelwch.

Anaml iawn oedd y brawd a'r chwaer wedi ffraeo cyn hyn. Roedd arthio a grwgnach yn rhan o natur Seimon, ond o hir arfer ag ef nid oedd hyn yn effeithio rhyw lawer ar Mali, er ei bod yn ceisio bod yn ofalus i beidio â'i gythruddo trwy ei wrthwynebu. Eithr ynglŷn â'r ffrog sidan, a'r blys am y

Ffair, roedd fel petai rhyw ysbryd newydd wedi ymaflyd ynddi, ac fe aeth y ddau i'w gwlâu y noson honno mewn tymer mor flin â'i gilydd.

Byr ac anesmwyth fu arhosiad Mali yno. Os difethodd hi'r gannwyll y diwrnod yr aeth i lanhau i Saro, fe ddifethodd fwy arni'r bore yma. Fe gododd awr a hanner ynghynt na'r tro hwnnw, a gwneud cymaint o waith ag y gallai wrth olau cannwyll. Rhoddodd gais teg ar odro, ond gwyddai y byddai Seimon o'i go am brinder y llaeth oherwydd godro ar gam-amser. Gosododd y defnyddiau at ei brydau ef ar y bwrdd, ond ni chyffrôdd y tân rhag ennyn ei ddicllonedd am ddifetha mawn i ddim pwrpas. Dim ond crystyn amyd sych a fwytaodd hi ei hunan, gan gymaint ei brys am gychwyn i Dŷ-draw cyn i Seimon godi ac efallai geisio'i rhwystro. Aeth yn rhy frysiog hyd yn oed i wisgo'r ffrog, ond fe'i cariodd yn becyn o dan ei chesail.

Edrychodd Sioned Ifans yn syn arni.

'Rwyt ti'n fore iawn, Mali fach. Dydym ni ddim yn agos yn barod eto. Dos i roi plwc ar odro efo Ifan.'

Ac am awr dda fe fu wrthi'n helpu Sioned ac Ifan i gael pethau'n barod at gychwyn.

'Beth ydi'r pecyn yna sydd gen ti, dywed?' holodd Sioned toc.

'Fy ffrog. Roedd arna i ofn ei baeddu hi wrth ei gwisgo i gerdded dros y caeau.'

Roedd yn well ganddi wneud esgus felly na chyfaddef y gwir, rhag ofn i Sioned ac Ifan dynnu eu cynnig yn ôl petaen nhw'n sylweddoli fod Seimon yn gwrthwynebu o ddifrif. Synnai Sioned Ifans o'i hochr hithau fod Mali, o bawb, yn berchen ar unrhyw beth a fyddai damaid gwaeth o'i wisgo drwy'r caeau, ond nid ynganodd air am hynny.

'Dos i'r siambr i wisgo amdanat, 'te, tra bydd Ifan a minnau yn llyncu tamaid o frecwast. Rwyt ti wedi cael brecwast, mi wn.'

'Do.' Ni phetrusodd Mali ar yr anwiredd. Nid oedd yn mynd i roi cyfle i wraig Tŷ-draw, na neb arall, adrodd ei bod hi wedi crafu am fwyd ganddi.

'Cymer y frechdan geirch yma i'w chnoi tra byddi'n dy

hwylio dy hun, neu fe aiff yn hirbryd garw arnat ti erbyn y cyrhaeddi di'r Dref.'

Roedd ar Mali ddigon o'i hangen, ond serch hynny, blinder yn hytrach na phleser fu hi iddi. Arswydai gymaint rhag i'r menyn gluro yn ei bysedd a difwyno'r sidan, fel y llowciodd y ceirch bras caled yn rhy gyflym a chodi poen yn ei chylla. Fu hi erioed o'r blaen mor hir yn gwisgo amdani. Er i Saro lacio cymaint ar wasg y ffrog, roedd hi'n dal yn dynn o'i chymharu â'r dillad di-lun yr arferai eu gwisgo. Cofiodd hefyd am gyngor Saro ynglŷn â'r gwallt, a cheisiodd ei osod fel y gwnaethai'r hen wraig.

'Wyt ti'n dod, Mali?' galwodd Sioned Ifans. 'Rydyn ni'n barod i gloi o'n holau nawr.'

Ar ei ffordd allan, gwelodd yr eneth gip ar ddrych bychan, fawr mwy na hanner coron, yn hongian ar y wal wrth y ffenest. Dringodd i ben stôl i geisio cael golwg arni'i hun ynddo, ond ni welai fawr mwy na chwmwl annelwig yn symud drosto. Galwodd Sioned yr eildro yn bur chwyrn. Neidiodd Mali mewn euogrwydd am fod yn ysbïana. Trodd hynny'r stôl ac ni fu ond y dim iddi hithau â syrthio ar ei hyd. Llwyddodd i'w hachub ei hun, ond wrth wneud hynny fe gwympodd y drych bach o'i llaw, ac er nad oedd y llawr ond pren, torrodd y gwydr yn ddau ddarn. Hoeliwyd Mali gan fraw. Gwyddai gymaint oedd meddwl Sioned Ifans o'i phethau, ac roedd gwydr fel hwn mor anghyffredin ac anodd ei gael, dybiai hi. Tra safai yno yn edrych yn hurt ar yr alanas, codwyd y glicied a daeth Sioned i mewn.

'Wyt ti ddim yn barod eto, Mali? Mae ar Ifan eisiau help i gael y mochyn i'r siandri.' Yna safodd yn stond, a golwg gyhuddol ar ei hwyneb. 'Thorraist ti mo wydr bach Modryb Gwen, does bosib? O'r eneth ddrwg! Ac yntau yma ers ugain mlynedd! Ond tyrd yn dy flaen, neu mi fydd Ifan heibio'i hun.'

Fel y digwyddai mor aml gyda Seimon a hithau, nid atebodd Mali ddim, ond dilyn i'r gegin mewn distawrwydd. Y gorchwyl mwyaf anodd ganddi hi bob amser fyddai gosod ei diolch neu ei gofid mewn geiriau. Ond roedd mynd i'r Ffair yn ddigwyddiad mawr ym mywyd Sioned hefyd ac ni allai ganolbwyntio ar fater y drych fel ar ddiwrnod arall.

'Mae o wedi digwydd bellach, a waeth imi heb â phoeni'n ei gylch. Modryb Gwen, druan! Ond,' gan sirioli, 'mi glywais i fy modryb yn deud mai anlwc garw ydi torri gwydr fel hyn a'i fod o'n eich canlyn chi am flynyddoedd. Dwyf i ddim yn siŵr p'un ai saith mlynedd ynteu tair ddwedodd hi fod yr anlwc i bara.'

Wedi calonogi rywfaint arni'i hun felly am ei cholled, trodd Sioned Ifans i edrych ar Mali.

'Yr argien fawr! Dyma beth ydi crandrwydd! Tro, gael imi dy weld di'n iawn. Ble ar y ddaear gefaist ti ffrog ladi fel'na, dywed?'

'Un Mam oedd hi,' eglurodd Mali, 'ac mi es â hi at Saro'r Wern i'w hail-wneud.'

'Welais i erioed ffasiwn beth,' rhyfeddai Sioned. 'Doedd ryfedd iti fynd i ymhel â'r drych! Beth wnest ti i'th wallt, dywed? Cofia mai tu ôl, efo'r mochyn, y byddi di. Ond wyddost ti beth? Mae'r clocsiau yna'n cyfarth yn ofnadwy. Pam na fuaset ti wedi gwisgo dy sgidiau efo ffrog fel hon?'

Nid atebodd Mali, ac yn y distawrwydd fe gofiodd Sioned â chwaer pwy y siaradai.

'Waeth iti glocsiau, o ran hynny. Mi gadwan dy draed di o'r baw yn well o'r hanner.'

Fe'i gwasgodd ei hun yn erbyn y drws er mwyn i Mali ei phasio allan; ond â'r allwedd ganddi wrth dwll y clo, trodd yn ei hôl i'r tŷ gan ddywedyd,

'Mae gen i bâr o sgidiau ail-orau yn hongian uwchben y llawr yma. Os medri di eu gwisgo nhw, mi edrychen yn llawer gwell ar hyd y Dref na'r hen glocsiau yna.'

Llithrodd yr esgidiau am draed Mali yn rhwydd, ac fe deimlai hithau uwchben ei digon erbyn hyn. Ffrog sidan, ac esgidiau yn lle clocsiau! Ni sylweddolai fod yr esgidiau yma yn berthnasau agos iawn i'w chlocsiau arferol, eu gwadnau'n frith gan hoelion a'u lledr yn ddwl gan saim.

'Ble'r ydych chi, ferched?' gwaeddai Ifan. 'Dewch, da chi, i roi hwb efo'r mochyn yma.'

Roedd yn amlwg ddigon nad oedd y syniad o gael ei gario mewn siandri yn apelio at y mochyn. Protestiai ar uchaf ei lais a hyrddio'i hun o un gongl i'r llall. Nid oedd Ifan, yn ei brysurdeb, wedi cael cyfle i garthu'r cwt y bore yma. Gyda'r mochyn yn mynd i ffwrdd, gallai fforddio gadael hynny hyd drannoeth a throi ei law at waith rheitiach. Felly, wrth i'r mochyn ymladd, fe chwipiai ambell delpyn cymysg o fwyd, gwellt, a thail i fyny. Trawodd un ohonynt ar foch Mali ond ni flinai hynny hi. Roedd croen y rhwyddaf o bob defnydd i'w olchi a'i rwbio. Ond pan dasgodd y telpyn nesaf ar ei ffrog, cyffrowyd hi gymaint nes iddi ollwng gafael yn ddiseremoni ar y goes winglyd yr oedd hi newydd gydio ynddi.

'Da ti, eneth, edrych beth wyt ti'n ei wneud,' bloeddiodd Ifan. 'Roedd o gen i'n awr petait ti heb ei ollwng o.'

Deallodd ei wraig achos yr anghaffael.

'Pam na chodi di odre'r ffrog am dy ganol, y ffolog?' ebe hi. 'Faeddet ti ddim arni felly.'

Roedd hi'n hawdd gan Mali ufuddhau i'r cyngor, er y gwyddai fod ei phais oddi tanodd yn rhidens. O'r diwedd cafodd Ifan ddigon o afael ar gynffon a chlustiau'r creadur rhochlyd, a hwythau eu dwy ddigon o afael yn ei goesau, iddynt allu'i gario a'i osod yn ddiogel o dan y rhwyd.

'Diaist i,' cwynodd Ifan gan sychu'r chwys oddi ar ei dalcen, 'faint bynnag yn ychwaneg gawn ni amdano fo yn y Dref, rhagor ei werth yma, mi fyddwn wedi ei lwyr ennill o.'

'Mi ddwedais i ddigon ei fod o'n rhy fawr i'w gymryd yn y drol fach,' danododd ei wraig.

'Wel, cherddai o ddim yn ei fyw, wnâi o?' oedd ateb Ifan. 'Ac roeddwn i wedi meddwl am bris da am hwn. Mali, 'ngeneth i, mi fydd gofyn iti fod yn effro. Wel'di, dim ond un gongl o'r rhwyd yma sydd wedi'i chlymu wrth y cob yn y cefn. Mae'r gongl arall yn rhydd, er mwyn gwneud lle i dy draed di. Felly gofala di eu cadw nhw'n dynn ar y rhwyd, neu mi fydd y mochyn allan. Tithau'r un fath yn y pen blaen yna, Sioned. Mi allaf i eistedd â'm traed ar y siafft, ond mae arna i ofn i ti syrthio felly.'

Siwrnai ddigon anghysurus fu hi, y ffordd yn garegog a tholciog, a'r cob yn sedd gul ansicr. Roedd Ifan wedi bwriadu i'r mochyn fod yn gorwedd ar ei ochr, ond weithiau fe deimlai'r creadur syfrdan awydd newid osgo, ac yna fe geisiai droi ar ei dor neu godi ar ei eistedd. Ar yr adegau hynny roedd rhaid i Mali roi holl bwysau ei chorff a'i hegni i gyd i gadw'i thraed yn gadarn ar y rhwyd, ac roedd hi'n gorfod cydio mor galed yn ymylon y cob a'r tincar nes fod ei bysedd yn ddolurus. Un tro, fe fu bron i un ymgais gan y mochyn droi'n llwyddiant perffaith, o'i safbwynt o. Cydamserodd â'r siandri'n pasio dros dolc mawr yn y ffordd, ac â Sioned Ifans yn troi ei phen i weld sut raen oedd ar ffenestri a chaeau rhyw hen gydnabod iddi. Siglodd yr ysgytwad hi, yn ei diofalwch, o'i sedd gul, a'i thaflu ar draws cefn Ifan. Llaciodd ei thraed eu gafael ar gongl y rhwyd, ac achubodd y mochyn ei gyfle i godi ar ei eistedd, a'i ben yn ddilyffethair lle'r eisteddai Sioned o'r blaen.

Neidiodd Ifan i lawr gan weiddi'n ffyrnig,

'Be haru chi, wraig? Gafael yn ei gynffon o, Mali. O'r annwyl â chi!'

Rhwng y tri ohonynt, fe adferwyd ei gaethiwed i'r mochyn.

'Mi ddylech chithau fod wedi gwrando arna i a chlymu ei goesau o, Ifan,' dwrdiodd Sioned, 'er mwyn i rywun gael mymryn o heddwch efo'i blesera.'

'Ddylai ddim bod angen ei glymu o, a dwy ohonoch chi yma heb ddim i'w wneud ond edrych ar ei ôl o,' grwgnachodd yntau.

Ildiodd i'w glymu, serch hynny, a'r mochyn yn protestio â'i holl egni, a Mali'n ysu gan ofn y byddai'r Ffair drosodd cyn iddi hi ei chyrraedd.

Ar ôl hyn aethant ymlaen yn weddol ddidramgwydd, er bod rhaid dal i gadw'r traed yn gadarn ar y rhwyd, a bod angen holl egni un i eistedd yn ddiogel ar y sedd ansicr. Buasai Mali wedi hoffi cael edrych o'i chwmpas, a gwybod enwau'r ffermydd a basiai, gan eu bod yn teithio ers meitin trwy ardal hollol ddieithr iddi ac fe'i teimlai'i hun ymhell iawn o gartref. Ond roedd sgwrs felly allan o'r cwestiwn, gydag Ifan â'i gefn atynt, a phrofiad wedi dangos i'r merched yn barod nad oedd wiw iddynt osio troi yn wysg eu cefnau.

Fe basient amryw byd ar draed. Llanciau a llancesau gan amlaf, yn dyrrau o bedwar a mwy, ac ambell hen wreigan neu lafurwr mewn oed yn ymlafnio ymlaen ar eu pen eu hunain.

'Yn wir, mae hi'n ffordd i'r hen greaduriaid gerdded,' sylwai Sioned Ifans yn gysurus ei thôn, 'ond allan nhw ddim disgwyl i ni eu codi nhw. Mae gennym ni lawn gormod o lwyth i'r siandri fel y mae hi.'

Bron na theimlai Mali y buasai hi'n fodlon newid lle â'r pererinion hyn. Roedd hi'n ddolurus ers meitin o eistedd ar y cob cul a'r ymdrech i gadw'i chydbwysedd yn dweud arni. Roedd hi'n oer hefyd, oherwydd er bod y ffrog ei hun, gyda'i bodis tynn a'i chwmpas mawr, yn eithaf cynnes, roedd y siôl dros ei hysgwyddau yn denau iawn a charpiog.

Fe'u goddiweddid hwythau yn eu tro gan y gwŷr a'r gwragedd oedd yn marchogaeth i'r Ffair; a chan droliau a cherbydau oedd â cheffylau efo mwy o fynd ynddyn nhw na Chapten druan; a chan gerbydau meirch cyflym y ffermwyr mawr. Fel y doent yn nes at y Dref, cynyddai'r drafnidiaeth, ac anghofiodd Mali ei hanghysur a'i hoerni yn y llawenydd o feddwl ei bod hithau o'r diwedd wedi cyrraedd Ffair Fawrth y Dref.

Pwyntiodd Ifan Ifans at fuarth mawr yn llawn o gerbydau'n blith draphlith â'i gilydd—ambell un dwy olwyn a nod y gŵr cefnog arno; ychydig yn rhagor o droliau mawr; ond y mwyafrif o lawer yn siandrïoedd bychain fel eu hun hwy.

'Rwyf i'n mynd ymlaen at y farchnad nawr, Mali, ond dyma lle bydd y siandri adeg cychwyn adre, er mwyn iti fod yn gwybod. Chawn ni mo'i gadael hi'n y farchnad am ddim hwy o amser nag y byddwn ni'n gwerthu'r mochyn. Pryd fydd orau inni gychwyn adre, Sioned?'

'Beth am dri o'r gloch, Ifan?' awgrymodd hithau.

'O'r gore,' cydsyniodd Ifan, yn brysur yn bwtffala i sicrhau corneli'r rhwyd. Yna trodd at Mali. 'Gofala di fod wrth y siandri mewn pryd. Mae tri yn hen ddigon hwyr a dyw hi fawr wedi un ar ddeg eto. Felly mi gei faint fyd fynni di o amser.'

Roedd Mali ar fin gofyn caniatâd i adael y siôl garpiog yn y drol fach, pan ddywedodd Sioned,

'Cofia gymryd dy fwyd i'th ganlyn, Mali.'

Cofiodd hithau, am y tro cyntaf ers iddi ei glywed, am gyngor Ifan wrth ei gwahodd—am iddi ofalu dod â'i bwyd gyda hi. Roedd hi mor anghynefin â mynd oddi cartref, ac wedi cychwyn ar y fath frys y bore, fel nad oedd wedi meddwl o gwbl ynghylch ble y caffai fwyd yn y Ffair.

Gwridodd, ond ni fynnai gydnabod ei hanghofrwydd rhag iddynt feddwl ei bod wedi bwriadu pwyso arnynt hwy. Gwasgodd y siôl yn swp crwn o dan ei braich. O'i chario felly, siawns fawr na chymerai Sioned Ifans yn ganiataol fod y bwyd ynghudd yn ei phlygion.

Cychwynnodd i'w hantur, ond cyn iddi gerdded mwy nag ychydig iawn o lathenni, clywodd lais Sioned yn galw arni, a'i chanfod yn ymlid ar ei hôl rhwng y troliau moch. Roedd Sioned wedi bod wrthi ers meitin yn troi ac yn trosi pethau yn ei meddwl. Y bore hwnnw, fe lwyr fwriadai roi chwecheiniog gwyn yn llaw Mali, heb yn wybod i Ifan. Rhaid cyfaddef i'r eneth fod yn bur dda pan losgodd hi ei throed, ac roedd y llabwst Seimon yna'n ei chadw'n gywilyddus o gaeth, chwarae teg i'r greadures fach. Doedd hi ddim ond yn ifanc, a Ffair ydi Ffair—ond wedyn, chwech ydi chwech hefyd, a dyna fater y drych bach yn y bore. Erbyn cofio am hwnnw, roedd pisyn gwyn yn ormod, a pha angen gwario fyddai arni hi mewn gwirionedd, a hithau'n cael ei chario am ddim, ac Ifan wedi'i siarsio i ddod â'i bwyd gyda hi, a dyna hi wedi cael brechdan geirch heblaw hynny. Rhwng popeth, fe fyddai dwy geiniog yn eithaf iddi.

'Hwde, Mali, dyma iti fymryn yn dy boced i fynd o gwmpas y Ffair.' Yna'n uwch, er budd Ifan oedd yn edrych yn ymholgar arnynt. 'Gofala di fod yn brydlon am dri.'

Roedd Mali unwaith eto wedi anghofio'r cyfan ynglŷn â'r angen am fwyd, ac ni wnaeth y ceiniogau hyn ei hatgoffa chwaith. Cerddodd ar hyd y stryd, yn rhy syn i sylweddoli fawr o'r hyn yr oedd yn ei weld. Fe lenwid yr heol â phobl oedd yn eu tynnu a'u gwthio eu hunain trwy'r dorf yr oeddynt yn rhan ohoni. Brithid y palmant â stondinau yn llwythog gan y ffrwythau rhyfeddaf a welsai hi erioed—afalau, ie, ond nid rhai gwyrdd fel eu rhai hwy gartref. Coch, coch oedd y rhain, a'u lliw yn ddigon i dynnu dŵr o ddannedd y sawl a'u gwelai. Roedd afalau eraill yn gymysg â hwy, ond melyn dwfn oedd lliw y rheini, a'u croen, yn lle bod yn loyw esmwyth, yn fras ac anwastad fel petai rhywun wedi pigo pob mymryn ohono â nodwydd trwsio sanau. Roedd yna fyrddau eraill heb ddim arnyn nhw ond llwythi o felysion a chacennau. Arhosodd Mali'n syfrdan o flaen un ohonynt gan geisio dyfalu pwy ar y ddaear fuasai'n bwyta'r holl daffi triagl.

'Ceiniogwerth o daffi triagl, 'ngeneth i?' cynigiodd hen wraig dew o'r tu ôl i'r bwrdd, gan estyn cwdyn ati.

Heb yn wybod iddi'i hun, estynnodd Mali'r llaw a ddaliai'r ddwy geiniog i'r cyfeiriad, ond y munud hwnnw daeth twr o hogiau a chau am y stondin a'i gwthio hi o'r neilltu. Cerddodd yn ei blaen heb siom na blys. Roedd melysion mor ddieithr iddi fel na chawsai erioed gyfle i fagu chwant atynt; ac roedd meddu ar geiniog o'i heiddo'i hun yn brofiad mor amheuthun fel nad oedd ganddi syniad sut i'w gwario.

Trodd llif y dorf tua'r chwith a Mali fel breuddwyd i'w ganlyn.

Nid oedd tai'r ffordd hon, ac ychydig gamau ymlaen fe welai ddarn o'i byd cynefin ei hun—llidiart cae. Synnai pam y dylifai'r bobl i gae, a chymaint o bethau eraill mwy diddorol yma, a hwythau, yn ôl pob tebyg, â digonedd o gaeau gartref. Er hynny, ymlaen yr aeth hithau gan nad oedd obaith troi'n ôl yn y fynedfa gul. Wedi iddi unwaith basio'r llidiart, nid oedd y dorf mor wasgedig, a phenderfynodd Mali fod yr un cae yma yn gymaint â rhai Ty'n-yr-Ogof i gyd gyda'i gilydd.

Ceid stondinau yma eto, a llawer mwy o amrywiaeth yn eu cynnwys na rhai'r stryd. Llestri o bob lliw a llun a lenwai'r gyntaf, a gwydrau na ddychmygodd Mali erioed fod eu prydferthed yn bosib. Teimlai y gallai sefyll i edrych arnynt drwy'r dydd, ac eto rhaid ei bod wedi symud yn ddiarwybod iddi'i hun, oherwydd newidiodd y stondin lestri yn stondin deganau. Methai'n lân â deall y doliau—lluniau babanod y galwai hwy yn ei meddwl ond eu bod yn llawer tlysach na babanod iawn.

Yna gwelodd rywbeth a'i tynnodd ymlaen at y bwrdd yn fawr ei chynnwrf. Drych bychan oedd o, oddeutu'r un maint â'r un a dorrwyd ganddi y bore hwnnw. Anghofiodd ei swildod, a chyffyrddodd ei ymyl â'i bys.

'Faint ydi o?' gofynnodd.

'*Tuppence*,' atebodd y dyn y tu ôl i'r bwrdd. Nid oedd Mali ronyn callach o hynny, ond nid oedd gŵr y stondin wedi cynaeafu ar hyd ffeiriau Cymru heb ddysgu sut i drafod ei bath hi. Cydiodd mewn ceiniog o'i boced a'i dangos iddi, gan ddal dau fys o'i law chwith i fyny'r un pryd. Estynnodd hithau ei cheiniogau'n grynedig iddo. Ofnai nad oedd wedi'i ddeall yn iawn, ond plygodd y gŵr bonheddig drosodd a gwthio'r drych yn garedig i'w llaw. Roedd hi'n ormod o demtasiwn i beidio â chipio un olwg arni'i hun ynddo fo. Nid oedd hwn yn niwlog fel un Tŷ-draw, ond roedd mor fychan fel na welai fawr ond blaen ei thrwyn ynddo. Rhoes rhywun o'r dorf hergwd i'w phenelin wrth wthio heibio, a dychrynodd rhag ofn i hwn eto syrthio ganddi, os cadwai ef yn ei llaw. Y diwedd fu iddi feddwl am ddatod botymau bychain Saro a'i wthio i mewn rhwng ei dwyfron. Roedd gwasg ei ffrog yn ddigon tynn i'w gadw'n ddiogel yno.

Daeth at gongl yn llawn o geffylau yn rhwym wrth reffynnau, a throliau mawr trymion yn ffurfio hanner cylch o'u cwmpas. Yn nesaf at y wagenni hyn fe ganfu ragor o ryfeddodau—buasai wedi eu galw'n dai, oni bai fod olwynion arnyn nhw ac roeddynt yn llai hyd yn oed na chaban unnos. A pha dŷ a welwyd erioed â lliwiau fel y rhain ar hyd-ddo? Yn y drysau fe safai merched â'u gwallt yn genglau o gylch eu hwynebau, eu ffedogau'n llinynnau, a phlant bach, annhebyg iawn i ddoliau'r stondin, yn chwarae o gylch eu traed. Teimlai Mali rywsut fod y rhain, er gwaethaf eu cartrefi rhyfedd, yn nes at ei byd hi, ac fe fuasai wedi stelcian yn hir i syllu arnynt oni bai i rai o'r merched droi i rythu arni hithau a chlebran â'i gilydd mewn iaith ddieithr.

Roedden nhw'n medru Saesneg felly! Rhaid fod rhywbeth yn uwchraddol ynddyn nhw wedi'r cwbl, er mor debyg eu diwyg i'w hun hi gartref. Clywai nhw'n chwerthin, a brysiodd yn ei blaen a'i gruddiau ar dân, er na wyddai'n hollol chwaith pam y gwridai.

PENNOD V

Adeiladau gwych o bren a lliain bras oedd ar y chwith iddi'n awr, a darluniau enfawr o bysgod nad adnabu'r môr erioed mohonyn nhw wedi eu peintio ar hyd-ddynt. Ar gistiau o'u blaen safai dynion yn gweiddi ar uchaf eu llais. Ni ddeallai Mali mo'r rhain chwaith, a rhyfeddai at eu clyfrwch yn medru siarad iaith estron mor rhugl. Llwyddai un o'r tri i lusgo ambell air Cymraeg i mewn i'w druth, ond doedd Mali fawr doethach o hynny wedyn.

'Ty'd, ty'd, i gweld tynes â *six* o gêns.'

Ni chlywodd air o Gymraeg gan yr ail, ond dywedodd un glaslanc wrth ei gydymaith yn ei chlyw,

'Mae o'n werth ei weld, was. Dim ond dwy olwyn fain o dano fo, ac yn gyrru fel Jehu.'

O gylch y trydydd adeilad yr oedd y chwerthin mwyaf a glywsai hyd yn hyn. Sefylliodd yno'n hir heb fod ddim callach. Y merched oedd yn cadw'r twrw bron i gyd, yn chwerthin, gwichian, a gwneud esgus o ddianc i ffwrdd. Tynnai'r llanciau hwy'n ôl wedyn, a sylwai Mali mai'r llanciau oedd yn ennill bob tro. Yna diflannent o'r golwg mewn mynedfa gul, ond treiddiai eco aml i grechwen a gwich trwy deneuwch y muriau.

Erbyn hyn, rhwng y dwndwr anghynefin, a'r bobl yn ymwau ar bob tu iddi, roedd Mali wedi troi'n benysgafn a chymysglyd. Yn sydyn, teimlodd yn unig a digalon ynghanol y miri a'r stŵr, a chofiodd nad oedd wedi bwyta'r un tamaid ers y noson cynt, ac eithrio'r crystyn amyd a brechdan geirch Tŷ-draw.

'On'd es i'n dwp,' fe'i dwrdiodd ei hun, 'na bawn i wedi meddwl am ddod â thafell o fara efo mi. Pa ots i Seimon p'un ai yma ai gartre y bwytawn i o.'

Ar hynny treiddiodd sain newydd trwy'r tryblith. Nid canu, ond roedd rhywbeth llon yn ei sŵn yn peri i ddyn deimlo'n ysgafn ei galon a pharod i ddawnsio.

'Yr hyrdi-gyrdi'n dechrau eto,' meddai rhywun. Rhuthrodd

pawb i gyfeiriad y sŵn gan adael y tri gŵr ar y cistiau yn amddifad o gynulleidfa.

Dilynodd Mali'n awchus, er yn fwy araf. Roedd yr unigrwydd a'r digalondid wedi ffoi, a chwilfrydedd wedi cymryd eu lle. Beth, tybed, oedd yr hyrdi-gyrdi yma, a wnâi sŵn mor od ac eto mor ddeniadol? Ni allai hi weld dim ond bocs gweddol ei faint, gorchudd gwyrdd drosto ac olwynion o dano, a dyn bychan pryd tywyll yn troi rhywbeth arno â'i holl egni. Roedd fel gwyrth i Mali, ond y rhyfeddod mwyaf oll oedd y creadur bychan â chap coch yn ei law oedd yn casglu ceiniogau gan y dorf. Gofidiai â'i holl galon na bai dwy geiniog Sioned Ifans ganddi i'w rhoi iddo. Roedd o faint ci canolig a'i groen yn flewog a chynffon hir ganddo, ond roedd ganddo ddwy goes, nid pedair, a dwy law, ac wyneb yr un ffunud ag un Tomos Tomos Ty'n-Ffos.

Pan ddaeth i'w hymyl hi ac estyn ei gap coch am ei cheiniog, plygodd ato a sibrwd ymddiheuriad brysiog.

'Does gen i yr un, yn wir, neu fe'i caech hi.'

Ysgydwodd y creadur ei ben yn ddig, gan glebran yn ddi-daw.

'Sais eto!' ochneidiodd Mali.

Parhâi Tomos Tomos—dyna'i enw yn ei meddwl hi—i estyn ei gap ati, ei lais yn ffyrnigo bob cynnig a hithau erbyn hyn yn foddfa o swildod. Yn sydyn neidiodd Tomos i fyny gan gipio'r siôl garpiog oedd ganddi'n sypyn dan ei braich, a rhedeg â hi yn ei hafflau yn ôl at ei feistr. Wedi cyrraedd ato, safodd ac ysgwyd y siôl o'i phlyg aflêr. Chwarddodd pawb.

'Mi gaiff ddigon o awyr iach trwy honna, beth bynnag,' meddai llanc gerllaw.

'Mi wnâi hi iawn o ogor!' gwawdiodd un arall y tu ôl iddo.

Roedd Mali bron â chrio. Wedi'r cyfan, dyma'r unig ddilledyn oedd ganddi i daflu dros ei hysgwyddau, a hyd yn oed os oedd o'n dyllog roedd o'n dal yn werthfawr iawn iddi hi wrth gerdded yn nannedd y gwynt.

'O! mi fydd wedi'i difetha hi'n ofer,' cwynfannodd o dan ei hanadl. Ond ni allai oddef crechwen y dorf yn hwy a throdd ar ei sawdl, gan feddwl rhuthro i rywle digon pell o'u golwg.

'Y chi piau hi?' gofynnodd rhywun.

Cododd ei llygaid am eiliad chwim a gweld mai un o'r dynion ifainc oedd mor lluosog y prynhawn hwnnw a siaradai.

'Arhoswch funud. Mi caf i hi ichi mewn chwinciad,' meddai drachefn. Gwthiodd ymlaen a chipio'r siôl oddi ar y creadur blewog a'i dwyn yn ôl i Mali. 'Rhaid ichi roi ysgydwad iawn iddi ar ôl bod ar gefn yr hen fwnci yna,' meddai wrth ei hestyn i'w llaw.

Ceisiodd Mali fwmial ei diolch, ond roedd un o'r pyliau swildod a'i gorlethai mor aml wedi gwisgo drosti, a'r unig beth y gallai feddwl amdano oedd sut i ddianc oddi yno.

'Ar ben eich hun ydych chi?'

Cododd ei phen yn syn. Nid oedd wedi sylweddoli fod ei chymwynaswr yn cydgerdded yr ychydig gamau hynny gyda hi. Nid oedd hi erioed wedi arfer â sgwrsio er mwyn dim ond y pleser o hynny. Nid oedd Seimon yn credu mewn gwastraffu geiriau mwy nag arian, ac roedd ei chwaer wedi dysgu mai dweud neges oedd unig bwrpas ei thafod. Rhwng hynny, a'r dwndwr o'i chwmpas, fe gymerodd gryn amser iddi hel ei meddwl ynghyd ddigon i'w ateb.

'Ie, ar ben fy hun tan dri. Rwy'n cychwyn adre efo pobl y fferm agosaf acw wedyn.'

'Wel, ar f'engoch i! Yr un fath â minnau i'r blewyn! Mi gollais innau bawb byw bedyddiol a hen le annifyr i fod ynddo fo ar eich pen eich hun ydi ffair. Beth am fynd o gwmpas gyda'n gilydd am dipyn, i edrych beth welwn ni?'

Trwy ryw ryfedd reddf, gan nad oedd ganddi ffrindiau, nid oedd Mali heb wybod bod ffair yn lle da i godi cariad. Ond ni freuddwydiodd erioed y câi hi un yno, hyd yn oed yn y ffrog sidan—pan nad oedd yn werth gan hogennod y fro, heb sôn am yr hogiau, edrych arni ddwywaith. Rhaid mai i'r ffrog yr oedd y diolch. A'r fath gariad â hwn! Mentrodd godi'i golwg i'w astudio'n fanylach. Roedd yn hŷn nag y tybiodd hi ar y cip cyntaf, ond eto flynyddoedd ar flynyddoedd yn iau na Seimon. Ychydig iawn o'r dynion a welai o'i chwmpas oedd cyn daled â fo nac mor llydan eu hysgwyddau. Ond yr hyn a'i denai fwyaf oedd ei wyneb siriol a'i lygaid chwerthinog. Doedd Seimon ac Ifan a'u cyffelyb byth yn arfer chwerthin felly. Prin y sylwodd ar yr unig nam oedd arno—roedd hanner uchaf ei glust dde yn plygu trosodd nes bron gyffwrdd â'i llabed. Fe drodd yntau ar yr un munud i edrych arni hithau a chwarddodd yn fwy na chynt wrth weld fel y brysiai hi i droi ei phen draw.

'Da ti, paid â bod mor swil,' meddai. 'Does neb yn swil mewn ffair. Tyrd, mi drown ni'r ffordd yma.'

Dyma ochr i'r cae lle na chrwydrodd Mali eto. Sŵn gwahanol a geid yma, sŵn ergydio a chlecian. Safai dynion gyda gynnau yn erbyn eu hysgwyddau, yn anelu at beli bychain lliw'r enfys oedd yn codi'n ddisymwth fel blodau lliwgar ar flaen paladr hir o ddŵr ac yn edwino yr un mor sydyn.

'Hoffet ti 'ngweld i'n trio fy llaw ar un o'r rhai acw?' gofynnodd ei chydymaith.

'Hoffwn,' ebe hi.

Er mai un gair oedd ei hateb, roedd ei hwyneb yn ddigon huawdl i foddio'r mwyaf barus am edmygedd. Beth bynnag ddewisai hwn ei wneud, byddai'n fraint ganddi hi ei wylio a'i gefnogi. Safai'n dynn wrth ei ochr tra paratoai ef i danio. Gwelai'r merched eraill yn gwneud hynny—felly pam nad hithau? Erbyn hyn fe deimlai gystal â'r un ohonynt, a gwell hefyd, o achos nid oedd dynion yr un o'r lleill i'w gymharu â'i dyn hi. Nid oedd ei llygaid yn ddigon cyflym i ddilyn yr ergydion a ffawd y peli lliwgar, ond sylwodd fod y lleill i gyd wedi rhoi heibio saethu ac yn sefyll i wylio ei champwr hi. Ymhen ennyd, fe ddododd yntau ei wn i lawr a throi ati gyda gwên fuddugoliaethus.

'Dyna ti, 'mechan i. Beth feddyli di o saethu fel'na?'

Curai'r lleill ei gefn gan ganmol, 'Siampl o dda, fachgen. Dyna dy rownd orau di eto.'

Ni welodd Mali mo'r awgrym am yr ymarfer blaenorol oedd yn llechu yn y gymeradwyaeth, ond ymfalchïai yn ei lwyddiant, ac am y tro cyntaf yn ei hoes fe deimlai ei bod hithau'n rhywun.

Estynnodd y dyn oedd yng ngofal y lle hambwrdd mawr yn llawn o fân daclau. Siaradodd y ddau â'i gilydd braidd yn boethlyd, a chododd edmygedd Mali'n uwch eto. Roedd hwn yn siŵr o fod yn rhywun mawr, i fedru siarad Saesneg cystal â dynion y Ffair. Yn y diwedd pigodd y pencampwr ddernyn sgwâr lliwgar oddi ar yr hambwrdd.

'Mi ddylai roi dau neisied imi am saethu fel'na,' meddai, 'ond wnaiff y burgyn cybyddlyd ddim.' Estynnodd y cadach poced iddi hi. 'Hwde. Mi cei di o. Mae o'n agos iawn yr un lliw â'th ffrog.'

Ni chawsai Mali yr un anrheg yn ei hoes o'r blaen, ac fe ymddangosai'r lliwiau ar y cadach cotwm yn wychach na dim a welsai erioed. Datododd bedwar o fotymau Saro a gwthio'r trysor gwerthfawr i mewn at y drych.

'Wyddost ti be? Rwyf i bron â llwgu, a thagu hefyd. Mae yna stondin fwyd dan gamp ar y cae yma, ond fydd gen i byth flas i fwyta ar fy mhen fy hun. Mae yno de hefyd, eneth! Gad inni fynd i lenwi tipyn.'

A gwthiodd Mali o'i flaen tua'r unig gongl na bu hi ynddi eto. Ymdrechai hithau'n ofer am eiriau i egluro iddo nad oedd ganddi arian i dalu am fwyd. Roedd hi eisoes wedi dysgu cymaint â hynny am Ffair—nad oedd dim i'w gael heb dalu amdano.

'Dyma ni,' meddai'i chydymaith, gan roi plwc i'w braich yn arwydd iddi aros.

Gwelai Mali stondin hir a chul, a dynion mewn ffedogau gwyn yn gweini wrtho. Roedd yna bentyrrau mawr o frechdanau tewion, lled bawd, ar y byrddau, bob yn ail â dysgleidiau enfawr o gig oer wedi'i dafellu'n barod. Clywodd y bod gwyrthiol oedd gyda hi yn siarad Saesneg eto, wrth un o wŷr y ffedogau gwyn y tro yma, a hwnnw'n estyn dwy gwpanaid fawr o ryw drwyth du iddyn nhw.

'Wyt ti am siwgr a llaeth?' gofynnodd ei harweinydd.

'Wn i ddim,' cagiodd Mali'n ffwdanus.

'Nid dyma'r tro cynta iti yfed te?' meddai yntau, a syndod yn ei lais.

Amneidiodd yr eneth ei phen.

'Wel, ar f'engoch i! Mae'n well imi roi digonedd o laeth a siwgr ynddo fo 'te. Dyma iti fara a chig. Torra iddo fo'n go chwyrn.'

Wyddai Mali ddim sut i gychwyn arni'n iawn. Roedd y bara'n glyffiau tew i ddechrau arni, ac erbyn rhoi dau ar ei gilydd a'r darn cig rhyngddyn nhw, fe alwai am safn anferth i'w hamgylchynu. Fodd bynnag, wrth weld pawb arall yn llwyddo, fe fentrodd hithau arni. Wedi profi'r frechdan y sylweddolodd yn llawn mor newynog oedd hi; a phan gynigiodd o ail un iddi, roedd yn anodd iawn ganddi wrthod, ond rhuthrodd i egluro,

'Does gen i ddim arian i dalu.'

'Twt, twt,' chwarddodd yntau. 'Beth ydi'r ots am hynny? Does dim merched yn talu am eu bwyd ar ddiwrnod ffair. Mae cael eu cwmni wrth ei fwyta yn werth mwy na hynny, ac mae gen i eisiau amryw byd o'r rhain eto. Tyrd, cydia ynddi. Paid â hel cysêt. Wyt ti'n leicio te?'

O'r ddau, roedd yn well gan Mali de dail mafon Saro, ond ni fynnai frifo teimladau ei gwesteiwr trwy gyfaddef hynny. Doedd hithau ddim wedi meddwl am roi tro yn ei chwpan i doddi'r siwgr, felly roedd y te o gymaint â hynny'n fwy chwerw. Rhyfeddai fod neb â helynt efo'r fath drwyth. Fe glywsai Seimon yn traethu ryw dro am ferched gwirion yn gwario eu harian prin ar 'yr hen de drud yna', a byth er hynny fe fu arni awydd cael profi'r ddiod newydd. Ond o hyn allan fe allai Seimon orffwys yn dawel o'i rhan hi a the, beth bynnag. Synnai at nifer y bobl a ddylifai at y bwrdd i mofyn y brechdanau, a'r tyrrau newydd o fara a chig a gyrhaeddai yno bob munud o rywle tua'r cefn.

'Ydi hyn yn debyg i fwyd diwrnod cneifio?' gofynnodd yn sydyn.

Chwarddodd y dyn. 'Ymhle wyt ti wedi byw, dywed, heb erioed brofi te na gweld bwyd diwrnod cneifio?'

Dyna un arall o freuddwydion Mali—bwyd diwrnod cneifio. Fe glywsai sôn ar dro siawns tua'r siop, a lleoedd felly, am yr hwyl a'r bwyta ar yr adegau hynny, ond nid oedd Seimon yn caniatáu iddi hi fynd i weini i'r cymdogion ar eu dyddiau mawr. Ac nid oedd yntau byth yn mynd i gynorthwyo ar adegau felly.

'A'u cael hwythau'n hel yma i esgus talu'n ôl, wir!' snochtiai. 'Mi fyddai eu bwyd nhw'n costio mwy na'u gwerth. Na, mi elli di a minnau wneud hynny sydd yma wrth ein pwysau.'

Ac felly y byddai. Fe chwysai ac fe ymladdai Mali gyda'r defaid, gan feddwl yn hiraethus am y cynulliadau llawen yn y tyddynnod eraill ar yr un dyddiau.

'Nid merch wedi'i magu'n y dre wyt ti chwaith,' ymsyniai'r

gŵr ieuanc penfelyn, wedi ysbaid o ddistawrwydd. Ei ddweud fel ffaith wnaeth o, ond atebodd Mali fel petai'n ofyniad.

'Nage. Ty'n-yr-Ogof, yn ymyl Llanllŷr, ydi fy nghartre i.'

'Yr argien fawr! Mae'r fan honno yn draws gwlad ofnadwy i'r lle rwyf i'n byw. Dim rhyfedd dy fod ti mor ddiarth imi. Beth ydi dy enw di, dywed, imi gael gwybod sut i'th alw di.'

Dywedodd hithau, ac yn raddol daeth allan mai byw gyda'i brawd yr oedd hi. Fe ddisgwyliai iddo yntau sôn am ei deulu, ond ni osiodd wneud hynny. Roedd ar flaen ei thafod ofyn iddo wrth ba enw y câi hi ei gyfarch o, ond methodd fagu digon o ddewrder i hynny. Ond nid amharodd ei diffyg gwybodaeth ddim ar ei mwynhad o'r pryd bwyd. Roedd cig ffres yn amheuthun mawr i Mali, a daliodd ati nes gorffen tair o'r tafellau braf. Edrychai'r rhoddwr yn foddhaus arni.

'Mi wela i mai ychydig wyt ti'n hidio am y te, ond chwarae teg i'th galon, mi fwyteaist yn iawn. Mae'n ganwaith gwell gen i weld geneth yn bwrw iddi'n go lew pan fydda i yn cynnig tamaid iddi, nag un yn pigo pigo fel dryw bach. Mi awn ni am dro o gwmpas y Ffair nawr, os wyt ti awydd.'

Taflodd ddarn o arian ar y bwrdd i gyfeiriad gŵr y ffedog wen a fu'n gweini arnynt. Rhyfeddai Mali weld neb yn taflu darn o'r maint hwnnw i ffwrdd mor ddiofal.

'Wyddost ti beth?' sibrydodd yn ei chlust wrth droi eilwaith i'r cae. 'Gen ti mae'r ffrog dlysaf yn y lle yma. Mae ei lliw hi yr un fath yn union â photelaid o win welais i rywbryd gan ffrind imi yng Nghaerdydd.'

Fe fuasai Mali wedi bod yn fodlon ei ganlyn i ben pella'r ddaear y munud hwnnw, petai o'n gofyn iddi. Doedd ganddi hi fawr o falchder genethod o'i hoed yn ei hymddangosiad, ond meddyliai bopeth o'r ffrog a fu'n unig ramant ei bywyd am gynifer o flynyddoedd.

Aethant heibio i stondinau'r llaw chwith, lle prynwyd y drych, heb ymdroi fawr, a'r un modd gornel y tai bychain lliwgar a'u merched haerllug.

'Maen nhw'n deud i mi fod yna hwyl ofnadwy i'w gael yn y cabanau i lawr acw,' ebe ef.

Dilynodd Mali ef tuag yno, heb amcan beth a ddisgwyliai ei weld.

'I b'un awn ni gyntaf, dywed?' gofynnodd ef, a phryder ar ei wyneb am y tro cyntaf ers iddi ei gyfarfod.

'Beth sydd ynddyn nhw?'

Er i Mali holi hynny, ni theimlai fawr o chwilfrydedd. Roedd hi'n fodlon ar beth bynnag a welai, dim ond iddi gael edrych arno yn ei gwmni ef.

'Wyt ti ddim yn gwybod? Ond dwyt ti'n medru dim Saesneg, mae'n debyg. Wel, dyma'r cyntaf—y ferch dewaf yn y byd, medden nhw, a chwe gên ganddi hi. Digon o ddefnydd i wneud hanner dwsin o'th fath di. Hoffet ti gael golwg arni hi?'

'Hoffwn,' meddai Mali, er ei bod yn gwbl sicr yn ei chalon nad oedd bosib i'r ferch hon fod fawr tewach na Lowri Dafis y Siop, ac fe allai weld honno unrhyw ddiwrnod y dewisai gerdded i lawr i'r pentref.

Symudasant gam ymlaen.

'Mae hwn eto'n siŵr o fod yn dda,' ymsoniai ei chydymaith. 'Mi glywaist, mae'n siŵr, am y mashîn newydd yna lle mae dyn yn trafaelio fel y gwynt a dim ond olwyn gul o dano? Naddo? Wel rwyt ti'n greadures fach od! Welais innau'r un ohonyn nhw eto, er imi glywed myrdd a mwy amdanyn nhw, ac mi fynna i olwg ar hwn cyn troi adre heno.'

'*Bring your* cariad *in, sir.*'

Trodd y ddau wrth glywed y llais y tu ôl iddynt. Gwahoddwr y trydydd bwth oedd yno. Roedd amnaid ei law fel yr ail-adroddai'r geiriau yn ddigon o gyfieithiad i Mali, ac fe ddeallai'r gair Cymraeg yn burion. Gwridodd at ei chlustiau, a chwarddodd ei chydymaith yn braf.

'Cariad, ie?' meddai. 'Wel, dyma'r fan sydd â mwyaf o sôn amdano ar y cae i gyd. Gad i ni ei dreio.'

Taflodd chwecheiniog gwyn cyfan yn ddidaro i'r dyn, heb dderbyn dim newid yn ôl. Rhyfeddai chwaer Seimon. I breswylwyr Ty'n-yr-Ogof, peth i feddwl yn hir ac yn ddwys uwch ei ben ydoedd gwario chwecheiniog.

Gwthiwyd hi ymlaen trwy'r drws. Disgwyliai ganfod y rhyfeddod, beth bynnag oedd o, gyda'i bod drwyddo; ond ni welai ddim ond parwydydd noeth o bren. Wedi trofa neu ddwy yn y llwybr, fe ddaethant i le agored gydag ychydig o goed bytholwyrdd yn tyfu mewn padelli yma ac acw. Ar glwyd uwchben, yn rhwym wrth gadwyn fain, yr oedd tri aderyn, tebyg ym mhopeth ond lliw i Mol y Wern. Roedd yno dri chwpl ifanc eisoes yn edrych arnyn nhw.

'Rhai digri ydi'r adar yma,' ebe un o'r llanciau. 'Mae'n amau iawn gen i eu bod nhw'n gallu siarad. Mi fethais i â'u cael nhw i ddeud yr un pwmp, beth bynnag.'

'Adar yn siarad, wir! Celwydd i gyd!' meddai un arall yn ddirmygus.

'Pa adar ydyn nhw, tybed?' gofynnodd ffrind Mali.

Dyma bron yr unig beth ar y cae y gwyddai hi fymryn amdano, a dywedodd yn hanner distaw, 'Mol ydi eu henw.' Yna magodd ddigon o wroldeb i droi at yr aderyn agosaf ati a dynwared Saro orau y gallai, 'Mol . . . Mol . . . Mol.'

'*Polly, Polly, Pretty Polly,*' sgrechiodd yr aderyn yn ôl. Cipiodd yr ail y gân i fyny wedyn, a gwasgodd un o'r merched ei dwylo ar ei chlustiau, rhwng difrif a chwarae. Pwniai y ddwy arall ei gilydd mewn syndod.

'Dyna hi wedi gallu gwneud iddyn nhw ddeud eu henwau ar ei hôl hi.'

'Moli ddwedodd hi, ac nid Poli,' haerai un o'r bechgyn.

'Ar f'engoch i, dyma fi o'r diwedd wedi taro ar rywbeth yr wyt ti'n gwybod amdano fo,' ebe'i harweinydd, ac fe ddychmygai Mali glywed tinc o edmygedd yn ei lais a gweld ei belydr yn ei lygaid. Fe'i tynnodd hi oddi wrth yr adar, gan sisial yn ei chlust a darllen hysbyslen fawr oedd yn hongian ar y mur gyferbyn. 'Mae inni ddewis o ddwy ffordd i fynd allan, un yn fer ac yn olau, a'r llall yn hir ac yn . . .' Pesychodd yn awgrymiadol. 'P'un gymerwn ni, dywed?'

'Wn i ddim,' atebodd hithau'n ddiniwed.

'Yr hir amdani 'te,' a llywiodd hi trwy'r drws ar y chwith. Nid oedd Mali wedi deall arwyddocâd ei besychiad ac fe synnodd gael y lle'n dywyll.

'Does dim byd i'w weld yma,' meddai'n siomedig.

'Gorau oll,' chwarddodd yntau. 'Lle iawn am gusan, felly.'

Rhoddodd ei ddwy fraich dros ei hysgwyddau a'i thynnu'n ôl nes bod ei gwar yn gorffwyso ar ei fynwes. Cusanodd hi dro ar ôl tro. Dyma'r waith gyntaf erioed, o fewn cof iddi, i Mali gael ei chusanu. Fe fu ei mam farw â hithau'n rhy ieuanc i gofio na'i gwg na'i gwên. Cerddent ymlaen yn araf, gan sefyll yn aml. Roedd Mali'n gryndod melys trwyddi, a phwys ei ddwylo ar ei bronnau yn gyrru chwaon o ddedwyddwch trosti. Fe glywai ei lais yn murmur o ryw bellter mwyn,

'Mi allwn i wneud â'th siort di yn y Plas acw.'

Hergydiodd rhywun yn eu herbyn o'r tu ôl, a theimlai Mali'n ddicach wrthynt hwy a'u chwerthin cras nag wrth neb erioed.

'Diaist i, dyma ryw ddau'n cael hwyl iawn yn y fan yma! Ffwrdd â chi yn eich blaenau, y taclau. Mae'r hen ddyn tu ôl i ni. Neb i fod i mewn am fwy na chwarter awr, medde fo.'

'Dyna'i sgêm o i wneud pres,' llefodd llais arall. 'Codi blys arnom ni i'n cael i dalu am chwarter awr arall.'

'Mi fydda i'n gallach y tro nesa, beth bynnag,' ebe'r llais cyntaf. 'Waria i ddim o'r amser yn pensynnu efo'r hen adar gwirion yna.'

Gwthiwyd hwy ymlaen o gam i gam, nes bod llygedyn o olau i'w weld draw. Cryfhâi hwnnw'n raddol a thyfodd yn ddigon i beri i Mali, yn anfodlon, ei rhyddhau ei hun o'r breichiau a'i daliai. Daethant i olau dydd trwy fynedfa nad oedd wedi sylwi arni o'r blaen, yn ochr y bwth. Parhâi i grynu, a theimlai ei hwyneb fel y tân. Ni feiddiai edrych ar ei chydymaith. Cydiodd yntau yn ei phenelin a'i wasgu.

'Paid ag edrych mor swil, da ti. Tyrd, mi fynnwn ni chwarter awr arall. Dyna'r gwerth chwech rhataf gefais i erstalwm.'

Roedd calon Mali'n curo gormod iddi allu dweud gair, ond dilynodd ef heibio i'r gongl i aros am i'r gŵr â'r wyneb parddu a'r gwddf cymharol wyn ymddangos i'w gollwng i mewn eilwaith.

'Hai, Meistr!' gwaeddodd llais o rywle, ac ymryddhaodd gŵr esgyrnog, cryf, wedi troi ei ganol oed, o'r dorf, a dod tuag atynt.

'Drapio fo,' meddai ffrind Mali, gydag arddeliad ac argyhoeddiad. Tynnodd ei law o boced ei glos, lle'r amcanai chwilio am chwechyn arall, a sibrydodd yn frysiog, 'Paid â chymryd arnat ddim am y pnawn yma. Dywed yn union yr un peth â mi.'

'Rwyf i'n chwilio amdanoch ers awr neu well, Meistr. Fe fynnai Meistres mai yn y farchnad geffylau yr oeddech chi, ond mi wyddwn i mai dyma'r lle y byddwn i fwya tebyg o ddod o hyd ichi.'

Taflodd Mali ei llygad ar y siaradwr. Roedd yna dinc nas deallai yn ei lais, nid mor annhebyg i Seimon pan dybiai iddo'i dal hi'n difetha sebon neu enllyn.

Trodd ei chariad ati, a'i arddull yn hollol wahanol i'r hyn ydoedd cynt.

'Dyma inni lwc, 'merch i. Fe aiff Huw yma â chi at y Feistres ar unwaith, ac mi gaf innau ddal i chwilio am y dyn yna y mae hi mor bwysig imi ei weld o. Fe orffennith hi eich cyflogi, ond dyma ichi swllt o ernes gen i.' Yna'n eglurhaol wrth Huw, 'Rwyf i wedi bod yn chwilio am forwyn yn lle'r llall yna.'

'Hm,' ebe hwnnw'n sychlyd. 'Y chi barodd Meistres imi ddod o hyd iddo fo. Mae arni frys am gychwyn adre, medde hi.'

'Wel dywed wrthi, Huw bach, fod yn ddrwg gynddeiriog gen i, ond rhaid imi gael gafael ar y dyn yna heddiw, neu fuasai waeth imi heb â dod i'r Ffair. Dos di â hi adre ac mi ddof innau gynted ag y galla i ar eich hôl, naill ai gyda theulu'r Nant, neu ar geffyl benthyg.'

'Hm,' snochtiodd Huw eto. 'Wn i ddim beth fydd hi'n ei feddwl o hynny chwaith.' Yna, yn egr wrth Mali, 'Wel tyrd di yn dy flaen, beth bynnag, inni weld beth fydd Meistres yn ei feddwl ohonot ti.' A throdd ar ei sawdl i gyfeiriad y llidiart.

Plygodd ei feistr at Mali.

'Dos efo fo a chymer arnat gyflogi. Fydd dim rhaid iti ddod, serch hynny, os na fyddi di'n dewis.'

PENNOD VI

Dilynodd yr eneth Huw trwy'r dyrfa fel un mewn breuddwyd. Nid oedd yn deall yn iawn beth oedd wedi digwydd, ond fe wyddai fod y carwr llygatlas yn dibynnu arni hi i'w gynorthwyo rywsut neu'i gilydd, ac roedd yn berffaith sicr yn ei meddwl y byddai'n gwneud beth bynnag a fynnai ef, os gallai sut yn y byd.

Cerddasant y stryd ar ei hyd, ond chafodd Mali ddim siawns i edrych o'i chwmpas y tro hwn. Roedd angen ei holl sylw i gadw Huw yn y golwg ac i'w ganlyn trwy'r dorf. Trodd yn sydyn i dŷ yr oedd ei fynedfa'n orlawn o bobl. Nid oedd yn ddigon eofn i wthio trwodd ar ei ôl ac felly safodd y tu allan i'r drws, yn annedwydd ac yn ansicr beth i'w wneud. Ymhen eiliad daeth Huw yn ei ôl ac amneidio'n wyllt arni.

'Tyrd yn dy flaen, y falwen. Glywaist ti mohonof i'n deud iti fy nghanlyn?'

Yr unig beth a'i galluogodd i orchfygu'r awydd am ruthro i chwilio am siandri Tŷ-draw a chuddio ynddi nes ei bod yn bryd cychwyn adref, oedd y cof am y llygaid chwerthinog a'r dwylo cryfion y tynghedodd hi ei hunan i'w gwasanaeth y prynhawn hwnnw. Brysiodd wrth sodlau Huw, gan geisio anghofio'r bagad oedd yn llygadrythu arni ar ôl clywed ei floedd anghynnes. Fe arweiniodd hi i stafell oedd bron gymaint â rhai Ty'n-yr-Ogof a'r Wern i gyd gyda'i gilydd. Ond ni chafodd ei gwynt ati i ryfeddu at faint y lle, gan ei swildod. Llanwyd y fan yma eto gan bobl, yn eistedd wrth fyrddau o wahanol faint, rhai'n bwyta a rhai ddim, ond pawb yn ildio i'w sgwrs er mwyn troi i sbio ar Huw a hithau. Wrth rai o'r byrddau eisteddai nifer o ffermwyr fel petaent ar fin cwblhau bargen, a'u merched wrth rai eraill yn bwyta ac ymgomio. Ar gadair yma a thraw, fel ynysoedd unig mewn môr cynhyrfus, eisteddai ambell ffermwraig fwy anghymdeithasgar na'r lleill, a'i basgedi o'i chylch yn barod i gychwyn adref cyn gynted fyth ag y cyrhaeddai ei gŵr ymarhous o rywle. A barnu wrth doriad gwefusau'r gwragedd yma, byddai ganddynt air neu ddau pur effeithiol i'w ddweud pan ddigwyddai hynny. At un o'r rhain yr arweiniodd Huw hi.

'Doedd dim hanes amdano fo yn y farchnad geffylau, Meistres, ond mi ges hyd iddo fo yng nghae'r sioeau.'

'Ddaeth o ddim yn ôl efo ti?' gofynnodd y wraig mewn llais cryglyd.

Cadwai Mali ei golygon ar i lawr, ond llwyddodd er hynny i gael cip ar y siaradwraig. Edrychai lawer yn hŷn na Sioned Ifans Tŷ-draw, ac fe wyddai hyd yn oed Mali fod ei diwyg yn henffasiwn.

'Roedd o'n chwilio am ryw ddyn, medde fo.' Rhoddodd Huw bwyslais rhyfedd ar y ddau air olaf. 'A dwedai fod yn well i ni gychwyn adre ac fe ddaw yntau'n syth ar ôl gorffen ei fusnes, medde fo.'

Syllodd yr hen wraig ar y llawr am funud. Yna dywedodd, 'Falle'n wir mai dyna fydd orau. Mi wn ei bod hi'n bwysig ganddo gael gafael ar y dyn yna.' Trodd yn sydyn at Mali. 'Beth ydi'r hogen yma sy'n dy ganlyn di?'

'Y Meistr Ifanc oedd yn siarad efo hi yn y cae sioe, yn ei chyflogi'n forwyn, medde fo. Ond yn wir, Meistres fach, mae gen i ofn garw mai rhywbeth tebyg i Siani erstalwm fydd ei hanes hi.'

Edrychodd yr hen wraig â llygaid treiddgar ar Mali.

'Mae acw ddigon o eisiau rhywun, beth bynnag,' meddai toc. 'Gytunaist ti â'r Meistr Ifanc ar y cyflog?'

'Naddo,' atebodd yr eneth, a'i hawydd am ufuddhau i'w harwr, a'i amddiffyn, yn cyflymu ei synhwyrau. 'Mi ddaeth o,' yn pwyntio at Huw, 'cyn iddo gael amser i wneud dim ond cynnig y lle imi.'

'Deg swllt ar hugain y flwyddyn fydda i yn ei roi i drydedd forwyn,' ebe'r Feistres, gan ddal i syllu'n ymholgar ar Mali. Os oedd hi'n disgwyl protest, fe'i siomwyd o'r ochr orau, oherwydd ni wyddai'r eneth hon ddim am gyflog morynion, ac roedd deg swllt ar hugain yn ymddangos yn swm aruthrol i un na chafodd erioed gynifer â hynny o geiniogau i'w llaw. Roedd y ffermwraig yn rhyfeddu at ei difaterwch, a gofynnodd braidd yn amheus ei thôn,

'Wyt ti ddim mewn lle'n awr?'

Ysgydwodd Mali ei phen. 'Na, byw efo 'mrawd.' Ni ddaeth

i'w meddwl am funud i edrych arni'i hun fel rhywun yn cadw tŷ i Seimon.

'Ble mae dy frawd yn byw, felly?'

'Yn Nhy'n-yr-Ogof, ym mhlwyf Betws Yfain.'

'Pam wyt ti'n gadael dy frawd?'

'Ie,' torrodd Huw ar draws y sgwrs, 'dyna ddaeth i'm meddwl innau hefyd. Pam?'

'Eisiau gweld tipyn ar y byd a chael mymryn o geiniog i mi fy hun.' Synnai Mali mor rhwydd y deuai'r esgusodion i'w thafod araf wrth ufuddhau i gais y gŵr ifanc llygatlas. Wedi eu dweud y sylweddolodd mor wir yr oeddynt, a'u bod yn llechu yn ei mynwes ers amser hir.

'Gadael iddi sydd saffaf ichi'n siŵr, Meistres,' cynghorodd Huw. 'Pe gwelsech chi . . . '

'Dyna ddigon, Huw,' meddai'r wraig fach yn bur gwta. 'Gad ti rhyngof i a'm busnes fy hun. Mae acw ddigon o angen rhywun ac mae hon wedi arfer â gwaith, beth bynnag, a barnu wrth ei dwylo.'

'Mae ganddi ormod o hen anialwch o'i chwmpas i weithio llawer,' grwgnachai yntau.

'Nid yn y rheina y bydd hi'n gweithio,' meddai'r Feistres yn sychlyd, a throdd at Mali. 'Fyddi di'n barod i ddechrau ddydd Llun?'

Amneidiodd hithau ei phen. 'Mi gychwynna i oddi acw ben bore, ond wn i ddim faint o amser gymer o imi gyrraedd.'

'Plas-yr-Allt, ym mhlwyf Llanala, ydi'r lle. Mi allwn feddwl mai'r ffordd rwyddaf o'th gartre di fyddai croesi acw o Draethaur.'

'Fydd dim rhaid iddi fynd cyn belled â Thraethaur,' cywirodd Huw. 'Mae'r llwybr yn troi at Lanala gryn blwc yn uwch i fyny na'r Traeth. Raid iddi ond dilyn y ffordd gul i lawr at y môr oddi wrth eglwys Llanïor.'

'Wel, mae gen ti dafod i holi wrth fynd yn dy flaen,' ebe'r wraig yn ddihidio, 'a does dim posib iti fethu. Mi ŵyr pawb am Blas-yr-Allt.'

Roedd gan Mali ormod o gywilydd i egluro iddynt na fu hi erioed yn Nhraethaur, oblegid yno yr âi'r ardal gyfan ar un diwrnod braf ym Mehefin bob blwyddyn, i blesera a mwynhau awelon y môr. Fe wyddai, o leiaf, sut oedd cychwyn tuag yno

—troi ar y chwith gydag ichi gyrraedd y ffordd galed oedd yn arwain i'r pentref. Unwaith y câi hi ei thraed ar honno, fe fentrai ei siawns am gyrraedd y pen wedyn.

'O'r gore. Dydd Llun 'te, cyn gynhared ag y gelli di. Hwde,' ac ymbalfalodd yr hen wraig yn y cwdyn mawr oedd yn hongian wrth ei gwasg, 'mae'n well imi roi ernes iti. Gan fod dy gyflog di'n fach, mi wnaiff chwecheiniog y tro.'

'Peidiwch â thrafferthu, Meistres fach,' ebe Huw'n brysur. 'Mae o wedi gofalu am dalu'r ernes iddi—swllt gwyn cyfan, hefyd. Mi gofiwch chi eto am beth ddwedais i.'

Ysgydwodd y gyflogwraig ei phen yn ofidus.

'Swllt! Pryd y buasai chwech yn hen ddigon! Ond waeth heb siarad bellach. Cofia di y bydd disgwyl iti wneud rhywbeth am dy arian. Nid lle i segura ydi'r fan acw . . . Mae hi'n amser iti feddwl am gychwyn adre hefyd, er mwyn paratoi at y Llun. Gofala beidio â loetran dim hyd y Ffair i wastraffu d'amser.'

Anturiodd Mali ofyn faint oedd hi o'r gloch. Turiodd Huw yn bwysig i waelodion poced ei glos a thynnodd allan oriawr fawr, fel meipen gymhedrol. Wedi hir rythu arni, a'i wefusau'n symud ond dim sŵn i'w glywed ohonynt, dywedodd,

'Diaist i, Meistres, mae hi'n bum munud i dri. Mi fyddai'n well i ninnau ei chychwyn hi, os nad ydych chi am imi fynd ar ei ôl o unwaith eto, i'w hel o adre ar yr un pryd â ni.'

Ni chlywodd Mali yr ateb. Fe'i cyffrowyd hi ormod gan y geiriau 'pum munud i dri', a throdd ar ei sawdl heb air yn rhagor wrth yr un o'r ddau. Yn ei gwylltineb, ac oherwydd fod y lle mor ddieithr iddi a'r dwndwr a digwyddiadau'r dydd wedi ei moedro'n lân, trodd i'r chwith yn lle i'r dde y tu allan i'r drws. Ni sylweddolodd ei chamgymeriad nes ei chael ei hun am yr eildro wrth y fynedfa i'r cae pleser. Roedd siandri Tŷ-draw yn y pen pellaf eithaf o'r fan hon. Brysiodd yn ei hôl a heibio i'r tŷ lle cyflogwyd hi. Fe gamgymerodd y ffordd ddwywaith eto, trwy droi i fuarthau oedd yn perthyn i dafarndai eraill yn lle i'r un a ddangosodd Ifan Ifans iddi'r bore. Yn ffodus, fe ddeallodd hyn cyn gwastraffu llawer o'i hamser ynddyn nhw. Y drydedd waith fe drawodd ar y lle iawn. Gwelai Ifan a'r siandri yn dod i'w chyfarfod, a Sioned Ifans yn eistedd ar yr astell draws a godwyd fel sedd ar ôl cael gwared â'r mochyn. Edrychai Sioned Ifans fel ymgnawdoliad o gyfiawnder yn collfarnu euog fyd.

'Ble buost ti, Mali?'

'Dyma hi'n ben tri o'r gloch,' dwrdiodd Ifan, 'a dim hanes amdanat ti yn unman. Fuasai o'n ddim ond dy haeddiant petaem ni wedi troi am adre a gadael iti gymryd dy siawns.'

Daeth y geiriau 'yn ben tri o'r gloch' â gollyngdod mawr i Mali; a chan fod gorchestion y dydd wedi magu mwy o ehofndra ynddi nag a deimlasai erioed o'r blaen, mentrodd ddweud,

'Tri ddywedsoch chi, Sioned Ifans, ac mi gyrhaeddais yma'n union erbyn hynny.'

Edrychodd Sioned yn llymach fyth arni.

'Addewais i erioed fod yn unman, na byddwn i yn y man a'r lle hwnnw o leia hanner awr yn gynt na'r amser.'

Ni feiddiai Mali daeru rhagor. Sylweddolai nad oedd yn hyddysg yn arferion yr oes; ond wele'i chyfle hithau i ddysgu wrth y drws. Dringodd yn ddiymdroi dros yr olwyn i'r drol fach. A'r mochyn wedi mynd, roedd digon o le iddi eistedd yn gysurus ar y llawr, ond roedd arni ormod o ofn baeddu'r ffrog oedd unlliw â gwin Caerdydd. Fe fyddai arni eisiau gwisgo llawer ar honno gyda hyn.

'Diolch fyth y gall dyn wneud ei hun yn gysurus ar y daith adre yma,' ochneidiodd Sioned. 'Mi gaiff Ifan a minnau ein sedd, ac mi gei dithau hynny fynni di o le yn y tu ôl yna.'

Wedi pasio cyrrau'r Dref, dringodd Ifan i fyny a chlywai Mali lais Sioned fel cacynen mewn bys coch wrtho. Ond ni fennai'r pethau a ddywedai ddim arni.

'Dyna fydd gen i bob amser yn erbyn cludo rhyw blant fel hyn efo ni. Does dim gafael arnyn nhw rywsut, a helynt yn wastad i'w cael nhw adre,' cwynai Sioned.

Ond yr hyn a glywai Mali oedd, 'Mi allwn i wneud â'th debyg di yn y Plas acw,' a theimlai wasgiad tyner dwylo cryfion ar ei bronnau a'r gwres ynddynt yn treiddio hyd at ei chnawd hithau.

'Mi wnaeth y mochyn driswllt yn well na gartre, mi wn, Ifan. Wn i ddim oedd o'n werth y ffwdan chwaith. Mi fyddech chi a minnau wedi gwneud tipyn o'n hôl erbyn hyn petaem ni wedi aros gartre.'

Ond gwrandawai Mali ar, 'Roedd hwnna'r gwerth chwech gorau gefais i erstalwm . . . Dyma iti swllt yn ernes.'

Erbyn hyn roedd Sioned yn dechrau bwrw'i gwg a'i thinc yn llai cwynfanllyd.

'Pwy ddychmygai am daro ar Lis Rhosgoch wedi'r holl flynyddoedd yma? Mae'n rhaid deud hynny am Ffair—fod dyn yn siŵr o gyfarfod â rhywun na welai mohono hyd ei fedd yr un ffordd arall.'

'Cyn gynhared ag y gelli di ddydd Llun 'te.' Nid oedd yr atgof am y llais yma mor wefreiddiol â'r llall, a threiddiodd llais Sioned hefyd trwyddo. Deffrôdd Mali i ddeall ei bod hi dan ymholiad.

'Dywed rywbeth, ferch, yn lle eistedd fel mud a byddar yn y fan yna. Sut Ffair gefaist ti? Fwynheaist ti dy hun?'

'Do, yn iawn,' tystiodd Mali, ar frys i ddychwelyd at ei meddyliau teg.

'Welaist ti neb yr oeddit yn ei nabod, decini?'

'Naddo . . . ond . . .' Tybed a feiddiai sôn wrth Ifan a Sioned? Falle y bydden nhw'n gwybod am Blas-yr-Allt.

'Ond beth?' holodd Sioned yn awchus. Roedd hi'n awyddus i sugno pob diferyn o ryfeddod o'i diwrnod, ac roedd i'r eneth betruso felly yn ei gwneud yn fwy eiddgar i wybod beth a gynhwysai'r 'ond'.

Penderfynodd Mali ei ddweud, pe na bai ond i glywed sut y swniai, a charlamodd drwyddo.

'Mi gefais gynnig lle ym Mhlas-yr-Allt, i ddechrau dydd Llun nesa.'

'Plas-yr-Allt? Ble mae hwnnw, dywed?' Yn ei diddordeb, fe drodd Sioned yn ei hôl ar yr astell nes ei bod yn wynebu Mali.

'Ym mhlwyf Llanala. Heibio i Draethaur mae mynd yno, medden nhw.'

'Plas-yr-Allt,' ymsoniai Sioned. 'Chlywais i erioed amdano fo, hyd y gwn i. Wyddost ti rywbeth o hanes y lle, Ifan?'

'Synnwn i ddim na chlywais i rywbeth,' ebe hwnnw, 'petawn i'n gallu ei alw i gof. Chawsan nhw ddim rhyw whaldiad o arian rai blynyddoedd yn ôl, dywed?'

'Beth wn i,' cwynai Sioned, 'a minnau heb erioed glywed cymaint ag enwi'r bobl o'r blaen.'

Cysurodd Ifan hi am ei hanwybodaeth. 'Mae o'n lle pur

anghysbell oddi yma, wyddost. Rwyf i bron â chredu mai gwraig weddw neu hen ferch sy'n ffarmio yno.'

'Ie, gwraig weddw,' ategodd Mali, a neidiodd rhyw syniad pell, beiddgar, i'w meddwl. Beth os mai hi fyddai'r ffermwraig yno ryw ddiwrnod?

Wrth ddisgyn o'r siandri ym muarth Tŷ-draw y sylweddolodd mor flinedig yr oedd, a bod yr ystum anghyfarwydd ar ymyl y cob, yr ysgytian ar y ffyrdd geirwon, y cynnwrf yn ei mynwes, ynghyd â'r ffaith na chafodd ond un pryd iawn ers y bore gwyn, wedi trethu mwy o lawer arni na diwrnod o waith caled gartref.

'Rwyt ti'n afrosgo iawn yn dod i lawr,' dwrdiodd Sioned Ifans. 'Hwde, gad i mi afael ynot ti.'

Caeodd Mali ei llygaid am eiliad er mwyn cael dychmygu mai Meistr Ifanc Plas-yr-Allt oedd yn ei hestyn i lawr, ac i gryfhau'r rhith dododd ei llaw dde ar ei mynwes, fel y gwnaethai ef. Teimlodd rywbeth caled, lletach na walbon y bodis, ac am y tro cyntaf ers oriau fe gofiodd am y drych bach yr ymfalchïai ynddo y bore.

'O, Sioned Ifans, mi brynais ddrych bychan ichi yn y Ffair, yn lle hwnnw dorrais i'r bore yma. Rwy'n meddwl ei fod o'n dlysach na hwnnw hefyd.'

Roedd yn amlwg fod Sioned wedi'i boddhau'n fawr.

'Chwarae teg iti am fod mor onest, 'ngeneth i; ond yn wir fuasai dim rhaid iti wario. Doeddwn i flewyn dicach serch rhyw wydr bach felly. Gad imi ei weld o—sut un ydi o?'

Roedd Mali'n bwtffala amdano ers meitin, ac yn awr fe'i tynnodd allan yn fuddugoliaethus, gan ofalu cadw'r cadach gwerthfawr o'r golwg. Ond O! y siom i'r ddwy! Erbyn edrych arno roedd craciau ar lun dwy seren ar draws wyneb y drych bach.

'Wel, Ow! Ow!' gofidiai Sioned. 'Mae rhyw anlwc yn dy ganlyn di heddiw o fore gwyn hyd nos. Gorau po leia iti ymhel â gwydrau fel hyn, ddyliwn i, rhag ofn iti wneud gwaeth brêts y trydydd tro.'

Oni bai am ddigwyddiad mawr y diwrnod, buasai'r siom yma wedi torri calon Mali yn lân, ond yn awr fe allai fforddio anwybyddu rhyw droeon dibwys fel hyn.

'Mae'n ddrwg gen i ei fod o wedi cracio, Sioned Ifans, ond mi drawa i ar un arall ichi rywbryd eto,' meddai'n dalog iawn ohoni hi wrth ddilyn y wraig i'r tŷ i newid ei hesgidiau benthyg. 'Rhaid imi frysio fy ngorau hefyd, rhag ofn fod Seimon heb swpera'r anifeiliaid.'

'Aros funud. Gad imi wybod beth wyt ti am ei wneud efo'r lle yna. Chefais i ddim crap gen ti sut y clywaist ei hanes o na dim.'

'Mi gewch glywed eto. Rhaid imi fynd, neu mi fydd Seimon o'i gof.' A brysiodd ymaith am ei bywyd, fel petai ag ofn rhoi cyfle iddi hi ei hun, heb sôn am Sioned Ifans, i ddeall ei bod wedi penderfynu hwylio i Blas-yr-Allt ddydd Llun waeth beth ddywedai Seimon na neb arall.

'Wyddost ti beth,' meddai Sioned wrth Ifan y noson honno ar swper, 'wnaeth y diwygiad ddim cymaint gwahaniaeth ar neb y ffordd hyn ag a wnaeth y Ffair ar Mali heddiw. Nid yr un eneth oedd hi â phan gychwynnodd hi y bore yma.'

'Welais i ddim newid ynddi hi,' ebe Ifan.

'Doedd hi ddim yn agos mor lletwelan, yn un peth,' esboniodd ei wraig, 'ac roedd hi'n eich ateb chi weithiau mewn amser rhesymol pan ddywedech chi rywbeth wrthi hi. Roedd ei llygaid hi'n llawer mwy byw hefyd.'

'Wedi codi cariad yr oedd hi, miwn,' smaliodd yntau.

'Taw â chyboli, Ifan. Mali Ty'n-yr-Ogof yn codi cariad, yn wir! Mae golwg rhy hurt arni o lawer, ond beth arall allech chi ei ddisgwyl wrth fyw efo'r hen groen Seimon yna? Mi wnâi les dybryd iddi fynd i le, o ran hynny, ond mae'n debyg nad oes yna ddim digon ynddi i fentro.'

'Os aiff hi, y ni gaiff y bai gan Seimon, am ei thynnu heddiw, mi gei di weld,' daroganai Ifan.

'Pa ots i ni amdano fo?' heriodd Sioned. Roedd peth o ysbryd y Ffair yn gweithio ynddi hithau erbyn hyn. 'Mi wnâi les mawr i'r eneth fynd o dan feistres sy'n gwybod rhywbeth. Mae hi'n eitha diddiogi, chwarae teg iddi, ond na chafodd hi erioed ei dysgu i fod yn ofalus gyda'i swydd.'

Tra oedd ei hachos yn cael ei drin fel hyn yn Nhŷ-draw, gwrandawai Mali ar fath arall o drin yn Nhy'n-yr-Ogof. Roedd Seimon wedi meithrin ei ddigofaint trwy'r dydd, ac yn awr byrlymai allan yn ffrydlif eirias. Anaml yr oedd hi wedi'i glywed o'n tafodi fel hyn o'r blaen. Sur a thawedog oedd o fel rheol, a dim ond iddi hi beidio â'i ateb yn ôl, ychydig a glywai ganddo wedi'r brawddegau brathog cyntaf. Y tro hwn, bu bron i'w dewrder newydd-anedig ffoi i gyd wrth weld Seimon swrth yn neidio o gwmpas fel gwallgofddyn ac yn curo'r byrddau â'i ddyrnau.

'Dyma fi'n dy roi di ar dy lw i beidio â mynd gam o'r caeau yma byth eto heb fy nghaniatâd i. Y fi'n dy gadw di erioed â bwyd a dillad, a thithau'n hoetian drwy'r dyddiau i'r fan hyn a'r fan arall, a'r un swydd i'w chael gen ti o ddechrau wythnos i'w diwedd. Wnei di mohono fo eto, y ladi.'

Wedi iddo weiddi am y degfed tro, fe ymwrolodd hithau i'w ateb, a hynny mor sydyn a diamwys fel y tawelodd o am ennyd.

'Na wnaf,' ebe hi. 'Mi fydd yn rhaid iti mofyn am rywun arall i slafio iti o hyn allan. Rwyf i wedi cyflogi i fynd yn forwyn i Blas-yr-Allt.'

'Plas-yr-Allt!' cagiodd Seimon. 'Ble gebyst mae'r fan honno?'

'Yn ddigon pell oddi yma, mi elli fentro,' atebodd hithau.

Trodd Seimon yn fwy rhesymol wedi gweld fod ei chwaer o ddifrif, ac aeth mor bell ag addo y câi hi fynd â wyau i'r siop i'w cyfnewid am neges ar nos Sadwrn. Ond ni thyciai dim.

'Wn i ddim beth sy'n dy gorddi di,' meddai o'r diwedd. 'Os oes raid iti gael mynd i le, a'th ddyletswydd di gartre, pam fynd mor bell, a digon o leoedd da yn ymyl?'

Fe fyddai Mali bob amser yn hir cyn gallu ateb pan ofynnid iddi ei rhesymau am wneud rhywbeth. Y tro hwn, fodd bynnag, cofiodd ar unwaith am esgus i guddio'r gwir achos rhag ei brawd.

'Gweld yr enw'n debyg i Blas-y-Glyn, lle bu Mam yn gweini erstalwm.'

'Mam! Mam yn wir!' Chwarddodd Seimon. 'Ac mi hoffet ei dynwared hi, wnaet ti? Ond gad imi ddeud hyn wrthyt ti. Does ynot ti mo'r stwff i wneud hynny, a chafodd fy mam druan, na'i phlentyn tlawd, ddim mantais o'r hyn wnaeth hi. Ond mi ddaw, mi ddaw. Mi gymra i fy llw y daw o ryw ddiwrnod.'

A chaeodd Seimon ei ddyrnau mewn cynddaredd. Syllai Mali mewn penbleth ar ei wylltineb rhyfedd. Doedd y digofaint yma ddim fel petai wedi'i gyfeirio ati hi. Yn wir, roedd fel petai wedi llwyr anghofio'i bodolaeth hi am funud.

Cwympodd yn ôl i'w syrthni arferol yr un mor sydyn, heb sôn rhagor am ei hymadawiad, ar wahân i fygwth,

'Mi fydd yn edifar gen ti am bob blewyn sydd ar dy ben. Coelia di fi.'

Ddydd Sul, sylwodd Mali fod ei brawd yn gwneud hyd yn oed llai o wahaniaeth nag arfer rhwng y dydd hwnnw a'r dyddiau eraill. Galwodd arni hi i godi ar lasiad cyntaf y wawr, a buont wrthi, yn chwys diferol, hyd ymhell wedi iddi dywyllu, a'r gorchwylion bob tro yn rhai yr oedd hi'n ofynnol cael dau atyn nhw.

Nid ynganodd hi air yn erbyn, ond fore trannoeth cafodd hithau ei dial, pan gychwynnodd i'w bywyd newydd gan adael y cyfan o waith y bore heb gyffwrdd ag ef.

PENNOD VII

Teimlai Mali ei lludded yn ysgafnu wrth droedio'r lôn laswelltog, esmwyth, a difaodd ei hatgofion bob arlliw o feddyliau annymunol y fynwent. Gwelai'r awyr yn ymestyn yn llwyd o'i blaen, yna llinell dywyll, gul, a thu hwnt i'r llinell honno roedd llwydni trymach eto yn ymestyn ymhellach i'r gorwel, ac eto'n nes ati na'r llwydni cyntaf. Fe'i holai ei hun ers meitin tybed ai'r môr oedd y tu hwnt a'r tu yma i'r rhimyn cul, a thoc daeth yn ddigon agos i weld cynnwrf llonydd ei donnau a gwybod ei bod yn edrych ar fae Traethaur.

Eisteddodd ennyd ar y clawdd cerrig, lle ymrannai'r lôn laswelltog yn ddau lwybr. Fe wyddai, oddi wrth yr hyn a ddywedwyd wrthi, fod yr un ar y chwith yn arwain i Draethaur, a cheisiai ddychmygu sut olwg fyddai ar y lle pan heidiai holl blwyf y Betws yno yn gryno, ac eithrio Seimon a hithau, wrth gwrs. Heddiw, ymddangosai'r fan yn dawel ddigon, dim ond clwstwr o dai gwyngalchog, gyda llain o dir creigiog fel ffirled o gylch eu traed, a hanner cylch o dywod melynaur y tu allan i hwnnw wedyn, ac yna'r môr, heb neb ar ei gyfyl ond yr adar mawr gwynion a heidiai i gaeau Ty'n-yr-Ogof o flaen storm.

I'r dde iddi fe welai lain aur arall, gydag un tŷ gwyn wedi'i adeiladu yn union ar ei fin. Gryn bellter i mewn i'r tir roedd rhesi o fythynnod eraill tebyg, yn nythu ar estyll y creigiau oedd yn codi'n rhes uwchben rhes o gylch y llain aur. Rhaid mai hwn oedd Llanala. Daeth ofn sydyn arni y byddai'n rhy hwyr yn cyrraedd y Plas, a hwythau wedi cyflogi morwyn arall yn ei lle.

Cododd yn frysiog i gychwyn i'w ffordd. Llwybr cul oedd hwn rhwng gwrych y cae a dibyn y môr, gyda thwmpathau o eithin yma ac acw a'r melyn ar eu brig heb ddim ond niwlen denau, denau, rhyngddo ac ymagor i'w ogoniant. Roedd y llwybr wedi treulio'n edefyn main iawn yn y mannau lle'r oedd y môr wedi gweithio math o hafn iddo'i hun yn y graig, ac yn dal i guro fel petai'n benderfynol o wneuthur mwy o hafn. Nid oedd llain nac o aur nac o graig rhwng Mali a'r môr yma, dim ond y dibyn serth, a'r eithin, a'r llwyni mafon. Arhosodd am ennyd uwchben un o'r hafnau, gan wylio'r dŵr yn berwi a throchioni islaw iddi, a daeth arswyd ei rym arni a'i gyrru i ddringo dros y clawdd i'r cae a cherdded am y gwrych â'r dibyn. Fe deimlai felly fod rhyw amddiffyn rhyngddi hi a chynddaredd y môr.

Yn y man cyrhaeddodd gongl y cae pellaf, ac yno roedd rhaid iddi ddringo'n ôl i'r llwybr, neu ddilyn y clawdd fel tôn gron yn ôl i'r lle y cychwynnodd ohono. Ond nid oedd y môr lawn mor agos yn awr ac roedd y dibyn wedi lliniaru'n oriwaered serth gydag ambell afr ddarbodus wrthi'n chwilio'i thamaid rhwng y crogfeini aml. Roedd y ddisgynfa at y bwthyn lawn mor serth â'r un at y môr, a llithrodd Mali, yn ei chlocsiau treuliedig, aml i dro ar y cerrig llyfn.

Roedd pedwar neu bump o blant mân, troednoeth, yn chwarae o gylch drws y tŷ. Curodd Mali'n swil arno. Wedi iddi ddiosg ei ffrog liw'r gwin, ac wedi i ddewrder y Ffair dreio, roedd arni ofn hyd yn oed y twr plant.

'Cerddwch i mewn,' archodd y bachgen hynaf. 'Fydd neb yn curo fel'na wrth ein tŷ ni.'

Agorodd hithau'r drws, ac fe'i cafodd ei hun yn ddisymwth mewn cegin fawr isel. Gwelai fwrdd helaeth o flaen y ffenest, yn llawn o nwyddau tebyg i'r rhai a werthid yn siop Lowri Dafis. Ar y sgiw wrth y tân eisteddai tri dyn, pob un â'i botyn piwtar ar y ford gron o'i flaen. Roeddynt wrthi'n sgwrsio'n ddifyr pan ddaeth hi i mewn, ond pan welsant hi fe dawodd y cyfan a dododd pob un ei lestr ar y ford a syllu ar Mali heb yngan gair. Wyddai hi ddim pa ffordd i droi. Roedd yn benyd arni sefyll yno o'u blaen, ond yn rhy anodd ganddi fynd allan drwy'r drws yn ei hôl.

Ymhen ysbaid, galwodd un o'r dynion,

'Hai, Mallt, ble wyt ti? Mae yma ryw ferch ddiarth yn sefyll fel gwraig Lot.'

Chwarddodd y tri a throdd hynny'r fantol i Mali mai rhedeg allan fyddai raid iddi; ond ar yr un eiliad prysurodd gwraig ifanc, braf ei golwg, drwy ddrws arall, a'i chyfarch.

'Hylô, 'merch i. Beth ydi dy neges di?'

'Ffordd mae cychwyn i Blas-yr-Allt?' mwmiodd Mali.

'I fyny'r ffordd fach yna gydag erchwyn y creigiau,' atebodd y wraig hi, 'a chydag y byddi di o olwg y tŷ yma, troi ar hyd y lôn ar y dde. Mae'r Plas saith milltir i fyny'r cwm o'r groesffordd honno.'

'Diolch,' meddai Mali, a chychwyn o ddifrif am y drws y tro hwn.

'Aros funud,' gwahoddodd y llall. 'Mae ôl lludded cerdded arnat ti, a'r ffordd yn un flin i'w throedio mewn clocsiau. Mae Deio'r Plas wrthi'n llwytho gwymon tail tatws yn yr hafn fan draw, ac mae yma fasgedaid o fwydydd i'w danfon iddo fo at ddau o'r gloch. Aros hyd hynny ac mi gei dy gario i fyny'r cwm.'

Safodd Mali'n betrus. Fe fyddai'n fendith iddi gael ei chario, ond teimlai'n anghysurus i'r eithaf yno, gyda'r tri dyn yn dal i edrych arni fel petai ganddi gyrn ar ei phen. Efallai i Mallt synhwyro'i hanghysur, oblegid dywedodd,

'Tyrd efo fi i'r gegin gefn, ac mi gei ddysglaid o laeth enwyn a brechdan geirch.'

Dilynodd Mali hi'n ddiolchgar, yn falch o'r gorffwys ac yn falch o'r bwyd. Dechreuodd y siopwraig-dafarnwraig arni'n ddiymdroi i dynnu sgwrs.

'O ble ddwedaist ti dy fod yn dod?'

Ni chofiai Mali iddi ddweud o gwbl, ond nid oedd ganddi wrthwynebiad i wneud hynny.

'O Dy'n-yr-Ogof, Llanllŷr.'

'Duw fo'n gwarchod! Dyna ffordd! Mewn lle yr oeddet ti yno, debyg?'

'Nage, byw gyda 'mrawd.'

Safodd Mallt ar ei thaith ar draws y gegin.

'Does bosib mai dyma dy le cynta di?'

Dyma gyfle i Mali ddechrau holi'n awr, a cheisiodd fanteisio arno.

'Ie. Ydi o'n lle da?'

Crychodd Mallt ei gwefus, gan edrych yn betrusgar arni.

'Wel, mae'n dibynnu, wyddost.'

Cyn i Mali gael siawns i holi rhagor, nac i Mallt ddweud mwy pe mynnai, gwaeddodd llais o'r gegin fawr,

'Hai, Mallt, fydd basged y Plas byth yn barod erbyn dau os na wnei di frysio.'

Cipiodd Mallt oddi yno gan ganu'n ei chorn. 'O'r annwyl fawr! Pam na wnei di rywbeth 'te, yn lle llymeitian fy nghwrw gorau i trwy'r dydd?'

Yn ei brys gadawodd y drws yn gilagored o'i hôl, a chlywai Mali y dynion yn holi.

'Pwy ydi hi, Mallt?'

'Morwyn newydd i'r Plas,' atebodd hi'n gwta.

'O'n wir. Mi glywais i Huw'n sôn rhywbeth fod y Meistr Ifanc wedi cyflogi morwyn yn y Ffair Bleser.'

'Mi wyddom ni beth i'w ddisgwyl 'te,' ebe llais arall.

'O, na; mae'r hen wreigan yn rhy effro nawr,' meddai'r cyntaf.

'Dyw hon ddim yn debyg i'w ddewis arferol o, chwaith,' meddai trydydd llais.

Torrodd llais Mallt ar eu traws.

'Mi wyddoch cystal â minnau nad oes dim byd fel'na yn mynd ymlaen ym Mhlas-yr-Allt yn awr, os bu rywdro. Felly tewch â'ch clebran.'

'Ie, wrth gwrs. Angel gwyn goleuni ydi o gennych chi'r merched bob amser, ond mi gymera i fy llw, petai'r hen wraig heb gadw llinyn y pwrs mor dynn, y gwelech chi newid yn bur fuan.'

Ar hyn, sylwodd Mallt ar y drws cilagored a chaeodd ef yn glep, fel na chlywodd Mali air ymhellach nes i Mallt alw arni ei bod yn bryd cychwyn.

'Rhaid i Shonco ddanfon y fasged yma at y drol yn yr hafn. Dos dithau efo fo ac mi eglurith yn dy gylch i Deio.'

Ceisiodd Mali ddiolch iddi am ei charedigrwydd ond, fel arfer, anystwyth iawn oedd ei thafod i foeseirio.

'Twt. Paid â sôn. Roedd iti groeso,' sicrhâi Mallt hi'n siriol. 'A chofia alw yma ar dy ffordd adre. Digon prin y doi di cyn belled ar adeg arall, mi wn, er bod gwell siawns iti na phetai hi'n ddechrau gaeaf.'

Am ei fod yn fwy cecrus wrth y dafarnwraig na'r un o'r dynion eraill, fe ddeallodd Mali fod Shonco'n ŵr i Mallt, a phenderfynodd fod yn llawer gwell ganddi'r wraig na'r gŵr. Ni ddywedodd o yr un gair wrthi, na da na drwg, tra cerddai wrth ei ochr. Roedd hithau'n rhy swil i dynnu sgwrs ohoni'i hun, er cymaint y dymunai iddo ganlyn ymlaen â'r mymryn a glywsai gynnau trwy gil y drws. Doedd hi ddim digon cyflym i ddeall ystyr hwnnw'n iawn, ond yn unig iddyn nhw ddweud mai'r Meistr Ifanc a'i cyflogodd hi ac awgrymu mai'r hen wreigan oedd y bwgan.

'Mae'n siŵr fod ei fam yn erbyn iddo briodi,' eglurai iddi hi ei hun, 'ond mi allwn i aros nes ei bod hi'n rhy hen i fedru gwneud ei hun ac yn falch o rywun i'w helpu.'

Yna fe wridodd o'i chorun i'w sawdl. Roedd hi'n gyndyn i gyfaddef, hyd yn oed wrth ei chalon ei hun, i ba le yr arweiniai ei breuddwydion hi.

Wedi dringo dygn, fe drodd y llwybr yn annisgwyliadwy i oriwaered yr un mor serth, ond byrrach. Ychydig gamau o'i grib roedd Traethaur a Llanala yn gwbl anweledig, a ffordd gul, arw, yn torri ar draws y llwybr, yn union fel y dywedsai Mallt. Roedd un pen iddo'n dirwyn i fyny i'r ucheldir yn rhywle, tra disgynnai'r pen arall ar ei union i'r môr. Ar y lan fe safai ceffyl gwedd a throl, a llanc oddeutu ugain oed yn prysur lwytho tomen o wymon iddi. Camodd Shonco i lawr ato.

'Ble rhof i hon, Deio?' gwaeddodd.

'Yn y gornel flaen ar y chwith,' atebodd Deio, heb brin godi'i ben i edrych arnynt. 'Mi fyrddais i le iddi rhag y gwymon.'

'A dyma iti becyn arall i'w gymryd adre,' ychwanegodd Shonco. 'Y forwyn newydd, o blwyf y Betws yna.'

'Diain i!' Gorffwysodd Deio ar ei raw am ennyd. 'Does gen i yr un gornel iddi hi, ond croeso iddi eistedd ar y fraich, dim ond iddi gerdded i ben Allt-yr-Hafn yma.'

'Oes gen ti lawer o waith eto, Deio?'

'Nac oes. Wiw imi lwytho fawr rhagor o hwn, neu thynnith yr hen Nic druan byth mohono fo, yn enwedig gan fod eisiau cario'r lodes yma hefyd. Hwde, mae'n well i ti gerdded yn dy flaen i ben y rhiw ac aros amdana i yn y fan honno.'

Deallodd Mali ar ei lais a'i eiriau ei fod yn ei chyfarch hi, er na throdd ei olygon i'w chyfeiriad. Cychwynnodd yn ufudd ac yn wyllt ar y dringo. Roedd hi wedi arfer erioed â chael dweud wrthi beth i'w wneud a gweithredu ar hynny, heb feddwl fawr drosti'i hun.

Galwodd Deio ar ei hôl, 'Raid iti ddim ei heglu hi mor ysgeler â hynna. Mi fydda i blwc eto cyn cychwyn, ac mi arhosa i amdanat ti ar ben y rhiw petai digwydd imi dy basio di.'

Diolchai Mali am y cyngor, o achos nid oedd y rhiwiau i fyny at Dy'n-yr-Ogof yn ddim byd yn ymyl hon. Erbyn hyn roedd yn gallu deall gwrthwynebiad Deio i lwyth trwm. Cafodd egwyl i eistedd ar y wal gerrig lwytddu i adennill ei gwynt cyn bod Nic a Deio wedi ymladd i fyny'r allt. Fe fu bron iddi droi'n feistres arnyn nhw lawer tro, er bod y llanc yn helpu cymaint ag y gallai ac yn rhoi aml i hoe i'r ceffyl. Ar y darn serthaf un, rai llathenni o'r pen, ymddangosai wedi stontio'n lân, ac fe redodd Mali i'w cyfarfod, a sgotsio'r olwynion bob yn ail â gwthio â'i holl egni y tu ôl i'r drol. Trodd Deio ati wedi cyrraedd y grib, gyda mwy o ddiddordeb nag a ddangosodd hyd yn hyn.

'Diain i, mae gen ti iawn o fôn braich, hyd yn oed os nad wyt ti'n llawer i edrych arnat. Mi fu agos imi â'i methu hi y tro yna, ac mi fydd Huw â'r wyneb i gwencian pan gyrhaedda i adre fod y llwyth yn rhy fach. Waeth imi heb â gofyn iddo fo am ddau geffyl. Y cwbl ddywed o ydi y byddai'r gwymon yn fwy o gost na'i werth wedyn. Ac eto, mae o'n mynnu ei gael o bob blwyddyn, serch fod acw ddigonedd o dail arall.'

Wedi arllwys ei gwynion fel hyn, a Mali yn syllu'n ddifrifol arno heb ddweud gair, newidiodd Deio ei dôn yn sydyn.

'Wyt ti'n barod nawr, Nic, inni gael ei hel hi tuag adre? Eistedda dithau ar y siafft yma. Dydi o ddim yn lle mor ddrwg, ond iti gydio'n dynn.'

Edrychodd Mali'n amheus ar y ceffyl.

'Wyt ti'n siŵr y bydd hynny'n iawn iddo fo?' gofynnodd.

'O, bydd,' sicrhâi'r llanc hi'n dalog. 'Er mai dringo fyddwn ni agos bob cam, does yna ond rhyw ddwy allt y bydd raid iti eu cerdded nhw. Mi ddweda i wrthyt ti mewn pryd p'rai fydd y rheini. Mae Nic wedi arfer cario llwyth ar y fan yma.'

Yn ei harafwch, ni sylweddolodd Mali nes ei bod yn ei gwely'r noson honno mai'r llwyth yr oedd Nic wedi arfer ei gario oedd Deio'i hun, ac i'w phresenoldeb hi orfodi'r gwas i gerdded y saith milltir caled hynny ar ôl casglu a llwytho'r gwymon.

Prin ei bod yn sedd gysurus, ond roedd yn ollyngdod cael darfod poenydio'i thraed dolurus yn y clocsiau caled ar y ffordd anwastad, ac fe ildiodd i'r awydd a'i temtiai ers meitin trwy dynnu'r clocsiau yn llechwraidd a'u gosod yn ymyl ei phecyn ar y gwymon. Edrychodd ar ei hosanau bras, yn frodiadau anfedrus trostynt i gyd, ac fe'u tynnodd hwythau hefyd. Petai Deio'n digwydd troi ei ben o'r lle y cerddai wrth ysgwydd Nic, fe fyddai'n well ganddi iddo weld ei thraed noeth na'i hosanau aflêr.

Roedd y llencyn yn chwibanu a chanu rhyw alaw ddi-eiriau na wyddai Mali beth oedd, gan na chlywai fyth fiwsig ond ei mwmial hi ei hun. Buasai wedi hoffi cael sgwrs ag o, ond wyddai hi ddim sut i ddechrau. Fe deithiasant yn hir fel hyn, a'r môr weithiau yn y golwg ac weithiau'n diflannu wrth iddynt droelli heibio i droed bryncyn uwch na'r ffordd. Tybiai Mali fod y saith milltir bron ar ben, pan safodd y drol ac y trodd Deio ati gan ddweud, 'Dyma'r gynta o'r rhiwiau sydd raid iti eu cerdded.'

Estynnodd hithau ei chlocsiau o'r tu ôl iddi, a chydag un ymhob llaw, a'r hosanau o dan ei chesail, fe neidiodd i fin glaswelltog y ffordd. Eisteddodd yno â'i chefn at y gyrrwr, a gwisgo am ei thraed, cyn rhedeg ar ôl Deio a Nic i wthio eto â'i holl egni. Nid oedd yr allt yma agos mor serth ac fe gyrhaeddwyd i'w phen heb lawer o drafferth. Oddi yno roedd golwg ardderchog ar y môr. Fe dybiai Mali na welsai ddim erioed mor dlws, ac eithrio ei chadach lliw o'r Ffair.

Safodd y ddau yno—Mali i syllu ar y môr, a Deio i roi gorffwys i Nic.

'Mae o'n llawer tlysach nag yn ei ymyl,' meddai hi, heb orfod am unwaith chwilio am rywbeth i'w ddweud.

'Ydi o, tybed?' ebe Deio'n ddifater. 'Wela i fawr ynddo fo o'm rhan fy hun. Wedi hen arfer ag o, mae'n debyg.'

'O! ydi'r môr i'w weld o Blas-yr-Allt?' holodd Mali'n eiddgar.

'Ydi, neno'r dyn—y bae i gyd o rai o'r ffenestri, a draw cyn belled â rhywle o'r enw Aberheli, medden nhw. Tyrd yn dy flaen, Nic. Neidia dithau'n ôl ar y fraich,' meddai wrth Mali.

Ufuddhaodd hithau, ond heb dynnu oddi am ei thraed y tro hwn. Doedd dichon fod yr ail riw yn bell erbyn hyn—ac yn wir, doedd hi ddim. Fe ddaethant i ben hon eto yn hwylus iawn, rhagor Allt-yr-Hafn.

'Oes llawer o ffordd eto?' holodd Mali.

'Prin hanner milltir.' Pe gwyddai, roedd Deio mewn cymaint o fyd â hithau yn chwilio am rywbeth i'w ddweud. 'Allt-y-Plas y gelwir honna. Mi elli gael dy gario bob cam o hyn ymlaen.'

Ond roedd y siafft yn lle rhy unig gan Mali i gyrraedd tŷ dieithr arno. Roedd hi o leiaf wedi cyfnewid ychydig eiriau â Deio; ac wedi unwaith wneud hynny, doedd pethau ddim mor anodd â chyda rhywrai na thorrodd air â nhw erioed. Roedd hi hefyd wedi meddwl am gwestiwn i'w ofyn iddo. Felly dywedodd,

'Na, rwyf i wedi gorffwys yn iawn erbyn hyn, ac mae'n well gen i gael cerdded. Ydi'r Plas yma'n lle da?'

'Hm.' Roedd Deio yn ceisio bod mor wyliadwrus â Mallt. 'Mae'n dibynnu beth elwi di'n dda. Mae'r morynion yn ymadael yn amlach na'r gweision.'

'Pam hynny?' gofynnodd Mali'n syn.

'Diain i, wn i ddim, os nad am mai Meistres sydd wrth eu pennau nhw, a'r Meistr Ifanc wrth ein pennau ninnau.'

Chwyddodd calon Mali. Dyna brofi gymaint cleniach oedd o na'r hen groen ei fam.

'Un gas ydi hi, mae'n debyg?'

'Wel, ie, weithiau. Ond mwy na hynny, mae'r genethod yn gweithio o fore gwyn tan nos am gyflog llai na neb yn y wlad, a dydi hi ddim yn fodlon iddyn nhw fynd yr un funud oddi yno.'

'Wnaiff hynny'r un gwahaniaeth i mi,' meddai Mali. 'Rwyf wedi arfer erioed â gweithio o fore gwyn tan nos, a hynny heb yr un ddimai o gyflog hefyd.'

Ychwanegodd hi ddim na flinai'r caethiwed mohoni o gwbl os câi hi fod rhywle'n agos at y Meistr Ifanc.

'Diain i,' rhyfeddodd Deio. 'Ble buost ti'n byw, dywed?'

'Efo fy mrawd,' meddai Mali.

'Wel, falle y gelli di ddygymod â'r lle yn go lew felly. Mi welais innau ei waeth pan oeddwn i gartre efo fy mam erstalwm . . . Ond gwranda un peth. Gwylia rhag yr hen Huw.

Mi glywais mai'r Meistr Ifanc a'th gyflogodd di, ac felly wnei di mo'r tro gan yr hen genau.'

'Pam?'

'Methu maddau iddo fo y mae Huwcyn. Dydi hwsmon lle mae meistr ddim yn agos gymaint o ddyn â hwsmon lle nad oes meistr, wyddost ti.'

Tra oedd Mali, yn ei dull araf ei hun, yn ceisio datrys y frawddeg hon, fe ddaethant at lidiart haearn gwyn. Agorodd Deio hi, ac fe newidiodd y ffordd ar unwaith. Roedd hi yr un mor glonciog o dan draed, ond tyfai rhes hardd o goed tal, gosgeiddig o bobtu iddi, gyda'u canghennau caeadfrig yn do uwch ei phen. Ymhen ysbaid fe rannodd yn ddwy, un rhan i'r chwith a'r llall i'r dde. Roedd llidiart arall ar y gyntaf o'r rhain, fel petai i gadw'r coed tal allan o'r lawnt laswelltog a ymledai y tu hwnt iddi. Yn lle'r coed, fe geid llwyni mawr, wedi'u gorchuddio â dail hir, gwydn, o liw gwyrdd tywyll. Ar hyd y llwybr i'r dde yr aeth Nic a'i gwmni. Roedd hwn yn flerach ei olwg, heb yr un iet i'w amddiffyn. Nid oedd yno na glaswellt na llwyni, dim ond adeiladau tebyg i feudai ac ystablau, er eu bod yn fwy na dim o'u math a welsai Mali erioed cyn hyn, a'u muriau'n llwydlas yn lle'n wyngalchog.

'Ai dyma'r lle?' gofynnodd yn gynhyrfus.

'Ie siŵr,' atebodd Deio. 'Dyma'r cefn iti. Mae'r tŷ fymryn yn is i lawr.'

Ar hynny, croesodd rhywun y buarth tuag atynt. Safodd Mali heb allu symud cam. Dyma hi, unwaith eto, wyneb yn wyneb â'r hwn y bu'n breuddwydio amdano, ynghwsg ac yn effro, ers y Sadwrn. Roedd yn ei adnabod, er nad oedd clos golau'r ffair amdano ac er ei fod yn flerach ei ddiwyg ac yn edrych gryn lawer yn hŷn nag yr oedd hi wedi tybio y diwrnod hwnnw ar gae'r sioe.

Safodd ef yn stond, gan syllu arnynt mewn dull na ddeallai Mali. Nid oedd ei lygaid yn ymddangos agos mor chwerthinog heddiw, ond yr un oedd eu glesni.

'Hylô, Deio,' meddai. 'Ble cefaist ti o hyd i hon?' gan bwyntio at Mali.

'Wrth waelod Allt-yr-Hafn,' eglurodd y gwas, 'wedi cerdded o bellter cred, allwn i dybio.'

'Wel, wel,' meddai yntau, wrth Mali'i hun yn awr, 'chredais i ddim am funud y deuet ti, ac roedd y wraig yma wedi rhoi pob gobaith i fyny ers meitin. Dos i'r tŷ'n awr, i gael tamaid o fwyd.'

Ac i ffwrdd ag o yn ei flaen, gan adael Mali'n sefyll efo Deio a Nic a'r drol.

'Tro ar y chwith yn fan'cw,' cyfeiriodd Deio hi, 'ac mi weli ddrws y briws yn union ar dy gyfer.'

Ond roedd Mali'n ymgodymu â phroblem fwy dyrys na drws y briws. Rhan gynta'r broblem oedd nad ymddangosai'r Meistr Ifanc fel petai'n ei disgwyl wedi'r cwbl. Ond, yn wir, ni allai feddwl am gerdded yn ôl heno, heb sôn am wynebu gwatwareg Seimon . . . 'A'r wraig yma wedi rhoi pob gobaith i fyny . . .' Gwraig pwy?

Rhaid ei bod wedi gofyn y cwestiwn yn uchel heb yn wybod iddi'i hun, oblegid atebodd Deio ef, gan edrych yn syn arni.

'Gwraig y Meistr Ifanc, wrth gwrs—Meistres. Beth sydd arnat ti, dywed?'

RHAN II

PENNOD I

Plas-yr-Allt oedd fferm fwyaf y cwm. Roedd amryw o'r lleill yn gallu cystadlu â'i gilydd am yr anrhydedd o fod yn ail o ran maint, ond fe ymgodai hi ddigon uwchlaw iddyn nhw fel na feiddiai perchennog yr un ohonynt, hyd yn oed yn nirgelion ei galon ei hun, gydymgeisio â hi am y lle cyntaf. Hi hefyd oedd yr unig fferm yn yr ardal â'i muriau o wenithfaen nadd, yn hytrach nag o gerrig meddal chwarel y cwm wedi'u gwyngalchu.

Fe fu'r tŷ unwaith yn gartref uchelwyr, a dyna oedd i gyfrif am ei ddau barlwr mawr eang; y gegin orau, oedd yn fwy na'r un dwy o rai'r ffermydd cyfagos gyda'i gilydd; a'r neuadd, y gellid, yn ôl sgwrs pobl y wlad, droi ceffyl a chert ynddi. Roedd y darn i'r cefn, ar ei ben ei hun, yn gymaint ag unrhyw ffermdy cyffredin—y gegin a'r briws a'r parlwr bach, ynghyd â'r cyntedd hir a'u cysylltai â darn gorau'r tŷ.

Er hyn oll, di-raen iawn fu cyflwr tir y Plas am flynyddoedd lawer. Roedd yr uchelwyr a drigai yno gynt wedi syrthio i ddinodedd ers canrif a mwy, a'r fferm yn mynd ar ei gwaeth o bob pryniant wedyn. Yn wir, fe geid aml i fferm fach yn y cwmpasoedd yn well ei châs o'r hanner, er na ddeuai i mewn i'r gystadleuaeth am na'r ail na'r trydydd lle o ran maint.

Bu'r hen Guto Rhydderch yn byw yno am yn agos i drigain mlynedd, ac ni feddai ef na'r arian na'r dynion i wneud cyfiawnder â hi. Cymerai y cyfan a allai ohoni; ac o dymor i dymor, ac o flwyddyn i flwyddyn, lleihau wnâi ei gynnyrch a gwaelu wnâi ei stoc. Fe sibrydid hefyd fod llawer llai o'r fferm yn eiddo iddo na phan aeth ef yno gyntaf.

Ysgydwai'r cymdogion eu pennau.

'Mae o'n wirion iawn nad aiff o allan tra gall o. Mi fydd y lle wedi mynd â'i ben iddo cyn pen dim amser.'

'Rhyfedd iawn,' ebe rhai eraill, 'a Guto'n hen greadur mor arw, ac Ann yn waeth fyth, na allen nhw grafu bywoliaeth o'r lle.'

Wedyn dywedai'r doethion, 'Does yr un tir yn dal i dynnu ohono fo o hyd, heb gael rhywbeth i mewn iddo fo weithiau.'

Yna digwyddodd—yr annisgwyl i ddechrau, a'r anghredadwy ar ôl hynny. Bu farw brawd Guto, oedd wedi marw erstalwm o ran cof iddo fo a phawb. Roedd y ddau frawd wedi rhannu'r hyn a ddaeth iddynt o dda eu rhieni, ac wedi ymwahanu ers degau o flynyddoedd—Guto i gybydd-dod a methiant ym Mhlas-yr-Allt, a Ned i gybydd-dod a llwyddiant yn Llundain. Ni wyddai'r blaenaf ddim o hanes yr olaf, ond teimlai'n sicr yn ei feddwl ei hun fod ei frawd wedi marw—o eisiau bwyd, debycaf—yn y ddinas fawr. Roedd hi'n haws i Ned gadw'i drywydd ef, ac un bore dyma'r newydd fel taranfollt trwy'r ardal fod Ann Plas-yr-Allt wedi cael 'arian mawr' ar ôl ewythr iddi o Lundain. Pum mil ar hugain oedd y swm y bore hwnnw, ond cyn pen yr wythnos roedd wedi chwyddo i ddwbl hynny. Roedd rhai yn credu stori ddiwedd yr wythnos; roedd eraill yn tueddu i dynnu ychydig filoedd oddi ar y stori gyntaf; ond cytunai pawb fod swm anhygoel o arian wedi dod i'r Plas. Gwelid gwŷr bonheddig o Saeson yn mynd a dod yn barhaus ar hyd y ffordd uchaf, mewn car a cheffyl a logwyd o'r Goron yn y Dref. Bu Guto ac Ann hefyd ar daith ddwywaith neu dair, a sibrydid mai'r neges oedd derbyn arian Llundain a chlirio'r hyn oedd yn ddyledus ganddynt ar eu tir.

Ymhen amser tawelodd y berw, ac ymddangosai fel breuddwyd fod dim o'r fath wedi digwydd i drigolion y Plas. Roedd eu hanifeiliaid cyn deneued, eu tir mor llwm, a hwythau eu hunain mor grintach, â chynt. Dyna pryd y digwyddodd yr anghredadwy. Un bore arall, ymdaenodd y newydd fod Tim Bryndu yn cnocio o gwmpas Ann y Plas!

Chwarddodd pawb.

'Hel yno ar ôl y forwyn y mae Tim, debycaf,' meddai un.

'Oes yno forwyn yr wythnos yma, tybed?' holai un arall.

Oherwydd roedd Ann Rhydderch yn ddihareb gyda'i morynion. Fe gwynent i gyd am y bwyd, y gwaith, a'i thymer hithau, gan dystio'i bod hi'n rhy grintach gyda'r cyntaf ac yn or-hael o'r ddau arall. Roedd cysylltu'i henw hi ag enw Tim, o bawb, yr hwyl orau a gafodd yr ardal ers blynyddoedd.

Un o'r ffermydd hynny a gystadlai am fod yn ail i'r Plas oedd Bryndu, ond ei bod yn llawer mwy toreithiog. Fe gyfrifid Siôn Huws yn weithiwr tan gamp, a thriniai ei dir yn hael.

Edrychid arnynt gan bawb fel teulu da eu byd. Gan hynny câi Tim, eu hunig blentyn, brafiach amser na'r rhelyw o fechgyn yr ardal. Treuliodd flwyddyn neu ddwy mewn ysgol yn y Dref yn dysgu Saesneg. Siaredid amdano fel 'bachgen digon sâl a dim llawer o waith ynddo fo', ac eto roedd rhaid addef y gallai weithio cystal â neb pan droai ati, dim ond na ddigwyddai hynny'n aml; a'i fod agos cyn graffed â'r hen Siôn ei hun gydag anifeiliaid, yn enwedig ceffylau. Eithr ei brif enwogrwydd oedd gyda merched. Câi'r gair, rhyngddynt a hwy eu hunain, o fod yn garwr gorau'r ardal, a doedd yna ddim llawer o dai fferm y cylch lle na bu ef yn curo'u ffenestri ar ryw dro neu'i gilydd os oedd yno ferch ifanc yn trigiannu. Doedd dim yn uchel ynddo fo chwaith, o achos roedd yr un mor barod i guro ar y forwyn ag ar y ferch.

Byddai trigolion hynaf y cwm yn ysgwyd eu pennau bob tro yr enwid ef yn eu clyw—roedd o'n rhy wamal, a heb fod yn ddigon o weithiwr, heb sôn nad oedd yna ddim capel yn ei groen o. Er gwaethaf hyn i gyd, roedd yn gryn ffefryn gan bawb. Byddai ei lygaid glas, ei wallt golau, a'i wedd chwerthinog, yn diarfogi ei feirniaid mwyaf llym unwaith y deuent wyneb yn wyneb ag ef; a'r 'bachgen yna' a fu ei enw ar dafod y wlad nes ei fod wedi croesi ei ddeg ar hugain oed a mwyafrif ei gyfoedion yn bennau teuluoedd erstalwm.

Nid rhyfedd, felly, i bawb chwerthin pan gyplyswyd ei enw ef ag un Ann Rhydderch—Ann, nad oedd calon yr un llencyn erioed wedi curo amdani, hyd yn oed yn ei hamser gorau, heb sôn am yn awr a hithau yn tynnu at ei hanner cant. O ran hynny, doedd dim tystiolaeth iddi hi daflu golwg segur i gyfeiriad yr un ohonynt hwythau chwaith. Ni fwriadwyd, meddai oraclau'r cwm, i ferched gydag wynebau a natur tebyg i'w rhai hi briodi o gwbl, oni chrewyd hwy'n achlysurol gogyfer ag ambell ddyn fel Huw'r hwsmon. Ef oedd yr unig was allodd ddygymod â'r Plas trwy'r blynyddoedd, ac efallai'n wir y buasai ef hyd yn oed yn fodlon mentro Ann er mwyn ei fferm. Ond Tim . . .! Y fath ffwlbri!

Ond sylwodd y craff bob yn dipyn fod Huw'r Plas â'i lach ar Tim Bryndu bob cyfle a gâi. Fe ddechreuodd y rheini holi, 'Tybed? Ydi o'n bosib?' Fe ddaliai'r lleill i chwerthin at y straeon annelwig a ledaenid o dro i dro. Gŵr y Foel wedi galw yn y Plas ar neges un bore, a phwy oedd yno'n dal pen rheswm â'r hen ŵr ond Tim. Un arall wedi'i gyfarfod o ar yr Allt yn hwyr iawn un noson, ac yn amhosib ei fod yn dod o unman ond y Plas.

Pan wawriodd diwrnod pleserdaith Traethaur, rhaid oedd credu, o achos yng ngherbyd Tim yr aeth Guto a'i ferch i lan y môr a bu'r tri yng nghwmni'i gilydd trwy'r dydd.

Ceisiwyd cael gwybod gan hen ŵr a hen wraig Bryndu, ond y cyfan a geid ganddynt hwy oedd,

'Mae'r bachgen yn ddigon hen i wybod ei feddwl ei hun, ac mi arferai ddweud bob amser, os priodai o gwbl, mai merch gall, wedi sadio, fyddai hi.'

Meddai hen walch tafotrydd y Gaer Uchaf, 'Roedd Ann wedi sadio flynyddoedd yn ôl heb i Tim droi cil ei lygad i'w chyfeiriad, nes dod y miloedd arian yna i ysgafnu tipyn arni.'

Rhoddwyd taw ar y dyfalu a'r taeru, un bore, gan y newydd fod Ann Rhydderch wedi cychwyn i'w phriodi â Tim Bryndu.

Rhannwyd yr ardal yn ddwy garfan eto. Maentumiai rhai y byddai Ann wedi lladd y gŵr cyn pen blwyddyn. Haerai'r lleill mai ef a dorrai ei chalon hi o fewn yr un amser.

'Rhyw hogyn fel'na ydi o, yn malio dim am neb ond amdano'i hun.'

Bu farw hen ŵr a hen wraig Bryndu yn bur fuan, ac er syndod i bawb, fe ddeallwyd nad oedd yno fawr o weddill erbyn talu popeth.

'Wedi gwario cymaint ar y bachgen yna, rhwng ei ysgol a'i geffylau brid a phopeth. Dim rhyfedd eu bod nhw mor fodlon iddo fo hongian ei het yn y Plas.'

Aeth y flwyddyn gyntaf heibio, a deg arall i'w chanlyn, heb i ddim o ddarogan y fro gael ei wireddu. Roedd gwell graen ar dir Plas-yr-Allt nag a fu o fewn cof neb oedd yn fyw, ac fe gedwid mwy o ddynion yno nag a wnaed ers dyddiau ei fawredd gynt. Eithriad oedd bod heb forwyn yno bellach, ac ambell waith byddai yno dair. Fe gwynent o hyd ar y Feistres, ond barn y cymdogion oedd fod Ann yn trin ei morynion yn well nag y gwnaethai erioed cyn hynny. Doedd hi ddim mor hawdd gwneud hebddyn nhw'n awr, gyda mwy o weision a mwy o lafurio.

Er maint ei gynddaredd adeg y briodas, fe arhosodd Huw

ymlaen. Dywedid ei fod yn uchel iawn yn llewys y Feistres, ond nad oedd ganddo byth air da am y Meistr.

Am Tim, roedd o wedi syrthio'n naturiol i'w le. Fe'i canmolid am y gwelliannau ar y fferm, a châi'r gair o fod yn un da am roi eraill ar waith serch na weithiai lawer ei hun. Fe dreuliai'r amser yn ddigon tebyg i fel y gwnâi ym Mryndu. Mynychai bob ffair a marchnad, gyda'r ceffylau'n brif ddiddordeb iddo.

Amdano ef a'i wraig, anaml y gwelid hwy allan gyda'i gilydd, ac os cychwynnent i siwrnai ar yr un pryd, welodd neb hwy'n dychwelyd gyda'i gilydd. Hi gyrhaeddai adref gyntaf bob amser, gyda Huw'n gyrru'r cerbyd iddi. Fe ddeuai Tim ymhen rhai oriau ar ei hôl. Ar dro siawns byddai'n berfeddion nos arno'n cyrraedd. Ond roedd yn bur ddi-sôn-amdano ar y cyfan, ac wedi ei lwyr ddiddyfnu'i hun oddi wrth ferched yr ardal, er syndod i lawer. Mae'n wir i stori neu ddwy go gas godi ynglŷn â rhai o'r morynion yn ystod y blynyddoedd cyntaf wedi iddo fynd i'r Plas, ond chafwyd dim croen arnyn nhw, ac roedd pawb mor amheus ohono bryd hynny nes bod yn barod i lunio stori o ddim byd. Mae'n wir hefyd fod rhai o'r llanciau'n crechwenu weithiau ac yn dweud mai ar fin nos ffeiriau, wedi i'r wraig droi am adref, y byddai Tim Huws yn ei fwynhau ei hun; ond roedd deuddeg milltir o ffordd anhygyrch yn gwneud y Dref yn aruthrol o bell, a ddaeth dim byd o'r awgrymiadau hynny chwaith.

Am y gweddill o'i fywyd teuluaidd, y cyfan a wyddai'r ardal oedd na chlywodd neb, ddim hyd yn oed y gwasanaethyddion, mohono ef a'i wraig yn cweryla erioed, ac fe siaradai'r ddau yn barchus iawn o'i gilydd bob amser. Yr oedd ef yn fwy poblogaidd na hi gan bawb, gartref ac oddi cartref, gyda Huw yn eithriad, wrth gwrs. Fe synnai pawb fod bachgen mor glên yn gallu byw gyda'r fath hen wyneb. Tueddai'r blynyddoedd ers eu priodas i bwysleisio'r gwahaniaeth yn eu hoedran, yn hytrach na'i leihau. Aethai hi yn fwy rhychiog a chrebachlyd gyda phob blwyddyn, tra nad edrychai ef, ar yr olwg gyntaf, fawr hŷn nag ar ddydd ei briodas. Roedd rhaid ailgraffu i weld y mân linellau o gylch y llygaid glas siriol, ac nid yw gwallt golau yn dangos blew gwynion mor eglur â phen tywyll. Roedd yr hen enw, 'y bachgen Bryndu yna', wedi darfod yng nghwrs y blynyddoedd. Pan aeth gyntaf i'r Plas fe'i bedyddiwyd 'y Meistr Ifanc' i'w wahaniaethu oddi wrth ei dad-yng-nghyfraith, ac fe lynodd yr enw wrtho ymhell wedi dydd Guto.

Un o ddigwyddiadau mawr y flwyddyn iddo fo fyddai Ffair Bleser y Dref, a theimlai naws hyfryd yn cynhyrfu ei waed wrth wisgo amdano y bore hwnnw. Fe geisiai sôn yn ddifater amser brecwast am ddau ebol y disgwyliai eu gwerthu yno. Deallai'n burion wrthwynebiad Ann iddo farchogaeth i'r Ffair.

'Waeth ichi gymryd eich cario,' dadleuai hi, 'a'r cerbyd yn mynd eisoes, na blino eich hun yn marchogaeth, heb sôn am dalu am ystablu dau geffyl trwy'r dydd.'

Fe wyddai Ann yn iawn nad oedd hi, wrth ei gaethiwo i'r cerbyd fel hyn, yn ei rwystro rhag aros yn y Dref ar ei hôl hi, ond o leiaf fe wnâi bethau'n fwy anghyfleus iddo.

'Na waeth yn wir, Ann fach,' cytunodd yntau. 'Mi fydd hynny'n gallach o lawer, erbyn meddwl.'

Roedd o wedi dysgu ers blynyddoedd ildio'n siriol iddi, a chipio'r hyn a fynnai ef trwy ryw ffordd arall. Dim peryg y disgwyliai hi iddo ddod adre'n gynnar o'r Ffair Bleser, ond roedd yn gysur ganddi gymryd arni y gwnâi. Ni roddai ef ddim diolch am fynd yno os na châi aros y nos hefyd. Byddai gormod o bobl Llanala o gwmpas liw dydd a'r hwyl iawn heb ddechrau.

Cafodd ymadael â'r anifeiliaid yn ddidrafferth. Roedd da Plas-yr-Allt yn eu gwerthu'u hunain, bron iawn, erbyn hyn. Dyna yntau'n barod wedyn i ddechrau ei fwynhau ei hun. Fe fu sôn gan Ann am iddo gyfarfod â hi amser cinio, ond gwyddai trwy brofiad am 'ginio' Ann yn y Dref, ac fe ddeisyfai ef damaid o gig oer, o leiaf, ar ddiwrnod Ffair. Doedd dim posib i Huw a hithau wybod i'r funud pryd y gorffennai ef werthu, a hi fuasai'r olaf i ddisgwyl iddo gyfarfod am ginio cyn cwblhau ei fusnes.

Trodd i'r cae sioe, ond digon annifyr oedd hi yn y fan honno hyd yn hyn. Roedd yn rhy gynnar i enethod y Dref fod allan, nes bod prysurdeb mwyaf y siopau a'r tai bwyta trosodd. Cystal hynny hefyd, gan na fynnai darfu ar Ann trwy i ryw daclau busneslyd ddweud wrthi iddyn nhw ei weld o'n lolian gyda merched yn y Ffair. Doedd o ddim wedi digwydd taro ar neb o'i gymdogion yn y cae yma heddiw chwaith, ac ni allai ymatal rhag edrych yn hiraethus ar y merched oedd yn crwydro o gwmpas gyda'u llanciau, a meddwl y fath drueni na bai Ann yn fwy tebyg i'r rheini.

'Mi allwn ddygymod â'i chynildeb yn eithaf,' meddai wrtho'i hun, 'petai hi'n barod am fymryn o hwyl ar dro siawns fel hyn.'

Yna dychmygodd Ann ynghanol y miri yma, a chwarddodd yn uchel. Fe fyddai ganddo yntau gymar heno, a'r goleuadau'n wincio arnyn nhw o bob cyfeiriad. Ond wfft iddi! Roedd yn rhaid iddo gael rhywun y pnawn yma hefyd. Petai o'n cael hyd i lanc go lawen, neu'n wir bron na fentrai eneth hyd yn oed, gyda phlwyf Llanala mor anweledig yma heddiw. Ond nid oedd na mab na merch ddigwmni i'w gweld.

Swmerodd i gyfeiriad y dyn â'r hyrdi-gyrdi a'r mwnci. Sylwodd ar yr eneth yn y wisg liw'r gwin ac ymwthiodd ymlaen i gael gwell golwg arni. Amheuai fod y wisg yn henffasiwn. O leiaf, roedd yn hollol annhebyg ei gwneuthuriad i rai'r merched eraill, ond hoffai'i defnydd sidanaidd, a'i lliw, rhagor y du diflas a wisgai Ann bob amser. O weld ochr ei hwyneb, fe benderfynodd nad oedd yr eneth na thlws na salw. Pan drodd hi i'w gyfeiriad am funud, fe welodd yr awgrym o ddaliad ar un llygad iddi. Collodd bob diddordeb ynddi, nes sylwi drachefn ar y crychni bras yn ei gwallt a'r drimwedd o gopr yn ei winau. Yn raddol, fe wawriodd arno mai hi'n unig oedd heb fod yn mwynhau stranciau'r mwnci. Araf fyddai ef bob amser i amgyffred fod neb mewn gofid—byddai raid iddynt naill ai ddweud yn blaen wrtho neu ynteu wylo'n hidl yn ei ŵydd, cyn iddo ddeall. Wedi iddo unwaith ddeall, byddai'n anghysurus i'r eithaf wedyn, os na allai eu gwella'n rhwydd, nes cael mynd o'u golwg a'u hanghofio.

Fe ymddangosai'r mwnci a'r siôl yn fater pur hawdd rhoi pen arno, ac roedd yr ymdeimlad o wrhydri a ddaeth trosto yn llawn ad-daliad am yr hyn a wnaeth. Wrth gwrs, nid Tim Huws fuasai o heb iddo dynnu sgwrs â hi wedyn. Sylweddolodd yn fuan yr edmygedd a lenwai ei llygaid wrth iddo siarad Saesneg â phobl y cae a chymerai felly bleser mawr mewn gwneud hynny yn ei chlyw.

Mewn gwirionedd, er iddo edrych mor rhydd a llawen, roedd wedi'i lyffetheirio gryn lawer ar ôl priodi. Ei bleser mwyaf gyda merched fyddai dangos iddynt ei gryfder, ei wybodaeth, a'i gyfoeth. Roedd wedi dysgu adeg helynt y morynion nad oedd Ann i gellwair â hi yn y ffordd honno. Fe gofiai o hyd mor brin fu ei arian poced am y ddwy flynedd honno—dim ond yr hyn y gallai ei gelcio, a fawr o hynny, gan mai i Huw yr ymddiriedid y prynu a'r gwerthu i gyd tros yr amser blin hwnnw. Fe lwyddodd, yn nerth amynedd, i ennill ei le'n ôl, ond nid cyn dysgu'i wers yn dda, a chafodd Huw ddim cyfle wedyn i achwyn amdano wrth Ann ynglŷn â merched Llanala. Y drwg oedd fod merched y ffeiriau a'r Dref yn anos o lawer i wneud argraff arnyn nhw ac yn ddrutach i'w plesio. Ac er fod Ann yn syndod o hael, ohoni hi, lle'r oedd ei gysur ef yn y cwestiwn, eto doedd ei boced ddim agos mor llawn ag ym Mryndu erstalwm. Roedd yr addoliad mud yn llygaid y plentyn yma yn ei atgoffa o'r amser dedwydd hwnnw. Yn wir, doedd hi ddim mor ddrwg â hynny o ran golwg chwaith, hyd yn oed os oedd hi braidd yn lletwelan. Dyna hi'n mwynhau bwyd ar y cae hefyd, pryd y buasai'n rhaid iddo fo gymryd Sis neu Pol i dafarn a thalu am ginio iawn iddyn nhw. Roedd hon yn edrych yn fwy synedig pan wariai o chwecheiniog arni nag a wnaethai'r lleill gyda chwe phunt. Rhwng popeth, fe deimlai iddo ddigwydd yn ffodus i daro arni. Ar yr un pryd, gobeithio y câi o ymadael â hi cyn i ferched y Dref hel i'r cae, neu fe fydden nhw'n siŵr o chwerthin am ei ben.

Yna gwelodd Huw'n croesi tuag atynt.

'Yr hen findo!' meddai ynddo'i hun. 'Dyna ffarwél i'r ceffyl newydd yr wythnos nesa, os caiff o fymryn o drywydd ar ble y bûm i'n awr.'

Cofiodd yn rhagluniaethol am Ann a'i morynion. Fe allai fentro bob diwrnod Ffair ei bod eisiau un. 'Pe gallwn i daro ar eneth sy'n gwybod rhywbeth am waith, ac nid rhyw ffifflen falch ddiog fel hon sydd yma'n awr,' fyddai ei chri, ac fe ychwanegai yntau drosti, ym mhoced ei frest, 'a heb fod yn rhy dlws'.

Wyddai o ddim os oedd yr eneth yma'n deall beth a ddisgwyliai ganddi. Doedd dim golwg rhy gyflym arni, ond o leiaf fe fu'n ddigon call i dewi yng ngŵydd Huw. Taflodd y swllt iddi fel math o ad-daliad am hynny ac am ei chwmni. Cafodd afael ar Sis cyn bo hir ac anghofio'r cyfan am y llall yn hwyl y noson, nes i Ann ddweud drannoeth,

'Mi gyflogais i'r eneth yna anfonsoch chi, Timothy. Sut fu ichi daro arni yn y cae sioe, o bob man?'

'Digwydd clywed rhyw ddyn yn sôn amdani fel geneth dda eisiau lle, ac yn disgrifio rhyw ffrog ddigri oedd amdani. Wedyn, pan es i i'r cae i chwilio am Gordon, mi gwelais hi a chofio eich bod chi eisiau geneth. Newydd sôn wrthi oeddwn i pan gerddodd Huw atom ni.'

Carlamodd Tim trwy ei eglurhad heb funud o betruster. Ynddo'i hun, dywedodd, 'Dim peryg iddi ddod, gan mai cadw tŷ i'w brawd y mae hi, ond chwarae teg iddi am beidio â gollwng y gath o'r cwd.'

Ni ddaeth i'w feddwl o gwbl pwy oedd yn cerdded i fyny'r buarth efo Deio brynhawn Llun. Bu funud heb ei hadnabod ar ôl rhythu i'w hwyneb. Edrychai gymaint yn fwy diolwg yn ei phais stwff a'i betgwn, a'i lludded, nag y gwnaethai yn ffrog sidan y Ffair.

Aeth ias o ddychryn trwyddo wrth sylweddoli iddo dynnu hon i Blas-yr-Allt. Doedd wybod beth ddywedai hi amdano—ac i feddwl iddo beryglu'i gysur a'i geffylau am greadures fach mor salw! Trodd oddi wrthi mewn diflastod. Fyddai dim amdani ond gwadu i'r carn. Byddai ei air ef cystal â'i hun hi. Roedd Ann wedi gofyn iddo lawer gwaith fynd gyda hi i'r Cyfarfod Holi Pwnc, ddydd Mercher—falle y byddai cystal iddo fynd.

Gwyliodd y forwyn newydd yn ddyfal am yr wythnosau cyntaf, er na siaradai air â hi os nad oedd yn gwbl anhepgor. Fe'i daliodd hi'n syllu'n gornelog arno yntau amryw droeon, a cheisiai ddyfalu beth a lechai y tu ôl i'w llygaid llonydd. Ofnai rhagddi ar y dechrau, ond yn raddol fe benderfynodd nad oedd hithau wedi rhoi dim pwys ar yr hyn a ddigwyddodd yn y Ffair. Roedd hyn yn gysur iddo, ac eto'n siom hefyd. Fe deimlai mor sicr y pnawn hwnnw ei fod yn gwneud argraff anfarwol arni.

Pylodd ei chwilfrydedd yn ei chylch, a daeth yn agos iawn at anghofio sut y'i cyflogwyd hi. Ymunai yng nghrechwen y gweision a'r morynion eraill pan welid pais neu fetgwn iddi yn sychu ar y gwrych.

'P'un o'r rhesi yna oedd arno fo gynta, dywed?' holai Ic.

'Mae o fel cwilt,' meddai Gwen.

Ni bu Mali yno'n hir cyn goroesi pen-forwyn a dwy ail-forwyn. Daeth Tim i deimlo peth balchder yn ei ddarganfyddiad, ac i deimlo'n ddigon diogel i ganmol wrth ei wraig,

'Chreda i byth, Ann, nad gadael arnaf i i edrych am forwyn fydd orau o hyn allan. Rydych wedi cael llawn cystal lwc efo Mali â chyda'r un ers blynyddoedd.'

A theimlai Ann, hithau, yn ddigon diogel i ateb,

'Ydi, mae'r eneth yn eitha, er bod llawer o waith dysgu arni. Ond mae hi'n cymryd ei dysgu, nid fel y lleill yma sy'n gwybod popeth yn well na phawb. Dyna'r prif beth yn ei ffafr, a bod ei chyflog yn rhesymol.'

'Faint ydi o?' gofynnodd Tim, yn fwy er mwyn cynnal sgwrs nag o ran dim diddordeb.

'Deg swllt ar hugain, a'i bwyd wrth gwrs.'

'Mewn blwyddyn, Ann fach? Does dim rheswm ar hynny! Mi ddylech roi rhagor na deg swllt ar hugain, a'r eneth yn gweithio fel y mae hi.'

'Dyma chi, Timothy! Mi ddwedais wrthych o'r blaen nad ydych i ymyrryd ynglŷn â'r cyflogau yma. Dim ond trydedd forwyn ydi hi.'

'Mae o'n fychan hyd yn oed felly.' Petai o'n cael llaw rydd, addunedai Tim y talai iawn o gyflog i bawb oedd yn gweithio iddo. 'Ac mae hi'n gwneud gwaith y morynion eraill hanner ei hamser.'

'Efallai. Ond gwaith trydedd forwyn yn unig oedd hi'n fedru'i wneud pan ddaeth hi yma. Doedd ganddi hi fawr o grap ar olchi na smwddio na glanhau, heb sôn am gorddi a cheulo, ac mae fy amser a'm trafferth i i'w dysgu yn werth rhywbeth.'

'Y chi ŵyr orau, Ann fach.' Ildiodd Tim yn sydyn a siriol, fel y gwnâi bob amser wrth ddadlau gyda hi.

Llaciodd hithau. 'Os bydd hi'n dal yma ddechrau'r gaeaf, falle y gwnaf i hi'n ail forwyn, ac mi gaiff godiad felly. Ar yr un pryd, mi fyddai'n golled amdani gyda'r anifeiliaid. Mae hi tua'r orau welais i am dendio ar y lloi a'r moch, a bob amser yma, yn lle bod eisiau cymowta byth a hefyd fel y genethod eraill yma.'

'Mae'n syndod gen i na bai hi'n leicio esgus i fynd i'r capel, fel y lleill.'

'Ie, mae'n ddrwg ei bod hi mor ddi-gapel—fel chithau, Timothy—ond mae o'n gyfleus iawn cael rhywun i warchod, ac mae hi'n deud nad ydi hi erioed wedi arfer mynd. Yn ôl pob golwg, does ganddi fawr o drefn o ddillad at fynd i'r capel, p'un bynnag, ond yr hen ffrog wirion honno oedd amdani yn y Ffair. Mi ddwedais i wrthi nad oedd honno'n gweddu i le fel hyn.'

Aeth y ddau ymlaen â'u brecwast yn dawel wedyn, ond roedd meddwl Ann Huws yn dilyn yr un llwybr o hyd, ac ebe hi toc,

'Mae'n rhaid ei bod wedi'i magu'n od iawn. Fe'i cymerais hi efo fi i gŵyro tipyn ar y llofft orau y diwrnod o'r blaen, a wyddoch chi beth ddwedodd hi, Timothy, pan welodd hi'r drych mawr sydd ar wyneb y cwpwrdd dillad? Mai dim ond dwywaith yn ei hoes yr oedd hi wedi gweld gwydr felly cyn dod yma, a bod y rheini'n llai na hanner cledr ei llaw.'

'Rhaid ichi gofio,' sylwodd yntau mewn tôn hunan-foddhaus, 'fod drych o'r maint yna yn bur anghyffredin. Mi wyddoch i'r siopwr ddeud hynny wrthym ni pan oeddem yn prynu dodrefn y llofft.'

Fe deimlai Tim fwy o falchder diniwed yn llofft orau'r Plas nag a wnâi ei wraig. Dyna'r unig stafell y llwyddodd i'w pherswadio i'w hailddodrefnu. Roedd hi'n bodloni iddo fo geisio arfau ac erydr newydd at y tir, a phrynu'r troliau mawr ffasiwn-newydd yn lle'r hen gar llusg a'r gambo, ond gwrthwynebai'n gadarn wario arian ar y tŷ. Felly fe adawyd hwnnw yn yr un cyflwr ag yn amser Guto, ac eithrio'r un stafell yma.

Fis Mehefin, cyn y cynhaeaf gwair, daeth diwrnod y bleser-daith flynyddol i Draethaur. Cyfrifoldeb Tim bob blwyddyn fyddai danfon Ann yno, ond nid oedd hwn yn un o'i hoff ddyddiau. Yn groes i'w arfer ar bob dydd arall o'r flwyddyn, ef a gyrhaeddai adref gyntaf oddi yno, ar ryw esgus neu'i gilydd, gan adael Ann a'r cerbyd i Huw. Roedd y lle mor fychan, a neb ond plwyfolion Llanala i'w gweld ymhob cornel yno. Ond mwynhâi Ann ef yn anad un diwrnod. Hoffai eistedd ar lan y môr a chyfarfod â hwn a'r llall, ac roedd yn rhatach diwrnod na ffair, heb gostio dim ond colli ychydig oriau o waith, a'r bwyd a gymerai pawb i'w ganlyn, ac fe fuasai rhaid bwyta gartref yr un fath.

Felly nid gofid i gyd gan Tim oedd clywed fod Fflam, un o'i ferlod gorau, yn sâl, ac y dylai o aros i weld sut drefn fyddai arni cyn cychwyn i Draethaur. Edrychai Ann yn siomedig iawn, a bron na fynnai hithau hefyd aros gartref.

'Na, ewch chi, Ann fach,' perswadiodd hi. 'Mae o bob amser yn gwneud lles ichi, ac os bydd Fflam yn well mi ddof innau at y pnawn. Mi all Huw neu Deio eich gyrru chi a'r morynion yn y cerbyd yr un fath. Mi wna i yn iawn efo Margied.'

Dyletswydd y ben-forwyn yn wastad fyddai gwarchod ym Mhlas-yr-Allt ar ddiwrnod Traethaur, ac fe gâi ddiwrnod arall ei hun ar ei gyfer ymhellach ymlaen. Felly synnodd Tim pan aeth i mewn i'w ginio a gweld Mali, yn ogystal â Margied, yn y gegin gefn.

'Hylô, beth ydi hyn?' meddai wrthi. 'Doeddwn i ddim yn disgwyl dy weld di yma heddiw.'

Atebodd Margied trosti. 'Fy nith, i lawr yn y pentre, sy'n wael iawn, Meistr, ac mi ddaeth ei gŵr i fyny'r bore yma i erfyn am imi fynd yno heddiw. Mi ddwedodd Meistres y câi Mali aros gartre heddiw a mynd i'r Ffair rywdro yn ei le, ac ond imi aros tan ginio i roi pethau ar y gweill, y cawn i redeg i edrych am Siwsan y pnawn yma.'

'Hen dro ichi eich dwy,' cydymdeimlodd Tim yn absennol ei feddwl. Roedd yn dadlau ag ef ei hun p'un ai i fynd i Draethaur ai peidio. Dyna Fflam wedi criwtio digon iddo deimlo'n esmwyth nad oedd beryg arni, ac ar ei ben ei hun y byddai raid iddo fod trwy'r pnawn os nad âi i rywle. Doedd dim diben iddo alw yn yr un o'r ffermydd cyfagos—fyddai yno neb gwerth sôn amdano gartref. Petai'n mynd i'r Dref, fe ddoluriai Ann yn enbyd—ac yntau wedi gwrthod mynd gyda hi—ac fe geisiai bob amser osgoi hynny os na olygai ormod o ymwadu ag ef ei hun. Erbyn gorffen ei ginio roedd wedi penderfynu mynd i Draethaur, ond gan alw am sgwrs a photaid yn nhŷ Mallt ar y ffordd. Fe gwtogai hynny beth ar ei brynhawn, a siawns fawr na byddai'n ddifyrrach lle na'r Traeth heddiw.

Rhoddodd dro heibio i Fflam, a chyfrwyo Prins yn barod i'w siwrnai. Yna trodd tua'r tŷ i newid amdano. Roedd ganddo syniadau pendant ynghylch y wisg a weddai i ŵr Plas-yr-Allt ar ddiwrnod gŵyl, a chwibanai fel hogyn wrth feddwl am y cil-llygad a wnâi cwsmeriaid Mallt ar ei grys main a'i glos golau.

Wrth basio drws y llofft orau, tybiodd glywed sŵn rhywbeth yn syrthio yno, a rhaid ei fod yn rhywbeth trwm hefyd, iddo'i glywed trwy'r drws derw trwchus. Cododd y glicied ac agor y drws mewn pryd i weld Mali'n taflu ei hail glocsen ar ôl y gyntaf, oedd eisoes ym mhen draw'r stafell, a'i chlywed yn dweud,

'Dos dithau ar ei hôl hi, yr hen beth hyll brwnt gen ti.'

A dyna lle safai Mali, heb y clocsiau a'r sanau trwsgl a wisgai'n feunyddiol yn y Plas, ei gwallt i lawr ei hysgwyddau a'r tonnau bras ynddo'n fwy amlwg felly a'r heulwen yn chwilio allan ei gopr cudd, a'r ffrog liw'r gwin amdani—yn ei phincio'i hun o flaen y drych mawr. Dododd ei dwylo tros ei bronnau, gwyrodd ei phen yn ôl, caeodd ei llygaid a chodi ei hwyneb fel petai i dderbyn cusan, ac fe glywai Tim hi'n sibrwd,

'Mi allwn i wneud â'th debyg di ym Mhlas-yr-Allt acw.'

Nid oedd yntau wedi anghofio gormod i allu adnabod y geiriau. Mewn tri cham yr oedd ar draws y stafell, ac agorodd Mali ei llygaid i weld yn y drych freichiau'r Meistr Ifanc yn cau amdani.

RHAN III

PENNOD I

Arhosodd hud y prynhawn hwnnw gyda Mali trwy gydol yr haf, ac ni welai gaethiwed na chaledwch mewn dim. Ni chawsai Ann Huws erioed o'r blaen forwyn fel hon, ac fe ddaeth yn gryn ffefryn ganddi. Nid bod ffafraeth Ann yn dwyn dim rhagorfreintiau i'w ganlyn, nac yn golygu y câi Mali weithio'n llai caled. Yr unig arwydd oedd fod llais y Feistres yn colli peth o'i dinc merthyrol, rhinclyd, wrth siarad gyda hi, ac nad oedd hi'n ei beio'n barhaus yn ei chefn, fel y lleill. A chan nad oedd Mali'n sylweddoli fod y Feistres yn gwneud unrhyw gam â hi, nid oedd yn ei chasáu.

Nid oedd y ffaith fod y Meistr yn ei hanwybyddu fwy nag o'r blaen yn blino dim ar Mali'n awr. Yn ystod yr wythnosau chwerwon cyntaf, roedd wedi'i disgyblu'i hun i ddygymod â'r wybodaeth na allai ei debyg ef byth fod yn eiddo i'w bath hi. Teimlai y gallai fodloni i hynny pe câi gadw rhamant yr awr honno yn y Ffair, ond roedd ei ddull oeraidd a'i ddiystyrwch yn dinistrio hynny hefyd. Eithr fe brofodd prynhawn pleserdaith Traethaur iddi nad ei dychymyg hi yn unig oedd wedi llunio'r gwynfyd hwnnw, ac felly ni allai dim a ddigwyddai eto ei ddwyn oddi arni.

Fe drigai mewn byd o'i heiddo'i hun. Ychydig a sylwai ar sgwrs a difyrion y lleill, ac fe basiodd prysurdeb y cynaeafau tros ei phen heb wneud un argraff ar ei meddwl. Ni ddeffrôdd o'r hud hwn nes dod y diwrnod i Margied ymadael. Daeth honno ati i'r briws i ffarwelio.

'Dyma fi'n ei chychwyn hi, Mali, ac mae'n dda calon gen i ddianc o sŵn yr hen wraig grintach yma. Mi fuasai'n dda i tithau petait ti heb erioed weld y lle. Os cymeri di gyngor gen i, mi ei oddi yma gynted y gelli di. Mi fydd hi'n galed iawn atat ti pan ddaw hi o hyd i bethau, ac elli di mo'u cuddio nhw lawer yn hwy.'

Daeth rhyw ddychryn annisgwyl ar Mali wrth wrando arni.

'Ie,' ychwanegodd Margied, 'hawdd y gelli di edrych fel'na. Mae'n debyg dy fod ti'n ddigon gwirion i feddwl nad oedd neb wedi deall, ond roeddwn i am iti wybod gwell cyn imi fynd oddi yma, er dy fwyn dy hun. Mae Huw'n dechrau amau hefyd, er dydi o ddim mor siŵr ag ydw i. Dos adre am dy fywyd, 'ngeneth i. Mi fydd yma le dychrynllyd pan ddaw'r stori allan.'

Doedd Margied erioed o'r blaen wedi siarad mor garedig â hyn gyda hi, ac fe synnai Mali fod ei llygaid yn dyfrio wrth ei chlywed.

'Rwyf i wedi edifarhau am bob blewyn sydd ar fy mhen imi erioed fynd i edrych am Siwsan y pnawn hwnnw. Doedd dim cymaint â hynny o daro arni nad allswn i fod wedi oedi tan drannoeth.'

O ganlyniad i eiriau ffarwél Margied, fe gododd rhywbeth i'r wyneb ym meddwl Mali oedd wedi gorwedd yno, yn ddiffurf ac yn gudd, ers rhai wythnosau. Er na chafodd erioed gymysgu a chyfnewid cyfrinachau â merched eraill, fe'i magwyd hi'n agos iawn at natur, ac ar ôl clywed geiriau'r ben-forwyn, fe ddeallodd beth oedd wedi digwydd iddi. Fuasai hi ddim wedi bod yn hir cyn deall, p'un bynnag, o achos gyda hyn fe aeth sgwrs y lleill ar adeg prydau bwyd yn fras ac awgrymiadol. Yn ffodus i Mali, roedd llawer ohono tros ei phen hi, ond fe ddeallai ddigon, ac fe gymerodd i fwydo'r anifeiliaid neu i wneud unrhyw waith arall fuasai'n ei chadw'n ddigon pell o'r gegin tra byddai'r lleill i mewn yno. Pan oedd raid iddi wrando arnynt, ni chymerai byth sylw o'r hyn a glywai, ond eistedd fel delw â'i phen i lawr. Methodd y morynion eraill, er ceisio, â thynnu'i chyfrinach. Un dawel fyddai hi bob amser, ond yn awr ni cheid byth air ganddi, ond mewn ateb i gwestiwn.

Roedd dau o'r gweision hefyd heb lefaru'r un gair ar yr adegau yma. Dim ond codi'i lygaid weithiau a wnâi Huw, pan ddywedid rhywbeth mwy beiddgar na'i gilydd, a gwrando, gwrando. Bwyta'n ddygn wnâi Deio, a chodi oddi wrth y bwrdd cyn gynted ag y gorffennai, fel na wyddai neb os oedd o'n gwrando ai peidio.

Ond er ei ddiffyg diddordeb ymddangosiadol, Huw oedd y cyntaf i dorri trwodd i siarad yn blaen â hi. Fe ddaeth ati un diwrnod a hithau'n bwydo'r moch.

'Wel, rwyt ti mewn helynt tros dy ben, ddyliwn i. Beth wyt ti'n fwriadu ei wneud?'

'Beth sydd imi i'w wneud?' gofynnodd Mali'n gwta.

Daeth Huw yn nes, a gostwng ei lais.

'Petait ti'n mynd i'r Dref at y twrne yno, ac adrodd yr hanes i gyd wrtho fo, mi gaet ti ddigon o arian bob wythnos i fyw fel ladi.'

'Dwyf i ddim yn adrodd fy hanes wrth neb,' meddai Mali'n ôl.

'O, tyrd, tyrd,' cilwenodd yr hwsmon. 'Waeth iti heb â bod yn ystyfnig fel'na, o achos mae gan bawb amcan go lew yn dy gylch, wyddost.'

Trodd Mali arno'n ffyrnig.

'Pa hawl sydd gennych chi, na neb arall, i fod ag amcan am ddim ynglŷn â fi? Ewch o'm golwg y munud yma, cyn imi daflu'r bwcedaid bwyd moch yma am eich pen chi.'

Doedd hi ddim wedi siarad fel hyn â neb o'r blaen, a rhyfeddai ati'i hun wrth edrych ar Huw'n prysuro i ffwrdd fel ci wedi torri'i gynffon.

Cafodd lonydd ganddo fo am ysbaid wedyn, ond ymhen diwrnod neu ddau fe ddaeth y Feistres ar ei gwarthaf yn y briws.

'Mae yna stori hyll iawn amdanat ti, Mali, o gwmpas y lle yma. Gobeithio nad ydi hi ddim yn wir.'

Gostyngodd Mali ei phen. Roedd ei safn mor sych â checsen. Dyma'r prawf a ofnai fwyaf wedi dod arni.

Aeth Ann ymlaen, mewn llais cryglyd.

'Mae arna i ofn ei bod hi. Dywed imi, pwy . . . pwy sy'n gyfrifol?'

Dim ateb.

'Mali! Ai rhywun oddi . . . o'r ffordd hyn ydi o?'

'Nage,' bloeddiodd Mali, a dychryn gan mor uchel ei llais.

'Neb oddi yma?' meddai'r Feistres wedyn, mewn tôn bron mor uchel ag un Mali. 'Pwy ydi o, 'te? Dywed.' Troesai i orchymyn yn awr.

'Pa waeth i neb pwy ydi o?' oedd ateb Mali. 'Ond os oes raid ichi gael gwybod, rhywun y trewais i arno fo yn y Ffair honno ydi o.'

'Ac mi gwelaist ti o yma wedyn?' holodd Ann yn amheus.

'Dim ond unwaith,' meddai Mali'n bendant. 'Mi ddaeth heibio yma un noson ar ddechrau'r cynhaeaf gwair.'

'Ond pwy ydi o?' pwysodd y llall.

'Y cwbl wn i ydi mai Wil yw ei enw, a'i fod o'r ochr draw i'r mynydd yn rhywle.'

Gorfu i Ann Huws ildio wedi'i threchu, ac eto wedi esmwytho'i meddwl hefyd. Cynigiodd ar gyfeiriad arall.

'Oes gen ti rywle i fynd?'

'Nac oes am wn i, os na chymer Seimon fi. Mae'n debyg y caf i fynd yno.'

Yn ei meddwl ei hun, fe wyddai Mali'n hollol sicr na chymerai Seimon mohoni, ond y dyddiau hyn fe'i meddiennid hi â rhyw ddifaterwch rhyfedd, tuag ati'i hun a phawb arall.

Edrychodd Ann arni'n betrusgar.

'Dyw o ddim o'r peth i un yn dy gyflwr di fod mewn tŷ fel hwn, ac eto mae hi'n brin arna i am fymryn o help yn awr, a'r ddwy eneth yma'n ymadael ddiwedd yr wythnos, a merched mor anodd eu cael o hyn i wyneb blwyddyn.' Yna penderfynodd. 'Mi dy gadwa i di am dipyn os wyt ti'n dewis aros ac os wyt ti'n berffaith siŵr nad neb o'r ardal hon ydi'r Wil yma yr wyt ti'n sôn amdano.'

'Rwy'n barod i fynd ar fy llw ynghylch hynny, Meistres,' sicrhaodd Mali hi.

'O'r gore,' cytunodd y llall. 'Mi gymeraf i ofal y gegin amser bwyd nes cawn ni rywun arall, ac mi gei dithau gadw ymlaen efo dy waith o olwg y dynion.'

Ac felly y bu. Fe ddaeth yno dair neu bedair o forynion newydd yn eu tro, ond byr fu eu harhosiad. Roedd Mali'n gweithio bron fel o'r blaen—roedd yn well ganddi weithio na bod yn llonydd. Fe fu Ann Huws gystal â'i gair yn ei chadw o olwg y dynion gymaint ag oedd yn bosib, ac felly arbedai gael ei phoenydio fel cynt. Doedd yr un ohonyn nhw, ac eithrio'r hwsmon, yn osio dweud gair amheus wrthi a hithau ar ei phen ei hun, a'r lleill heb fod yno i glywed ac i gymeradwyo. Ond am Huw, cymerai ef bleser, byth ers y sgwrs honno yn y cut mochyn, mewn dweud rhywbeth bob tro y digwyddai arni yn y buarth neu unrhyw le arall, i beri iddi gochi a dianc rhagddo.

'Welaist ti Wil o'r ochr draw i'r mynydd wedyn?' oedd un o'i hoff ofyniadau.

Ceisiai Mali ei anwybyddu orau y gallai, ond gwridai er ei gwaethaf. Roedd yn haws ganddi oddef tymer ddrwg ei Meistres nag ymholiadau ensyniadol Huw, er bod Ann Huws yn waeth nag erioed i fyw gyda hi. Am gyfnod ar ôl trefnu i Mali aros yno, fe fu'n eithaf gyda hi, ond cyn bo hir fe droes yn fwy mileinig tuag ati nag y bu at yr un forwyn erioed. Cyn hyn, roedd Mali'n cael y gair o fod 'yn weddol uchel yn llewys yr hen wreigan', a'r adeg honno buasai triniaeth fel a ddioddefai'n awr wedi llwyr dorri'i chalon. Ond erbyn hyn roedd ei meddwl yn rhy llawn o bethau eraill iddo fennu llawer arni.

Am y Meistr, ychydig iawn a welodd arno fo trwy gydol yr amser. Ni ddeuai byth yn awr i'r briws na'r gegin gefn, ac ni thywyllai hithau mo'i ddarn ef o'r tŷ. Prin y gwelai gip arno ar y buarth chwaith. Fe geisiai'r ddau ohonynt osgoi ei gilydd. Weithiau fe dybiai Mali, fel y gwnaethai am y Ffair, mai dim ond ffrwyth ei dychymyg ei hun oedd ei hatgof am ddiwrnod y Traeth. Oni bai am y cyflwr yr oedd hi ynddo, fe fuasai ar brydiau yn llwyr gredu hynny.

Aeth y Nadolig a'r Flwyddyn Newydd heibio heb adael un argraff arni. Nid oedd Ann erioed wedi arfer cadw gwyliau fel y rhain, a dyma un o'r pethau yr oedd Tim wedi ildio ynglŷn â nhw. Erbyn mis Chwefror, sylweddolai Mali fod ei harhosiad ym Mhlas-yr-Allt yn dirwyn i ben. Fe aethai'r gwaith caled yn fwy o dreth arni, ac roedd Ann Huws yn ddrwg ei natur, nid ar ysbeidiau, ond o fore gwyn tan nos. Fe soniai'n barhaus hefyd fod ganddi dair morwyn tan gamp yn dechrau yno rywbryd ym mis Mawrth.

Un diwrnod, a Mali wrthi'n ymladd i dorri coed at y bore, trodd Deio i mewn i'r cut yn annisgwyliadwy.

'Mae'r hen fonyn yna'n ormod i ti,' meddai. 'Gad i mi ei wneud o.'

Gollyngodd Mali'r fwyall iddo. Rhyfeddai at ei gynigiad, oherwydd er ei fod y gorau ganddi o'r gweision i gyd ac wedi arfer bod yn fwy cymwynasgar iddi na'r un ohonynt, yn fuan ar ôl ymadawiad Margied roedd o wedi peidio â chymryd un sylw ohoni, a heb siarad gair â hi, os nad oedd yn amhosib osgoi hynny.

Casglodd Deio'r coed mân i'r fasged ar ôl gorffen, a dweud yn swil,

'Ddylet ti ddim bod yn gwneud gwaith fel hyn nawr, wyddost.'

Fel rheol, ni chymerai Mali arni glywed unrhyw gyfeiriad at ei chyflwr, ond y tro hwn fe ddywedodd,

'Mi fydda i'n mynd oddi yma cyn bo hir nawr.'

'Does gen ti ddim llawer o drefn o le i fynd iddo fo, ai oes?' Ac yna llifodd y geiriau'n ffrwd. 'Pam nad ei di i ben Meistr? Mi allet gael cryn ganpunt ohono fo, rwy'n siŵr, ac mi allet ti a minnau stocio fferm dda am hynny, ac mi gymerwn i'r bai am y plentyn a phopeth.'

Methai Mali â dod o hyd i'w feddwl am rai eiliadau. Yr unig beth a ddeallodd yn iawn oedd fod Deio wedi sôn rhywbeth am y Meistr. Camgymerodd y llanc ei diffyg deall am betruster.

'Mi fuaswn i cystal ag y gallwn i wrthych chi'ch dau,' addawodd yn hanner swil, 'a wnawn i ddim gwahaniaeth rhyngddo fo a'm plant i fy hun.'

Roedd Mali'n brysur yn dilyn troadau ei meddwl ei hun, ac ni sylwodd ar ei eiriau olaf.

'Pam wyt ti'n disgwyl i Meistr roi arian imi?' gofynnodd yn chwyrn.

'Am y gŵyr pawb mai fo sy'n gyfrifol.'

'Ŵyr neb mo hynny. Mi ddwedais i wrth Meistres mai bachgen o . . .'

'Do,' torrodd Deio ar ei thraws, 'ac mae hithau'n adrodd wrth bawb iti ddeud mai rhyw Wil o rywle ydi o. Ond os mai dyna mae hi'n ei gredu, sut mai Huw sy'n cael trin y prynu a'r gwerthu i gyd yma eto, a'r ceffyl newydd oedd i ddod cyn y Nadolig heb gyrraedd byth? Mi glywais i mai dyna fel y bydd Meistres yn gwneud bob tro y bydd o wedi cicio tros y tresi.'

Roedd hyn oll yn gwbl newydd i Mali, gan na fu dim cyfathrach rhyngddi a neb ar y fferm ers misoedd. Daeth yn nes at dorri'i chalon y munud yma nag o gwbl. Os na chaniateid iddi hyd yn oed y cysur o ddweud anwiredd trosto, teimlai na allai ymgynnal o dan yr hyn a'i hwynebai. Crynhôdd ei nerth am eiliad.

'Dos o'm golwg i, a rhag dy gywilydd di hefyd, yn ceisio 'mherswadio i dynnu arian o ddyn diniwed.' A rhuthrodd allan, gan anghofio'r fasgedaid goed.

Ar y buarth cyfarfu â Huw, yn ysgwyd ei ben yn ofidus iawn.

'Colled arall i Meistres druan,' cwynfannai. 'Yr heffer fach orau ar y lle wedi marw, a cholli'r llo hefyd. Ond druan fach! Roedd hi'n drugaredd iddi gael ei gollwng—petait ti'n gweld ei phoenau hi!'

Dihangodd Mali i'r tŷ. Nid oedd hithau heb wybod am ddigwyddiadau felly, ac roedd cofio neu feddwl amdanynt yn codi arswyd arni nes ei bod yn chwys.

Roedd y broblem o ble i fynd o'r Plas yn poeni mwy o lawer arni'n awr nag yn y misoedd cyntaf. Nid oedd ganddi'r un cyfaill drwy'r ardal i gyd, ac fe wyddai mai ofer fyddai iddi feddwl am droi i Dy'n-yr-Ogof. Cofiodd am dŷ Mallt ar lan y môr yn Llanala—yn dafarn, yn siop, ac yn bopeth—a thybiodd efallai y cymerai Mallt hi i mewn, neu y gallai o leiaf roi iddi hanes rhywun a wnâi. Doedd ganddi ddim amcan faint o arian fyddai'n ddigon i dalu am edrych ar ei hôl, ond tybed na chliriai cyflog blwyddyn ef—a pheth dros ben—hyd yn oed a chaniatáu iddi fod goron yn fyr? Fe fu raid iddi ofyn am gymaint â hynny ymlaen llaw, ddechrau'r gaeaf, er mwyn prynu pâr o glocsiau ac edafedd at droedio'i hosanau. Felly, os llwyddai i gadw'i lle hyd ganol Mawrth, byddai pum swllt ar hugain yn ddyledus iddi.

Ond yr wythnos gyntaf ym Mawrth, fe ddifethwyd ei chynlluniau ynglŷn â hynny. Roedd hi yn y briws un prynhawn yn cymysgu gwlyb i'r lloi, a digwyddai Ann Huws fod y tu ôl i'r drws ar y pryd yn taclu un o silffoedd yr hen gwpwrdd. Pwy ddaeth i ben y drws ond Huw, gyda'i laswen.

'Wyddost ti ar bwy y trewais i yn yr efail heddiw?' gofynnodd, a mynd ymlaen heb ddisgwyl am ateb. 'Ar Ned, gŵr nith y Margied honno oedd yma'n ben-forwyn adeg diwrnod Traethaur y llynedd. Diawc i! Mi gefais i hanner awr ddifyr iawn, wel'di. Mi synnet fel roedd Margied wedi crapio at bethau, er iddi fynd oddi yma'n union ar ôl cinio y diwrnod hwnnw.'

'Huw!' Daeth y Feistres fel bwled o'r tu ôl i'r drws. Newidiodd gwep yr hwsmon. Pe cawsai chwarae teg, nid yr un dull fuasai ef wedi'i ddewis i dorri newyddion iddi hi ag i Mali. 'Mali, dos â'r gwlyb yna ar unwaith ac edrych a oes yna nyth ar ddisberod yng nghlawdd isaf yr ardd.'

Pan ddaeth Mali'n ei hôl, a nythaid o wyau gyda hi, doedd dim hanes am Huw, ond hawdd oedd gweld fod Ann Huws ar gefn ei cheffyl uchaf.

'Edrych yma, Mali,' ebe hi'n chwyrn, 'mae'n ymddangos i mi ei bod hi'n hen bryd iti feddwl am rywle i fynd, yn lle cymryd mantais fel hyn arnaf i o hyd. Mae'n well iti hel dy bac ben bore fory, neu mi gawn ni helynt efo ti.'

'O'r gore, Meistres.'

'Mae gen ti frawd, a'i ddyletswydd o ydi edrych atat ti; a ph'un bynnag, fyddi di ddim heb arian yn dy boced o achos mi dala i dy gyflog iti, serch imi dy gadw pan nad oeddet ti ddim, mewn gwirionedd, yn werth dy halen.' Ffyrnigodd yn sydyn. 'Rhag dy gywilydd di, y sopen, yn dwyn gwarth arnom ni fel hyn. Y faeden ddrwg gen ti hefyd!'

Rhuthrodd i'r parlwr bach a dod yn ôl ymhen ychydig funudau gyda dyrnaid o arian gleision yn ei llaw.

'Ar ôl brecwast fory, cofia, a gofala na wnei di ddim stŵr wrth gychwyn, rhag i'r bechgyn yma gael gwynt o'r peth.' Cyfrifodd yr arian ar y bwrdd. 'Mi gefaist goron ddechrau'r gaeaf, a fydd dy flwyddyn di ddim i fyny am yn agos i bythefnos eto. Felly, pedwar swllt ar hugain sy'n ddyledus iti. Mi allaswn gadw rhagor oddi arnat ti am beidio â gorffen dy flwyddyn, ond wna i ddim.'

Cyn troi i ffwrdd, gofynnodd,

'Elli di ddim cael y Wil yma, neu rywun arall, i'th briodi di, dywed? Mi rown i sofren neu ddwy ichi at ddechrau byw, ond ichi briodi cyn geni'r plentyn.'

Ysgydwodd Mali ei phen.

'Fyddai hi ddim yn iawn imi briodi neb arall, a chymer Wil byth mohonof i.'

Edrychodd Ann Huws yn rhyfedd arni am funud. Yna trodd i ffwrdd ac ni siaradodd air â hi wedyn y noson honno na bore trannoeth; ond gellid barnu wrth sŵn y llestri y byddai yno ddylif tanllyd tros ben rhywun pan dorrai'r argae.

PENNOD II

Drannoeth fe gododd Mali'n ddigon bore i gael ei chlud yn barod cyn paratoi brecwast i'r dynion. Roedd ei phecyn, os rhywbeth, yn llai na phan ddaeth yno gyntaf. Yn ystod y flwyddyn fe dreuliodd dwy o'r peisiau stwff a dau hen fetgwn tu hwnt i drwsio, a doedd dim hanes amdanyn nhw'n awr ond fel clytiau ar y rhai a wisgai. Ond ar gyfer hynny, roedd ganddi bâr o glocsiau'n rhagor i'w cario, oherwydd daliai i gadw'r hen bâr sâl at ei wisgo pan ddeuai'r tywydd teg. Fe hawliai'r wisg liw'r gwin, a chadach lliwgar y Ffair, y lle anrhydedd o hyd.

'Mi ddwedodd yr hen Saro,' ymsyniai wrth ailblygu'r ffrog, 'ei bod hi'n wisg anlwcus; ond y ddau dro y gwisgais i hi fe ddaeth â'r Meistr Ifanc imi.'

Anghofiodd am funud y gofid a ddygodd hwnnw gydag ef. Dododd y cadach yn dyner ym mynwes y wisg, gan gofio amdani'i hun yn ei osod yno ddiwrnod y Ffair, wrth ymyl y drych bach. Ie, a dyna Sioned Ifans wedi dweud, ynglŷn â hwnnw wedyn, fod drych wedi torri yn anlwc. Efallai fod drych cyfan yn anlwc hefyd, o achos oni bai am hwnnw yn y llofft orau ni ddaethai byth i'w meddwl wisgo'r ffrog y diwrnod hwnnw, a phetai hi heb wneud hynny fuasai'r helynt yma ddim arni. Ond wedyn . . . O, roedd hi'n anodd cysoni rhwng yr hyn oedd yn anlwc a'r hyn nad oedd.

Llyncodd ei thamaid a llithro o'r tŷ cyn i'r dynion hel yn ôl am eu brecwast. Roedd wedi cerdded chwarter milltir go dda pan glywodd weiddi mawr i'r chwith iddi. Edrychodd, a gweld rhywun yn rhedeg nerth ei draed ar draws y Ffridd Las, led dau gae oddi wrthi, gan chwifio'i freichiau a galw. Llamodd rhywbeth fel gobaith i'w mynwes am funud, ac eto ni wyddai obaith am beth. Ond pan ddaeth y rhedwr yn ddigon agos iddi allu'i adnabod, dim ond Deio oedd o, wedi colli'i anadl yn lân.

'Wyddwn i ddim dy fod ti'n ymadael mor fuan,' meddai, gan ddringo tros y gwrych i'r ffordd.

'Wyddai neb,' atebodd Mali. 'Wyddwn i ddim fy hun tan neithiwr.'

'Ble'r ei di, 'te?'

'I lawr i dŷ Mallt, am wn i. Mi ga i weld wedyn.'

'Fedri di byth gerdded y saith milltir yno,' protestiodd Deio. 'Mi ddweda i iti beth! Mi reda i i roi'r gaseg fach yn y siandri, ac mi ddof i'th ddanfon. Dydi o ddim o bwys gen i am yr un copa ohonyn nhw'n y pen draw.'

'Na wnei'n wir, Deio. Diolch i ti yr un fath, ond mae'n esmwythach gen i gerdded yn ara deg na chael f'ysgwyd ar hyd yr hen ffordd dolciog yma.'

Edrychai Deio'n llawn penbleth.

'Wyt ti'n siŵr o hynny? Y ti ŵyr orau, wrth gwrs, sut yr wyt ti'n teimlo. Cofia na fyddai hynny'n ddim gen i i'w wneud.'

Sicrhaodd Mali ef yn bendant na fynnai hi mo'i chario am bris yn y byd.

'A dos yn d'ôl ar unwaith,' ychwanegodd. 'Roedd brecwast yn barod ar y bwrdd pan gychwynnais i.'

'O, mi wna i yn iawn am hynny,' sicrhaodd yntau. 'Wedi mynd i'r Ffridd Uchaf i olwg y bustych yr oeddwn i, ac all neb ddeud faint o amser fu raid imi gymryd efo'r taclau duon strempllyd. Mi ddof i i'th hebrwng di at Riw'r Gell, imi gael deud yr hyn sydd gen i.'

Cymerodd ei phecyn o dan ei fraich, ac wedi ysbaid o ddistawrwydd, dechreuodd arni.

'Mae'n ddrwg gen i os brifais i di y diwrnod o'r blaen. Roedd hi ymhell iawn o'm meddwl i wneud hynny, o achos gan fod pethau wedi digwydd fel hyn, dydi o damaid o ots gen i p'un ai Wil o'r ochr draw i'r mynydd ynteu rhywun arall, nes yma, sy'n gyfrifol. Ond y mae o'n ots gen i dy weld ti'n cael cam. Ac os cymeri di fi, mi allem fyw'n iawn, heb yr un ddimai at stoc, a magu'r plentyn hefyd. Does dim rhaid imi aros yn y Plas. Mi gaf waith lle mynna i at Galanmai yma. Beth ddwedi di, Mali?'

Roedd i rywun arall deimlo oherwydd ei bod hi'n cael cam yn beth mor newydd fel y safodd Mali'n stond ar ganol y ffordd.

'Wyt ti'n meddwl deud y buaset ti'n fodlon fy mhriodi i fel hyn?' gofynnodd yn anghrediniol.

'Siŵr iawn,' atebodd Deio. 'Mi fûm i â'm llygaid arnat ti byth ers y diwrnod hwnnw y cariais i ti i fyny o'r Hafn, ond dy fod bob amser â'th ben yn y cymylau yn rhywle. Ac mi fyddet wrthi fel y cythgam trwy'r dydd, fel nad oedd siawns i ddyn gael torri gair â thi, heb sôn am lolian a chwarae mymryn, fel efo'r merched eraill. Pan glywais i gynta am dy helynt, mi ddarfyddais yn ofnadwy â thi, ond toc mi ddeuthum i weld nad dy fai di oedd o.'

Roedd ar flaen ei thafod i ddweud y priodai ef, a hynny'n llawen iawn hefyd—dim angen pryderu rhagor a fyddai pedwar swllt ar hugain yn ddigon i dalu ar ei hôl, na meddwl a meddwl beth i'w wneud â'r plentyn, ac ymhle y câi hithau ei thamaid wedyn. Tŷ bach iddi'i hun, a Deio'n gadael iddi fod yn feistres ynddo, yn lle'n slâf fel gyda Seimon! Yna cofiodd am ddiwrnod y Ffair Bleser, ac am rywun yn cipio'i siôl oddi rhwng pawennau'r mwnci, ac am yr hapusrwydd a roddai'r diwrnod hwnnw iddi mewn atgof, hyd yn oed yn awr.

'Rwyt ti'n garedig, Deio,' meddai, 'yn fwy caredig nag y disgwyliais i neb fod tuag ata i byth. Mi hoffwn allu gwneud fel rwyt ti'n deud, ond mae yna rywbeth yn fy rhwystro, rhyw deimlad na fyddai o ddim yn iawn arna i briodi neb nawr.'

'Pam hynny, yn enw'r mawredd, os wyt ti'n deud y gwir yr hoffet ti wneud?'

Nid atebodd Mali am funud neu ddau. Yna,

'Wn i ddim,' meddai, a gwrido trosti, ond daliodd ymlaen yn wrol i geisio'i hegluro'i hun, er cymaint gostiai hynny iddi hi oedd mor brin ei geiriau. 'Os nad . . . os nad . . . teimlo nad oes gen i mo'r hawl i briodi neb arall, wedi i hyn ddigwydd . . . efo . . . un.'

Edrychodd Deio arni'n syn.

'Rwyt ti'n un od. Yn ôl popeth glywais i, mwy o feddwl o briodi fydd gan ferched yr un fath â thi, yn enwedig os bydd yr "un" arall hwnnw yr wyt ti'n sôn amdano â gwraig yn barod.'

Roedd Mali'n rhy gynhyrfus i sylwi ar yr ensyniad yn ei eiriau.

'Alla i mo'i egluro fo, a fedra i ddim wrtho fo chwaith. Ond diolch yn fawr i ti yr un fath.'

'Wyt ti'n berffaith siŵr?' erfyniai'r llanc. 'Beth petawn i'n aros nes bod hyn trosodd arnat ti, 'te?'

'Yn berffaith siŵr,' ebe Mali, yn drist o hiraeth am y bwthyn bach a hithau'n feistres arno. 'Rhaid iti droi'n ôl nawr, neu mi ddoi i helynt. Fydd Meistres byth yn fodlon gwneud ail frecwast iti, a hithau ddim ond ei hun.'

'Waeth gen i amdani hi,' heriodd Deio. 'Mae'r ffordd o'th flaen di mor hir. Gad imi gerdded i'r Hafn efo ti.'

'Na chei,' meddai Mali'n bendant. 'Mae'n well gen i fynd fy hun. Dos yn dy ôl, da ti, Deio.'

Estynnodd Deio'i law a rhoddodd Mali ei llaw hithau iddo. Nid oedd erioed wedi ysgwyd llaw â neb o'r blaen. Yn wir, nid oedd wedi gweld yr arferiad nes dod i Blas-yr-Allt, ac fe fu'n dyfalu lawer gwaith tybed sut deimlad oedd siglo llaw. Fe ymddangosai'n ddigon naturiol i fod yn ei wneud efo Deio.

Ebe'r llanc wrthi cyn gollwng ei llaw,

'Cofia, os byth y newidi di dy feddwl, raid iti ond gyrru gair.'

Yna trodd ar ei sawdl, ac yn ôl i gyfeiriad y Plas. Wedi cyrraedd pen yr Allt, safodd i edrych ar Mali'n diflannu o'r golwg heibio i droed y bryncyn nesaf.

'Mi leiciwn i dagu Meistr ambell i dro, er ei fod o mor glên. Mae'n arw gan 'nghalon i tros Mali druan. Trueni'i bod hi mor ystyfnig.' Gyda hynny, cofiodd ei fod heb ei frecwast. Gan nad oedd Mali am ei gwmni, doedd dim diben iddo golli'i bryd. Fe'i cysurai'i hun wrth brysuro'n ei flaen. 'Wel, falle mai fel hyn y mae hi orau. Mae'n siŵr y buasai fy mam o'i cho'n wyllt.'

Er iddi ei wrthod, fe ysgafnhaodd ei gynnig gryn lawer ar hanner cyntaf y daith i Mali. Ond fel yr âi hithau'n fwy lluddedig, fe wthiai'r blinder a'r boen o gerdded bopeth o'r neilltu ond yr angen am gyrraedd tŷ Mallt. Gorfu iddi eistedd i orffwys lawer gwaith, a thybiai, petai tŷ yn y golwg, y buasai'n ildio a throi i ofyn am gongl yn rhywle yno. Ond gwyddai fod y tai i gyd led caeau o'r ffordd, ac y gallai wneud hwb da i gyfeiriad y môr ar yr un faint o gerdded ag atynt hwy. Fe gredai hefyd y byddai'n llawn sicrach o dderbyniad gan Mallt na chan y gwragedd dieithr yma. Tynnodd ei hosanau a'i chlocsiau ac ymroi i gerdded ymyl glaswelltog y ffordd. Roedd ei thraed yn esmwythach felly; ond methai â phenderfynu p'un oedd waethaf ganddi, ai llosg a gerwinder y clocsiau a'r hosanau, ynteu'r ambell ysgytiad a phigyn a gâi o sangu ar garreg neu ddarn o bren oedd yn gorwedd ynghudd yn y glaswellt.

Eisteddodd i ailwisgo am ei thraed, ond cyn pen ychydig teimlai'n sicr ei bod yn esmwythach arni gyda hwy'n noethion; a dyna lle bu yn tynnu ac yn gwisgo bob yn ail. Roedd yn falch o esgus i eistedd, ond y drwg oedd ei bod mor anodd codi ac ailgychwyn. Yn y man, trawodd ar ddull newydd. Fe'i gorfodai'i hun i ddioddef y clocsiau am chwe throfa; yna fe'u tynnai a cherdded yn droednoeth am chwech arall. Ni feddyliai am dŷ Mallt, bellach, dim ond am gyrraedd y chweched drofa. Fel hyn, fesul tamaid, y bwytawyd y pellter rhyngddi hi a'r môr, ond roedd yn brynhawn arni'n cyrraedd i olwg yr Hafn.

Gwisgodd ei chlocsiau yn y fan honno a cheisio cerdded yn fwy heini, rhag ofn bod rhywun ar y traeth yn edrych arni. Er ei hymdrechion, roedd golwg lesg a lluddedig arni'n ymlusgo at ddrws cefn y dafarn. Fe wyddai'r tro hwn ble i'w gael, ac nid oedd raid iddi wynebu'r gegin fawr a'i llymeitwyr.

'A'n cato ni!' llefodd Mallt, a'i dwylo i fyny, pan welodd hi. 'Wel, dyma drefn sydd arnat ti, 'merch fach i. Tyrd rhag dy flaen. Mae yna rywun yn holi amdanat ti i mewn yma.'

Methai Mali â chredu fod yno neb yn holi amdani hi, ond er ei syndod, pan gamodd i'r gegin fach, pwy oedd yn eistedd wrth y tân ond Saro.

'Sôn am angylion!' chwarddodd Mallt.

Daeth rhyw deimlad o ollyngdod tros Mali, teimlad y byddai popeth yn iawn yn awr, gyda Saro yno, y gallai honno ddatrys y problemau i gyd. Yna ymysgydwodd o'r teimlad. Nid oedd ganddi hawl i ddisgwyl dim oddi wrth Saro fwy na rhywun arall, a hithau bron wedi anghofio am fodolaeth yr hen wraig yn ystod y misoedd diwethaf yma, ar wahân i deimlo euogrwydd yn awr ac eilwaith ynghylch ei dyled o lanhau'r gegin iddi. Roedd wedi llwyr fwriadu, petai popeth yn iawn, gofyn am ddiwrnod yn rhydd ar ei phen-tymor a mynd â swllt o'i chyflog i'r Wern i wneud iawn am y gwaith nas cwblhawyd ganddi.

'Sôn amdanat ti'r oeddwn i'n awr efo'r wreigdda yma,' meddai Saro'n ddigynnwrf heb godi o'i chadair, ond gan redeg ei llygaid yn gyflym tros Mali. 'Wel, mi fuost yn ffôl, on'do, 'merch i? Mi ofnais i beth ddigwyddai cyn gynted ag y clywais i ble'r oeddet ti wedi mynd.'

Gwyrodd Mali ei phen.

'Roeddwn i wedi llwyr fwriadu galw acw i orffen y glanhau, yn wir i chi,' ymesgusododd, 'ac wedyn yn meddwl am yrru arian yn lle hynny, cyn gynted ag y cawn i fy nghyflog.'

'Mi wyddoch felly am yr ardal yma, yr hen wraig?' holodd Mallt, yn dilyn ymlaen â'i sgwrs gyda Saro.

'Fûm i erioed o'r blaen wrth y môr fan hyn,' atebodd Saro, 'er 'mod i'n trafaelu cymaint efo fy ngwaith, ond mi fûm lawer gwaith ar y moelydd acw gyferbyn. Mae yna ffridd dda iawn am lin y mynydd wrth droed y ganol ohonyn nhw.'

'Mi feddyliais arnoch chi eich bod yn gyfarwydd â Phlas-yr-Allt,' prociodd Mallt.

'O, wel, mae yna amryw byd yn galw acw yn eu tro ynglŷn â rhyw helynt neu'i gilydd fydd arnyn nhw. Mi fyddaf innau bob amser yn eu holi nhw ynghylch eu hardal, nes bod gen i erbyn hyn grap go dda ar hanes bron pob fferm yn y sir, serch na welais i mo'u hanner nhw. Roeddwn i'n gwybod amdanat tithau, er na fûm i erioed yma,' ymffrostiodd Saro.

'Beth glywsoch chi amdana i?' holodd Mallt yn chwilfrydig.

'Dy fod yn wraig garedig, weithgar, ac mai ti sy'n gwisgo'r llodrau yma.'

Chwarddodd y dafarnwraig yn foddhaus.

'A da hynny. Mi allesid cau'r lle yma fory o ran Shonco, ond bod rhywun yn hoffi cael dyn o gwmpas y lle, serch nad ydi o'n fawr o werth.'

Trodd Saro'n ôl at ei stori, ac at Mali. 'Ac mi addunedais ynof fy hun y pryd hynny y rhown i dro i edrych dy hynt di'n bur fuan, ond mae'r haf yn amser mor brysur—rhywbeth i'w gynaeafu o hyd—fel imi oedi'n rhy hir ac fe ddaeth y tywydd mawr ar fy ngwarthaf i. Erbyn hyn mae hi wedi dod yn rhaid arna i gadw o fewn i borfa'r iâr ar dywydd felly. Ond mi feiais fyrdd arnaf fy hun, ers ddoe, na bawn i wedi gadael popeth a rhoi tro amdanat ti'r gwanwyn diwethaf.'

'Mi gawsoch yr hanes ddoe, 'te?' meddai Mallt yn awgrymiadol.

'Na, dim ond rhyw si. Alwodd neb o'r cyfeiriad yma acw

trwy'r gaeaf i gyd, tan ddoe, pryd y daeth rhyw longwr o Lanala heibio ar ei sgawt. Mi holais o am yr Allt, ond naill ai doedd o'n gwybod fawr, neu ynteu roedd o'n ochelgar iawn. Un o'r morynion—chlywais i mo'i henw hi—mewn helynt o achos rhywun o'r ochr draw i'r mynydd, neu o leiaf dyna ddwedai'r Feistres, medde fo.'

'Nid dyna ddwedi di, mi wn,' meddai Mallt, gan syllu'n dreiddgar ar yr eneth.

'Ie,' atebodd hithau'n gadarn.

Nodiodd Mallt ei phen, fel petai'n cadarnhau rhyw syniad oedd ganddi o'r blaen.

'Hm. Mi glywais yn wir mai dyna fel y chwythai'r gwynt. Cymer di gyngor gen i. Mynn dâl iawn. Fydd neb yr un mymryn mwy diolchgar iti am beidio. A nawr mi ferwa i lymaid o rual iti. Fe'th dwyma di, a'th gryfhau.'

Tra ffwdanai'n ôl a blaen, siaradai Mallt yn ddi-dor.

'Roeddech chi'n garedig iawn, yr hen wraig, yn dod i edrych amdani mor fuan, a chithau heb fod yn perthyn yr un dafn o waed iddi chwaith. Ond allech chi byth fod wedi cerdded i'r Plas ac yn ôl mewn diwrnod.'

'Roeddwn i'n meddwl ar y dechrau am gerdded yno heddiw, a gofyn a gawn i gysgu noswaith efo Mali; ond ar y ffordd roeddwn i bron ag ildio i aros yma heno, os byddet ti'n fodlon, ac ymlaen yno fory. Mae hen esgyrn yn mynd yn anystwyth iawn o'u cadw i mewn trwy'r gaeaf.'

'Wel cewch â chroeso, y chi a'r eneth yma hefyd,' sicrhaodd Mallt hi'n groesawgar. 'Mi heliaf i'r plant i gyd i'n gwely ni ac mi gewch chithau'ch dwy eu gwely nhw.'

Teimlai Mali lygaid Saro yn ei hastudio'n fanwl. Ymhen ysbaid, dywedodd yr hen wraig,

'Na. Mi farna i mai canlyn arni heddiw sydd orau inni, petaem ni wedi cael gorffwys tipyn, neu does wybod pa anghaffael all ddigwydd.'

Siaradodd Mali am y tro cyntaf, ar wahân i ateb cwestiwn, er pan ddaeth i'r tŷ.

'Mallt, roeddwn i wedi meddwl gofyn ichi a wyddoch chi am rywle y gallwn i aros am ychydig, a thalu—i fyny at dri swllt ar hugain.' Fe gofiodd yn sydyn, a hithau ar fin enwi'r swm, y byddai'n ofynnol iddi fod â rhyw swllt yn ei phoced at ailddechrau byw.

'Na wn i'n wir,' gofidiai Mallt, gan grychu'i thalcen mewn dryswch. 'Mae'r tai ffordd hyn mor fychain, a thwr o'u plant eu hunain yn digwydd bod gan bawb. Oes yna rywle yn Nhraethaur, tybed? Ond mae gen ti frawd, on'd oes?'

'Oes,' atebodd Mali'n ddiobaith.

'Raid iti betruso dim ynghylch hynna, 'merch i,' torrodd Saro ar eu traws. 'Roeddwn i wedi penderfynu cyn cychwyn yma y byddet ti'n dod yn ôl efo fi os oedd pethau fel yr ofnwn. Mae gen i ddigon o amser ar fy llaw yr adeg yma o'r flwyddyn.'

Nid oedd Mali erioed wedi dysgu diolch yn raenus gyda'i thafod, ond roedd yr olwg a daflodd ar Saro yn werth dwsin o ddiolchiadau cyffredin. Gwellhaodd y gorffwys a'r grual a gwres y tân lawer arni, ac fe deimlai'n gwbl barod pan ddywedodd Saro,

'Rhaid inni gychwyn, Mali, neu chyrhaeddwn ni byth cyn nos.'

'Mae hi'n ddychrynllyd o ffordd ichi eich dwy fach,' cydymdeimlai gwraig y tŷ. 'Rwy'n cofio golwg mor luddedig oedd arnat ti pan gyrhaeddaist ti yma'r diwrnod hwnnw y llynedd.'

'Rydym ni gryn blwc yn nes i'r Wern nag i'w chartre hi,' eglurodd Saro. 'Mi allwn dorri ar draws y ffriddoedd unwaith y cyrhaeddwn ni'r eglwys fach.'

Mynnodd Mallt eu hebrwng i fyny llwybr y creigiau. Wrth ffarwelio â nhw ar y gwastad uwchben y môr, gwthiodd becyn gweddol o faint i gesail Mali, gan ddweud,

'Mi wranta i nad oes gen ti'r un edefyn o ddillad bach yn barod. Mae'r rhain yn dyllog eu gwala, wedi bod am y plant yma i gyd yn eu tro, ond mi cedwais nhw'n daclus rhag ofn y byddai hi'n dda imi wrthyn nhw wedyn, ond rwy'n disgwyl bellach na bydd. Felly, cymer di nhw.'

'Rwyt ti'n garedig iawn wrthi hi,' meddai Saro. 'Mi hoffwn i petait ti'n cymryd rhywbeth am ein lle ni heddiw.'

'Dydi blawd ceirch yn costio fawr,' chwarddodd Mallt, 'ond mi ddweda i un peth y gallech chi'i wneud imi. Os oes gennych chi rywbeth da at wella llosg eira, falle y cawn i ychydig ohono fo. Mae Shonco a'r plant yma'n dioddef yn arswydus yn y gaeaf.'

'Mi ofala i y cei di focsiaid neu ddau o eli tan gamp cyn y gaeaf,' siwriantodd y ddoctores, 'a thipyn o drwyth iddyn nhw ei yfed hefyd, fel na fydd dim sôn am losg eira arnyn nhw mwy.'

Wedi i Mallt droi'n ei hôl, dywedodd Saro, 'Merch iawn yw honna. Mi wnaeth dro da â thi ynglŷn â'r dillad yna. Roeddwn i'n dechrau pendroni beth wnawn i petai galw sydyn am rai.'

Nid atebodd Mali. Fe ddaethai rhyw lesgedd a diffyg diddordeb ym mhopeth trosti. Tua hanner y ffordd i Draethaur fe dreiddiodd twrw'r môr i'w hymwybod. Edrychodd i lawr a'i weld yn berwi a throchioni yng ngwaelod un o'r agennau cul a gododd y fath arswyd arni flwyddyn yn ôl. Cofiodd fel y dringodd tros y gwrych a cherdded yn y cae rhag ei ofn. Heddiw, penliniodd ar yr ymyl, a rhythu i lawr i'r dyfnder cynddeiriog yn gwbl ddi-ofn.

'Dyna ryfedd,' meddai wrth Saro. 'Y llynedd mi fethais â cherdded y llwybr yma, ond nawr dyma fi'n gallu plygu uwchben y dyfnder, heb ofalu p'un ai syrthia i iddo fo ai peidio.'

'Meddwl rwyt ti, petait ti'n syrthio i hwnna, y caet ti osgoi rhywbeth sydd gen ti fwy o'i ofn,' eglurodd Saro. 'Y tro nesa y cerddi di'r llwybr yma, mi wranta i y bydd arnat ti gymaint o ofn y pyllau ag erioed. Tyrd yn dy flaen, 'merch i. Rwy'n credu fod cystal inni fynd cyn gynted ag y gallwn ni.'

Troesant i fyny'r lôn laswelltog, a Mali'n cerdded lawer yn well na chyn cyrraedd tŷ Mallt. Wrth basio eglwys Llanïor, dywedodd Saro,

'Mae llawer o'th hynafiaid di'n gorwedd yn fan'na. O'r ardal yma y daeth teulu dy dad, wyddost.'

Ni cheisiodd Mali ei hateb. Roedd ei thraed wedi ail-ddechrau poeni, ac arswydai wrth feddwl am droedio'r ffordd galed dolciog a gofiai mor dda. Nid oedd wedi sylwi ar yr hyn a ddywedodd Saro wrth Mallt ynghylch y ffordd fer i'r Wern, ac felly fe synnodd pan agorodd honno lidiart cae gyferbyn â'r eglwys.

'Mi groeswn ffordd hyn ar hanner y cerdded gymerodd o i ti ddod o Dy'n-yr-Ogof,' calonogodd yr hen wraig hi. 'Mi elli dynnu oddi am dy draed ffordd hyn, os ydyn nhw'n poeni. Mi gawn laswellt bron bob cam bellach.'

Rhoddodd y borfa esmwyth, ddi-garreg adnewyddiad am dipyn eto iddi; ond roedd hwnnw wedi treio ymhell cyn cyrraedd y Wern, a hithau mewn byd mawr yn cerdded y llwybr serth.

Toc, dywedodd Saro, 'Dyna! Fyddwn ni fawr o dro bellach. Weli di gorn simnai'r Wern yn y golwg fan draw?'

Eithr er mor agos oedd hi, wyddai Mali ddim sut i'w gyrraedd. Gollyngodd ei phecyn i lawr a dweud,

'Alla i fynd yr un cam ymhellach.'

'Twt lol,' dwrdiodd y llall. 'Does bosib y byddi di mor feddal ag ildio ar ôl cyrraedd mor agos. Gafaela yn fy mraich i.'

Gwasgodd Mali'i dannedd, a gwnaeth gais arall ati. Yn ei dau ddwbl, a chyda chymorth braich Saro, cyrhaeddodd o'r diwedd aelwyd y Wern. Brygawthiai Mol yn ei chawell ar y bwrdd, nes i'w meistres gydio mewn hen hugan ddu a'i thaflu dros ei do.

'Fyddi di ddim mor fawr dy sŵn yn y tywyllwch yna,' meddai hi, ac yna wrth Mali, 'Dyma ni wedi cyrraedd iti, a heb fod funud yn rhy fuan yn ôl golwg pethau. Mi amheuais i'n syth yn nhŷ Mallt mai dyna fel y byddai hi. Diolch am iddi wneud tywydd mor braf inni. A barnu wrth y cymylau heno, fuasai hi ddim cystal fory. Mi gaf i ffagl o dan yr hen decell yma mewn munud, ac wedyn mi gei olchi dy draed mewn dŵr cynnes a mynd i'r gwely ar dy union, a phaned o de mafon yn chwilboeth iti wedyn. Fyddi di fawr iawn o dro cyn dod atat dy hun.'

Eithr yr oedd yn hwyr brynhawn trannoeth cyn i'r hen ddoctores ddal rhywbeth yn fuddugoliaethus yn ei breichiau, gan ddweud,

'Geneth fach ydi hi, ac un braf ei gwala hefyd.'

Nid atebodd Mali ddim. Prin y daethai gair o'i genau er pan ymlusgodd i'r bwthyn, na chri hyd yn oed pan oedd arwaf arni. Tybiai o hyd fod gwaeth i ddod, ac y gallai ddal heb gwyno hyd hynny. Bryd arall, roedd yn esmwyth ganddi orwedd yno fel pren, heb bryder na gofal am ddim, a dychmygu nad Mali Meredur mohoni, ond rhywbeth yn perthyn i Saro i wneuthur fel y mynnai ag ef ac i dywallt paneidiau o drwyth dail i'w safn ddirwgnach.

Roedd y baban yn ddiwrnod oed cyn iddi hi sylwi fawr arni,

ac yna ataliodd ei hanadl mewn cyffro. Roedd y darn uchaf o glust dde y plentyn yn gwyro trosodd i'w hanner. Dilynodd Saro ei golwg, ac meddai,

'Ydi, mae'r nod arni hi, y beth fach, yn ddigon siŵr; a rhagluniaeth wedi gofalu amdanat tithau.'

'Sut felly?' holodd Mali'n ddidaro. Ni welsai hi gymaint â chymaint o ôl rhagluniaeth ar ei bywyd hyd yn hyn.

'Weli di mo'i chlust hi? Gan bwy arall y mae clust dde fel'na? All o byth wadu'i ferch yn awr, beth bynnag.'

Ceisiodd Mali sythu'r darn plygedig o'r glust fach, ond cyn gynted ag y codai ei bys oddi arni, fe syrthiai'r glust yn ôl i'w phlyg drachefn. Trodd yn ddigofus ar Saro.

'Pa wahaniaeth os digwydd bod rhywun arall â chlust debyg? Dim ond damwain ydi peth felly.'

Roedd Saro mor chwyrn â hithau.

'Aros di, 'mechan i. Paid â cheisio taflu llwch i'm llygaid i. Croeso iti dreio efo pobl eraill os mynni di, er dwyt ti ddim yn eu twyllo hwythau chwaith, o ran hynny; ond cred fi, unwaith am byth, 'mod i'n gwybod yn rheiol sut y mae pethau. Damwain, wir! A minnau wedi clywed digon fod gan fam dy Feistr glust yr un fath ag yntau.'

Dyna'r unig dro i Mali geisio gwadu wrth yr hen wraig. Roedd geiriau a thôn Saro mor wahanol i'w charedigrwydd y dyddiau blaenorol, a hithau eto'n wan, fel y cododd y mymryn ffrae awydd wylo ar yr eneth. Os sylwodd Saro ar y dagrau yn ei llygaid, chymerodd hi ddim arni, ond cipio'r plentyn o freichiau ei mam a'i tharo y tu ôl iddi yn y gwely. Roedd brys arni i fynd i fwydo Mol, a phan ddaeth yn ôl o'r gorchwyl hwnnw roedd Mali a hithau wedi anghofio eu digofaint.

PENNOD III

Cryfhaodd Mali'n gyflym wedi'r pedwerydd diwrnod, a rhinciai'n barhaus am gael codi. Ni bu ddiwrnod yn ei gwely cyn hyn, ond roedd Saro fel adamant.

'Wyt, rwyt ti'n gwella'n gampus, ond mi welais i ddigon o helyntion efo'r codi sydyn yma. Mi gei godi wedi iddi droi wyth niwrnod arnat ti, a dim cynt.'

Ceisiai gael allan gan Saro faint a gâi ei dalu iddi am ei thrafferth, ond methai â gwneud dim o'r hen wraig gyda hynny chwaith.

'Paid â gadael imi dy glywed di'n sôn byth eto am dalu ar dy ôl. Mi fydd yn ddigon da iti wrth y mymryn sydd gen ti, coelia di fi. Mae cael dy gwmni ar hyn o bryd yn torri ar undonedd y fan yma imi, o achos does gen i fawr o ddim byd i'w wneud ar yr adeg yma o'r flwyddyn. Ac mi wyddost 'mod i wrth fy modd yn doctora. Chostiaist ti nac yma nac acw imi chwaith, dim ond rhyw dipyn o ddeiliach, ac mae natur yn gofalu na fydda i byth yn brin o'r rheini.'

Erbyn hyn, dechreuai'r dyfodol boeni Mali. I ble yr âi hi, a beth a ddeuai o'r plentyn? A fyddai hynny a enillai hi yn ddigon i dalu am ei magu? Neu a oedd obaith cael lle y câi gadw'r baban gyda hi? Câi ddigonedd o amser i bendroni uwch y problemau hyn wrth orwedd yn ei gwely. Fe alwai rhywun yn aml i ymgynghori â Saro, a byddai'r hen wraig yn ofalus iawn i gau drws y siambr, fel nad oedd dim i'w glywed o'r gegin ond adlais o glebar Mol ar dro. Ar adegau felly, a phan ddeffroai'r nos, a Saro'n cysgu ar y gwely bach yn y gegin, nid oedd gan Mali ddim i'w wneud ond troi a throsi ei meddwl yn ôl a blaen, a heb fod ronyn elwach o hynny wedyn.

Soniodd wrth Saro un diwrnod am yr hyn a'i blinai, ond gan ei bod bob amser yn anodd iawn ganddi fynegi'i meddwl, ni lwyddodd i amlygu chwarter yr hyn a fwriadai. Ychydig a ddywedodd Saro hefyd.

'Rhaid inni roi'n pennau ynghyd pan godi di. Mi fyddi'n siŵr o fwlch yn rhywle.'

Ganol dydd, dyma hi'n gofyn i Mali,

'Tybed elli di wneud yma ar dy ben dy hun pnawn heddiw, er mwyn i mi gael mynd ar sgawt fach? Os digwydd i rywun alw'n y drws, gofala na chodi di ddim. Mi fydd Mol yn siŵr o'u dychryn i ffwrdd cyn iddyn nhw ddechrau meddwl am sbiana o gwmpas, ac os bydd eu neges yn werth ei chael mi alwant eto.'

Daeth yn ei hôl erbyn amser te, a golwg ddigon dreng arni.

'Wyddost ti ymhle y bûm i?'

Nid oedd Mali wedi cymryd digon o ddiddordeb i gymaint â cheisio dyfalu beth oedd neges ei lletywraig, ac ni theimlai Saro agos yn fodlon pan na wnaeth hi ddim ond ysgwyd ei phen yn ddidaro.

'Mi allesid disgwyl iti geisio meddwl i ble, a minnau'n mynd yn un swydd er dy fwyn di.'

'I'r Plas,' cynigiodd Mali, a'i llygaid yn deffro.

'Y ffolog fach! Sut awn i cyn belled â hynny mewn cyn lleied o amser? A beth wnawn i yno wedi mynd?'

Gyda llygaid Saro fel pe baent yn turio trwyddi, brysiodd Mali i ateb, 'Dim byd, wrth gwrs.'

'Yn edrych am Seimon fûm i.' Doedd dim achos i Saro gwyno erbyn hyn oherwydd diffyg diddordeb Mali, ac aeth ymlaen gydag awch. 'O'r annwyl fawr! Dyna le sydd ganddo fo! Mi wn fod y fan yma'n ddigon drwg weithiau, ond mae o'n nefoedd ddilychwin o'i gymharu â Thy'n-yr-Ogof.'

'Beth oedd a fynnoch chi â Seimon?' holodd Mali'n ddrwg-dybus.

'Waeth iti heb ag edrych fel'na yr un blewyn. Mi wneuthum i yn llygad fy lle. Roeddwn i am iddo fo wybod dy fod ti yma, yn un peth rhag ofn yr hoffai o alw i edrych amdanat ti; a doeddwn i ddim heb obeithio falle y cymerai o di i gadw'i dŷ eto, o leia nes i ti a'r plentyn gael eich cefn atoch.'

Ymysgydwodd Mali'n drwyadl o'i difaterwch.

'Na! na!' llefodd. 'Af i ddim, yn wir! Allwn i byth fyw yno eto.'

Chwarddodd Saro yn ei dwrn.

'Roeddwn i'n meddwl pan welais i di gynta y datblyget ti'n raddol wrth gymysgu â'r hen fyd yma, ac ar fy ngwir chreda i byth nad ydi'r helynt yma wedi rhoi cychwyn iti.'

'Af i ddim i fyw at Seimon byth eto, beth bynnag,' ebe Mali'n bendant.

'Camgymeriad oedd imi erioed feddwl am iti fynd,' addefodd Saro, 'ac mi welais hynny heddiw. Petai ots am hynny, o achos mae Seimon yn deud na fynnai o di'n ôl am unrhyw bris, a ddaw o ddim yn agos yma chwaith.'

Ni chymerodd Mali ati o gwbl o glywed y newydd yma. Wedi ychydig funudau o ddistawrwydd, gofynnodd Saro'n sydyn,

'Oes yna rywbeth yn od ar feddwl Seimon, dywed?'

'Nac oes, am wn i,' ebe Mali, 'ond fod arno fo ofn gwario dimai.'

'Na, nid hynny oeddwn i'n ei feddwl. Sylwais innau ddim arno fo erioed o'r blaen, ond heddiw, pan ddwedais i wrtho fo amdanat ti, mi fflamiodd i fyny a'i wyneb fel y galchen, a bwnglera rhywbeth amdanat ti'n bod fel dy fam, yn gadael i'w phlant chwysu mêr eu hesgyrn i ffwrdd, tra oedd eu tadau'n byw'n fras a'u gadael hwythau heb eu hiawnderau.'

'Chlywais i erioed mohono fo'n siarad fel'na,' meddai Mali, 'ond mi wnaeth o rywdro ddeud rhywbeth nad oeddwn i'n ei ddeall am fy mam.'

'Wn i ar y ddaear beth sy'n ei glopa fo,' pendronai Saro, 'o achos roeddwn i'n adnabod dy fam erstalwm a doedd yna'r un eneth lanach a phurach na hi yn yr holl wlad. Mi ŵyr pawb na ddigwyddodd yna'r un anghaffael iddi hi, beth bynnag. A'th dad, doedd dim llawer ynddo fo, mae'n wir, ond fwynhaodd o erioed stadau a'i blant yn newynu.'

Nid oedd Mali'n cyfranogi o'i chwilfrydedd. Roedd hi wedi treulio blynyddoedd meithion gyda Seimon a'i ryfeddwch yn ganolbwynt iddynt, ac roedd croeso i'r hen wraig feithrin hynny a fynnai o chwilfrydedd yn ei gylch, dim ond iddi beidio â disgwyl i Mali fynd yn ôl ato fo.

Cafodd godi fin nos drannoeth.

'Os daw yma rywun ar neges, mi elli gilio i'th wely,' awgrymodd Saro. 'Dydi'r bobl sy'n cerdded i'm gweld i ddim bob amser yn hidio am i rywun arall eu gweld a'u clywed nhw. Fydd dim gofyn iti symud yn aml. Mae hi'n bur dawel yma ar hyn o bryd.'

Felly, pan glywai Mali sŵn rhywun yn nesu at y tŷ, fe redai i'r siambr a chau'r drws arni.

'Fuasai dim raid iti o ran dim oedd arnyn nhw ei eisiau heddiw,' meddai Saro ar yr ail ddiwrnod i Mali godi, 'ond falle y buasai gweld rhywun arall yma yn eu tarfu nhw at eto. Un ohonyn nhw eisiau clirio'i waed, a'r llall â dolur gwddf arno. Clefydau'r gwanwyn bob un, a phetai'r ddau wedi cymryd tipyn o frwmstan gartre mi fuasen nhw wedi arbed gorfod talu chwechyn yr un i mi am ei roi o iddyn nhw.'

Fu Mali ddim yn hir ar ôl codi heb gydio yn y gwaith o lanhau'r bwthyn. Fe flinai'n arw y dyddiau cyntaf hynny, ond roedd ei hamser ganddi ato ac fe gâi ei wneud bob yn gongl. Roedd gwaith yn llawer mwy difyr ganddi nag eistedd yn dal ei dwylo. Nid oedd y baban yn trethu fawr arni, gan mor ddiddig oedd y beth fach—ei hymolchi, gwisgo amdani, gadael iddi sugno, a golchi ei dillad, a hithau'n cysgu'n braf o un driniaeth i'r llall. Tystiai Saro na welsai erioed blentyn mor ddiffwdan.

'Mi allet gadw lle yn iawn efo hon,' meddai.

'Gallwn.' Doedd dim arlliw o frwdfrydedd yn nhôn Mali.

'Mae'n edrych mai ychydig o wynt sydd gen ti at hynny.'

'Chefais i erioed fy arfer efo plant,' ymesgusododd yr eneth, 'ac mi allswn beidio â gwybod 'mod i'n gwneud cam â hi. Mi garwn i hon gael gwell magiad nag a ges i.'

'Rwyt ti awydd ei rhoi hi allan i'w magu, 'te,' plymiai Saro.

'Petawn i'n gallu ennill digon i dalu am le go dda iddi, lle bydden nhw'n garedig wrthi, rydw i'n credu mai dyna fyddai orau gen i,' addefodd Mali.

'Synnwn i damaid nad wyt ti yn llygad dy le am unwaith. Dim ond lle mewn hen fferm fach iawn gaet ti gyda phlentyn i'w magu, ac un dyn yno, debycaf, a hwnnw'n meddwl y câi o dy drin di fel y mynnai,' myfyriodd Saro'n uchel. Yna, mewn tôn fwy bywiog, 'Mi ddylai tad y plentyn yma dalu am ei magu hi.'

Ysgrwtiodd Mali'n flin. 'Gadewch o allan o'r stori. Rydym ni wedi darfod sôn amdano fo. Hyd yn oed petai o'n medru talu, ofynnwn i ddim iddo fo, a dyna ben.'

'Rwyt ti'n annuwiol o ystyfnig,' dwrdiodd ei lletywraig. 'Mi gymerwn i yr eneth fach o ran fy nheimlad, ond yn fy oed i does dim sicrwydd y byddwn i byw i'w magu hi i'r pen.'

'Tybed gymerai Mallt hi?' awgrymodd Mali. 'Neu oes ganddi hi ormod yn barod?'

'Rhywun felly sydd debycaf yn aml o wneud,' ebe Saro. 'Beth wnaet ti, a chaniatáu dy fod yn cael lle wrth dy fodd i'r plentyn? Oes gen ti rywle mewn golwg i ti dy hun?'

Ysgydwodd Mali ei phen.

'Ond rwyt ti wedi meddwl am rywbeth, yn siŵr gen i?' pwysodd y llall. Dim ateb. 'Hoffet ti i mi ymorol am le go dda iti, mewn ardal newydd, lle na ŵyr neb ddim o'th hanes di?'

Ysgydwodd Mali ei phen eto. Gwylltiodd Saro.

'Dywed rywbeth, ferch, yn lle'r hen ysgwyd pen tragywydd yna.'

'Mae'n gas gen i feddwl am gychwyn eto mewn lle hollol ddiarth, heb fod yn adnabod neb yno,' eglurodd Mali'n araf.

'Wel, y ffordd hyn amdani felly,' meddai Saro, yn falch o gael rhywbeth pendant o dan ei thraed o'r diwedd. 'Mi glywais si ddoe fod Lis, ail forwyn yr Hendre yma, yn sôn am briodi. Mi bicia i heibio yno fory. Dydi o ddim yn lle drwg, er fod Martha Jones yn tueddu i yrru'n go drwm weithiau.'

'Mi fyddwn yn rhy agos at Seimon ffordd hyn,' gwrthwynebodd Mali.

'Neno'r annwyl, y greadures, beth sy'n dy gorddi di, 'te?' fflamiodd Saro.

Deffrôdd Mol wrth y dinc yn ei llais, a sboncio wedyn i fyny ac i lawr gan balfodio'i hadenydd a sgrechian, 'Yn dy gorddi di. Yn dy gorddi di. Y perchyll poethion a'th sgubo di.'

'Taw, Mol, neu mi dafla i yr hugan drosot ti,' bygythiodd Saro, ac yna wrth Mali, 'Ai eisiau mynd i ardal Llanala sydd arnat ti? Dywed yn blaen, a gorffen â hi.'

Eisteddai Mali'n ddistaw â'i phen i lawr a'i bysedd yn chwarae'n gynhyrfus ag ymyl ei betgwn.

'O'r gore,' chwyrnodd Saro. 'Cadw yn dy gragen. Ofynnaf i ddim iti eto.'

Cododd yr hen wraig yn stwrllyd, a'i gwedd yn fonllyd. Gafaelodd Mali yn ei ffedog.

'Nage, arhoswch, Saro,' ymbiliodd. 'Mi af i unrhyw le y gellwch chi ei gael imi.'

Meiriolodd y llall. 'Da 'merch i. Ond rwyt ti'n edrych i mi fel petai gen ti rywle yn dy gopa dy hun, a waeth iti gael y fan honno na pheidio, dim ond i mi beidio â bod o dan fy nwylo fel hyn.'

'Alla i ddim cael y fan honno,' mwmiodd Mali, 'ond os oes raid ichi gael gwybod—yr unig le y mae arna i *eisiau* mynd iddo fo ydi Plas-yr-Allt.'

Cododd Saro'i dwylo mewn syndod.

'A'n cato ni! Sut dy fod ti mor debyg i mi, dywed, a ninnau heb fod yn perthyn yr un dafn o waed i'n gilydd?'

Eisteddodd y ddwy mewn distawrwydd hir wedyn. Cododd Saro'i phen yn sydyn o syllu i'r tân.

'Wel, gan dy fod ti'n fodlon mynd yn ôl yno, beth sydd i'th warafun di? Mae yno le i forwyn pan fynnoch, yn ôl popeth glywa i.'

'Wedi i hyn ddigwydd?' cagiodd yr eneth. 'Fodlonai Meistres byth i ffasiwn beth.'

'Wn i ddim yn wir. Roddwn i mohono fo tu hwnt iddi os câi hi di fymryn yn rhatach na rhywun arall. A falle'i bod hi'n ei ddeall o yn ddigon da erbyn hyn i wybod nad ydi o mo'r dyn i beryglu'i fyd da am yr eildro efo dy siort di. Mi fydd hithau'n gwybod i fod â'i llygaid ar agor y tro nesa. Mae'n debyg na ddaeth o ddim i'w meddwl hi y tro o'r blaen fod unrhyw beryg ynglŷn â thi.'

'Fuasai arna i ddim eisiau yr un ddimai'n fwy o gyflog nag oeddwn i'n ei gael.'

'Na fuasai'n wir?' dwrdiodd Saro. 'A'r eneth fach yma gen ti i'w magu? Deg swllt ar hugain a gwneud gwaith pen-forwyn hanner yr amser! Ond,' yn dawelach, 'waeth imi heb â sôn am gyflog pen-forwyn iti, neu wêl hi ddim mantais o'th gael di.'

'Ydych chi o ddifri'n tybio y cymerai hi fi'n ôl?' gofynnodd Mali'n grynedig.

'Synnwn i ddim, gan dy fod ti mor rhyfedd â bod ag awydd mynd i'r fath le. Petait ti'n unrhyw eneth arall yn y fan yma, mi ddwedwn mai'r drwg oedd yn dy galon di, ond rwy'n fodlon credu amdanat ti nad wyt ti â'th feddwl ar ddim felly. Wyt ti?' Ac edrychodd Saro'n llym a chraff arni.

'Nac ydw, yn wir,' tyngodd Mali'n onest. Yn unigrwydd a thawelwch y dyddiau cynt, fe ddaethai'n nes nag y bu hi erioed cyn hyn at wahanu dyn ifanc llawen y Ffair oddi wrth ŵr Ann Huws Plas-yr-Allt. Roedd y ddau yn gymaint arwyr â'i gilydd ganddi; ond tra meddai'i breuddwydion hi hawl ar y naill, roedd y llall yn eiddo i'w wraig ac yn anghyraeddadwy am byth iddi hi. Ei methiant i weld y gwahaniaeth hwn fisoedd yn ôl fu ei phrofedigaeth.

'Felly,' addawodd Saro, 'mi gychwynnaf ar ei glasiad hi fory i edrych beth alla i ei wneud.'

'Mae hi'n rhy bell i chi,' gwrthwynebodd Mali, ond â llawenydd yn ei chalon hefyd. 'Falle y medraf i bicio i ofyn ryw ddiwrnod.'

'Y ti!' gwawdiodd y llall. 'Fedri di ymresymu â neb, dim ond deud dy neges yn foel ac yn blwmp, ac fe'th gwrthodai hi di ar unwaith. Mi ddangosaf i iddi fel y bydd yn taflu llwch i lygaid y wlad wrth dy gymryd yn ôl, a'r fantais fydd iddi hithau o gael geneth mor dda am gyflog mor fach. Mi alla i fynd a dod mewn diwrnod yn rhwydd. Ddeallais i ddim yn iawn o'r blaen ble oedd y lle, ond wedi i Mallt egluro imi, mi welais y gallswn fod wedi dilyn godre'r moelydd yma nes bod ar gyfer Y Gadair, a chroesi ar draws gwlad wedyn a chyrraedd y Plas ar hanner y cerdded sydd rhaid ei wneud wrth ganlyn llwybr y môr.'

Bu Saro gystal â'i gair. Cododd yn fore drannoeth, a chyda phastwn mawr cryf yn ei llaw, a'i hesgidiau ysgafnaf am ei thraed, roedd yn barod i gychwyn.

'Mae esgidiau fel hyn yn ddigon cryf i ddal petai raid imi groesi lle llaith,' athrawiaethodd wrth Mali, 'ac eto'n ddigon ystwyth i beidio â'm blino i. Mi fydd rhaid i tithau gael pâr o esgidiau at gerdded, pan ddaw pethau i'w lle efo ti. Wyt ti'n meddwl y gwnaiff hi roi pryd o fwyd imi, dywed?'

'Mi oedd hi'n rhoi tamaid i rywrai ar dro,' atebodd Mali, 'os digwyddai bod hawnt go dda arni, ac iddyn nhw beidio â disgwyl lle rhy fras.'

'Well imi gymryd clwff o fara a phreiten fach o fenyn efo mi, 'te,' penderfynodd Saro, 'er mwyn gwneud yn siŵr.'

Treuliodd Mali ddiwrnod prysur wedi iddi gael y lle iddi'i hun. Newidiodd ddillad gwely'r gegin a'r siambr, a chynnau tân coed braf yn y cefn. Hongiodd yr hen grochan mawr â'i lond o ddŵr ar y drybedd uwchben, a golchodd bopeth oedd yn olchadwy. Ni ddihangodd yr un dilledyn, na'r gwrthbanau na'r cwiltiau trymion wedi'u clustogi â gwlân defaid yr ucheldir. Ni sylweddolai hi fod llawer amgenach graen ar y golchiad yma a wnâi i Saro nag ar hwnnw a wnaethai tua blwyddyn ynghynt. Heb yn wybod iddi'i hun, roedd wedi dysgu llawer ym Mhlas-yr-Allt.

Ei hunig bryder y diwrnod hwnnw oedd ofn i rywun ddod ar ei gwarthaf a'i chadw i siarad. Roedd yr wythnosau o osgoi'r gweision a'r dieithriaid yn y Plas wedi gadael eu hôl arni a'i gwneud yn fwy amharod na chynt hyd yn oed i wynebu pobl. Gosododd y baban ar obennydd ar garreg y drws, iddi gael cysgu yn yr haul. Ond roedd yn barod ar y rhybudd lleiaf i'w chipio yn ei breichiau a rhedeg i'r siambr i guddio. Fe wyddai fod Mol yn well na'r un ci i warchod y lle yn absenoldeb Saro. Os clywai hi draed dieithr yn dynesu, fe alwai yn ei llais croch aflafar.

'Yn ara deg. Yn ara deg. Pwy sydd yna?'

Fe ddychrynai hynny pwy bynnag fyddai yno rhag anturio ddim pellach na'r trothwy, ac fe ymwthiai'r stori i'w gof, serch iddo beidio â'i chredu, fod i Saro'r Wern rywfaint o gyfathrach â'r Un Drwg.

Eithr cafodd Mali lonydd gyda'i golchi trwy gydol y diwrnod hwnnw, a'r baban heddwch i gysgu. Roedd popeth wedi'i orffen—hyd at sychu—a'r uwd at swper wedi hen ferwi, cyn iddi glywed blaen y pastwn onnen yn curo ar y palmant wrth y drws. Rhedodd i'w agor.

Suddodd Saro i lawr yn lluddedig ar y sgiw.

''Merch fach i, rwyf wedi glân ymlâdd. Tyrd â mymryn o ddŵr cynnes imi olchi 'nhraed, a ffiolaid o'r uwd acw, ac wedyn mi awn i glwydo. Mi gei'r hanes fory.'

Wrth brysuro i mofyn y badell a'r dŵr, mentrodd Mali ofyn yn swil,

'Ydych chi'n meddwl y caf i fynd yno?'

'Cei neno'r annwyl,' oedd yr ateb didaro. 'Ond O! Mali fach, dyna flinedig ydw i. Rhaid 'mod i'n hŷn nag oeddwn i'n meddwl. Ychydig iawn yn ôl, mi allwn gerdded faint fynnwn i heb iddo fennu dim arna i, ond mae'r lle yna mor ddychryn-llyd o bell, hyd yn oed wrth groesi'r ffordd y gwnes i.'

Bu raid i'r eneth fodloni ar hynny tan brynhawn trannoeth. Dywedai Saro nad oedd ganddi hi mo'r amser i siarad y bore, gan fod yn rhaid arni ymroi iddi i ferwi rhyw gyffuriau yr oedd wedi eu haddo i'w chwsmeriaid. Ond ni flinai hyn Mali. Roedd clywed ei bod i gael mynd i'r Plas yn ddigon ganddi. Nid oedd yn teimlo nac yma nac acw o chwilfrydedd ynghylch sut y gallodd Saro wneud hynny'n bosib.

Roedd hi'n brynhawn ar yr hen wraig yn ei gosod ei hunan yn gysurus ar y setl, a dweud,

'Mi alla i ddechrau ar fy stori nawr. Cymer dithau'r bwndel agrimoni yna a'i falu o'n llwch i'r llestr yma. Mi fydda i yn gwneud llawer o hynny ddiwedd y gaeaf er mwyn cael y lle'n barod at sychu dail newydd pan ddôn nhw . . . Wel iti, mi gyrhaeddais yno'n rheiol, er ei bod hi wedi un ar ddeg arna i'n gwneud hynny.'

'Amser cinio,' atgofiai Mali.

'Doedd yno fawr o olwg am ginio, beth bynnag. Wyddost ti fod dwy o'r tair morwyn ddaeth yno'n dy le di wedi ymadael cyn pen yr wythnos, a'r llall yn dda i ddim? Mae'r Feistres ynddi hi'n ofnadwy, allwn i feddwl.'

'Sut cawsoch chi'r hanes?'

'O, sbrotian yma a thraw. A dyna un peth a'm gwnaeth i'n hwyr yn cyrraedd yno,' meddai Saro'n ysgafn, ond gan droi cilolwg gwyliadwrus ar Mali yr un pryd, 'oedd imi ddigwydd cyfarfod y Meistr Ifanc yn cychwyn i rywle ar ei geffyl, gydag imi ddringo i'r ffordd, lled dau gae o'r llidiart wen honno.'

Barnodd Saro na byddai'n ddoeth cydnabod iddi aros awr a hanner i wylio am y cyfarfyddiad hwnnw. Os disgwyliai i Mali ei holi'n ei gylch, fe'i siomwyd, a gorfu iddi gamu ymlaen gyda'i stori heb gefnogaeth.

'Do,' ategodd ei hun, 'a chan 'mod i wedi meddwl am sgwrs ag o, mi wneuthum arwydd arno fo i aros.'

'A wnaeth o?' Gobeithiai Mali â'i holl galon mai 'Naddo' fyddai'r ateb. Ei theimlad cryfaf yn ei gylch ef y dyddiau hyn oedd awydd angerddol i'w amddiffyn rhag canlyniadau ei garedigrwydd tuag ati.

'Wrth gwrs.' Gresynai'r hen wraig at gwestiwn mor ynfyd,

a hithau newydd adrodd ei bod wedi erchi iddo aros. 'Wyddai o ddim ar wyneb y ddaear pwy oeddwn i, a'r cyfan ddwedais i oedd, "Mae hi'n ddigon hawdd i mi eich hadnabod chi, syr, oddi wrth berthynas fach ichi sydd gen i yn y tŷ acw." Pe gwelet ti o'n cochi! Mi wyddai'r gŵr bonheddig yn eitha beth oedd gen i mewn golwg, ond ni chymerodd arno fel arall nes imi ddeud, "Waeth ichi heb geisio bwrw dieithr. Fedrwch chi, na neb arall, byth wadu'r glust yna sydd ganddi hi." '

'Rhag eich cywilydd chi!' fflamiodd Mali, a'i llygaid ar dân. 'Pe gwyddwn i mai dyna wnaech chi wedi mynd yno, chawsai yr un o'ch traed chi fod wedi mynd yn agos i'r lle.'

'Taw â sôn. Wneuthum i ddrwg yn y byd. Mi aeth o fymryn o'i go, mae'n wir, a gofyn yn bur chwerw a oeddet ti wedi bod yn deud rhywbeth. Mi ddwedais innau'n hollol bendant wrtho fo nad oeddet ti ddim, hyd yn oed wrthyf i, heb sôn am wrth ei wraig o. Mi ddofodd hynny dipyn arno fo, ac ebe fo, "Do yn wir, chwarae teg iddi, mae'r greadures fach wedi bod yn driw iawn, ac rwy'n hynod o ddiolchgar iddi hefyd. Mi olygodd lawer iawn i mi." '

Gloywodd llygaid Mali.

'Ddwedodd o hynny, mewn difri?'

Dyma un o funudau mawr ei bywyd, ac ni fuasai ei hapusrwydd ronyn yn llai petai Saro heb anghofio gadael allan yr ansoddair ar ôl ei ddisgrifiad ohoni, ac wedi ailadrodd ei frawddeg yn union fel y llefarwyd hi gan Tim Huws, am y 'greadures fach ddiolwg'.

'Do, a da y gallai o,' meddai Saro'n llym. 'Mi ddwedodd hefyd fod yn ddrwg ganddo fo i'r wraig dy droi di i ffwrdd mor sydyn, ac iddo deimlo'n anesmwyth iawn amdanat ti byth er hynny. "Ond nid yn ddigon anesmwyth i holi dim o'i hynt hi," meddwn i wrtho fo. "Sut fuasai hi wedi bod arni petawn i heb ddigwydd bod yn nhŷ Mallt y diwrnod hwnnw? Beth ddaethai ohoni, ys gwn i?" Ac wedyn mi roddais i ddalen go helaeth o'th hanes di iddo fo—y byd gawsom ni i gyrraedd adre, ac mor ddrwg y buost ti. Roedd o agos â chrio erbyn i mi orffen efo fo.'

'O Saro!' ceryddodd Mali'n wylofus. 'I beth oeddech chi'n ei boeni o felly? Fûm i ddim mewn cymaint byd â hynny.'

'Mi gei di weld pam yn y munud. Mi draethais i wrtho fo nad oeddet ti'n fodlon gofyn dimai at fagu'r baban, ac nad oeddwn i'n hoffi gorfod mynd at y Feistres yn groes i'th feddwl di, ond ei bod hi'n anodd iawn cael neb i fagu plentyn heb swm pur dda o arian i fynd efo hynny. Wedyn, mi awgrymais y byddai hi'n gryn fantais iddo fo i'r eneth fach â'r nam ar ei chlust fod bellter go dda o'r Plas.'

'Mi wyddoch yn iawn, Saro, nad oeddwn i eisiau'r un ddimai gan neb at y plentyn,' llefodd Mali. 'Mi dala i am ei magu hi fy hun, ac rwy'n ddig o galon wrthych chi am siarad fel'na gyda'r Meistr Ifanc.'

'Gwnei, mi dali di lawer efo hynny o arian gei di gan hen wreigan y Plas,' gwawdiodd Saro. 'Wel iti, wedi troi a throsi, a deud yn gyfrinachol wrthyf i nad oedd ganddo fo ddim arian ar ei law ei hun—fel mae pawb trwy'r wlad yn ei wybod yn iawn, o ran hynny—ond ei fod yn gadael popeth felly yn nwylo'r wraig, dyma fo i'w logell yn reit sydyn a thynnu allan ddyrnaid o sofrod melyn. "Hwdiwch y rhain iddi hi, yr hen wraig," medde fo. "Mi ges i andros o drafferth i'w cael nhw o achos yr helynt yma ynghylch Mali, a chychwyn i brynu un o'r ebolion bach delaf welais i erioed yr oeddwn i efo nhw, ond mi balaf rhyw gelwydd neu'i gilydd am hwnnw. Dwedwch wrth Mali 'mod i'n eu rhoi nhw iddi am fod yn ddistaw." Mi hoffwn i fod wedi deud rhywbeth wrtho fo y pryd hwnnw hefyd, ond brathu 'nhafod wnes i, o achos . . . Edrych!' A thynnodd Saro'r trysor yn fuddugoliaethus o hen boced fawr o dan ei ffedog. 'On'd ydyn nhw'n hardd? Ugain ohonyn nhw gyda'i gilydd, cofia.'

'Chymera i mohonyn nhw am bris yn y byd. Mi caiff o nhw'n ôl bob un,' sicrhaodd Mali'n bendant.

'Cymer di'n ara,' cynghorodd Saro.

Agorodd Mol un llygad cysglyd.

'Yn ara deg. Yn ara deg,' cynghorodd hithau.

Chymerodd ei meistres ddim sylw ohoni, ond canlyn ymlaen â'i sgwrs.

'Mi fydd yn ddigon da iti wrthyn nhw cyn y gorffenni di fagu'r eneth fach yma, a wnaet ti ond brifo'i deimladau o petait ti'n eu hanfon nhw'n ôl.'

Gwyddai Saro'n iawn fod Tim Huws yn eithaf tebyg o fod wedi edifarhau eu rhoi, ymhell cyn iddi hi gyrraedd drws cefn y Plas. Felly brysiodd ymlaen i adrodd ei hynt yn y fan honno, rhag rhoi cyfle i Mali fyfyrio gormod uwchben yr aur.

PENNOD IV

'Mi ddigwyddais yn ddigon ffodus wrth y tŷ hefyd,' aeth y ddoctores ymlaen, 'o achos mi drewais ar yr hen wraig yn syth. Roedd golwg ddreng ofnadwy arni hi, ond cyn gynted ag yr enwais i di mi heliodd fi i ryw barlwr bach sydd ganddi yn y cefn, rhag i'r forwyn glywed, mae'n debyg.'

'Dyna lle bydd hi'n arfer talu cyflogau,' eglurodd Mali.

'Roedd hi'n hallt gynddeiriog ar y dechrau, ac yn gofyn yn filain iawn beth oedd arnat ti ei eisiau ganddi. Mi dybiodd mai ar ôl arian yr oeddwn i, ond petasai'r ladi'n gwybod y cwbl, roeddwn i wedi bachu hwnnw eisoes. "Dydi hi eisiau dim byd," meddwn innau'n reit ostyngedig, "ond ei bod hi'n meddwl yr hoffech chi glywed i bethau fynd trosodd yn iawn efo hi. Roedd hi'n ofni y byddech chi'n anesmwyth amdani hi, heb unman i droi, a fawr iawn o arian yn ei phoced, a'r plentyn i'w eni drannoeth." '

'Ddwedais i yr un gair fel'na wrthych chi,' cywirodd Mali hi.

'Naddo, falle, ond mi ddylet fod wedi'i ddeud,' ebe'r llall yn ddigynnwrf. 'Mi ddeallodd yr hen genawes yn rheiol hefyd. Mi drodd ei hwyneb hi fel popty ac mi wichiodd, "Drannoeth! Wyddwn i ddim ei bod hi mor agos i'w hamser â hynny." "Mae'n debyg na fyddai hi ddim," meddwn innau, "oni bai iddi orfod cerdded gryn bymtheng milltir y diwrnod hwnnw." Wedyn, mi ddeuthum at fy neges. Mi ddwedais dy fod bron yn barod i le, ac yn awyddus am un yn ardal Llanala, gan feddwl y byddai dieithriaid yn beryclach o'th holi a'th stilio di na phobl oedd yn d'adnabod di'n barod; a'th fod yn gofyn tybed oedd hi'n gwybod am rywle cyfaddas. O, mi rois i bwyslais tan gamp arno fo.' A chwarddodd Saro.

'Ond mi ddwedais i'n ddigon plaen nad oeddwn i am le yn Llanala,' ceryddodd Mali'n ffrom. 'Waeth imi heb â siarad wrthych chi.'

Aeth y llall ymlaen heb gymryd sylw ohoni.

'Mi wyddwn i'n eitha da y byddai arni hi fwy o ofn i'r ardal honno gael dy hanes di nag unman dan haul. Mi ofynnodd yn dringar oedd y Wil yna ddim am dy briodi di. Mi ddwedais innau 'mod i'n ofni nad oedd yna'r un tebygolrwydd o hynny. Wedyn mi fynnai wybod a oeddwn i wedi'i weld o rywdro, ac mi atebais innau nad oeddet ti ddim am gyfaddef hynny hyd yn oed os gwnes i, dy fod ti'n gun iawn o'th hanes ac yn deud dim ond ei fod o'r ochr draw i'r mynydd. Mi dawelodd hynny lawer ar ei meddwl, ond rhag iddo fod yn rhy dawel mi grybwyllais dy fod yn sôn weithiau am gymryd lle a chael magu'r plentyn ynddo, ac os digwyddai'r lle hwnnw fod yn ei hardal hi, y câi hi gyfle i farnu drosti'i hun pwy oedd y tad, gan nad oedd yr eneth fach yn tebygu yn y modd lleia i ti.'

'I ba ddiben yr oeddech chi'n deud felly wrthi hi?' gofynnodd Mali'n syn.

'Am ei bod mor groes i'r graen ganddi hi feddwl am i'r plentyn ddod i ardal y Plas,' gorfoleddai Saro. 'Mi soniodd wedyn lle mor braf ydi'r Wyrcws i blant fel hon, ond mi ddwedais dy fod ti'n benderfynol o'i chael i mewn i deulu taclus yn rhywle os na fyddet yn ei chadw dy hun; ac mai fy nghyngor i oedd, os caet ti le go dda i ti dy hun, ei gyrru hi dipyn o bellter i ffwrdd, rhag bod pawb o'i chwmpas yn pwyntio bys ati a'i galw'n blentyn siawns.'

'Chlywais i erioed mohonoch chi'n deud felly,' sylwodd Mali'n ddiniwed.

'Naddo, dywed?' meddai Saro, mor ddiniwed â hithau. 'Mi fu'n pensynnu'n hir ar ôl hynny, ac mi welwn ei bod hi'n dechrau llygadu'r hyn oedd gen i iddi. Yna mi drodd i gagian, a deud dy fod ti'n eitha dy waith, dim ond fod rhaid i rywun edrych ar d'ôl di bob munud, ac oni bai am yr helynt yma y buasai hi'n ddigon bodlon i gydymddwyn â thi, ond fod hyn yn beth annymunol iawn i ddigwydd mewn tŷ parchus. Mi ddwedais innau'r adeg honno dy fod ti'n siwriantu na ddigwyddai dim byd tebyg eto ac yn addo na fyddai dim cyfathrach rhyngot ti a'r Wil yma rhagor.'

'Beth wedyn?' Roedd Mali wedi anghofio'r agrimoni ers meitin, ac yn eistedd yn gwrando'n awchus, a'i dwylo ymhleth.

'Y diwedd fu imi dy gyflogi di yno, i ddechrau arni cyn gynted fyth ag y medri di. Mi ddwedais ei bod hi'n debyg y byddet ti bythefnos cyn dod, ond erbyn hynny roedd hi â brys mawr amdanat ti a dim digon o drin ar y forwyn sydd ganddi'n awr. Wyt ti ddim yn gofyn am faint o gyflog?' meddai Saro, braidd yn siomedig ei thôn.

'Yr un faint â'r llynedd, mae'n debyg.' Teimlai Mali'n gwbl ddifater ynghylch hynny.

'Deg swllt ar hugain! Na, choelia i fawr! Mi ymladdais fy ngorau i gael teirpunt iti, ond Pharo o wraig ydi hi. Mi soniais y byddai'n rhaid iti dalu am fagu hon a phopeth, ond doedd dim yn tycio. Dwy bunt oedd yr ucha y medrais i ei godi. Trydedd forwyn wyt ti, medde hi, a minnau'n ei hatgoffa dy fod yn gwneud gwaith pen-forwyn yn aml. "Dim ond ar dro siawns," medde hi, "a minnau efo hi bob amser, gan nad ydi hi wedi arfer ceulo a phobi a chorddi mewn lle mawr fel hwn." Ei chelwydd hi! A thithau'n gwneud byth a hefyd iddi ar ôl i'r Margied honno dy ddysgu di.'

'Pa waeth?' ebe Mali. 'Mae dwy bunt yn iawn gen i, ac yn fwy nag a ges i yn fy oes o'r blaen.'

'Ie, ond mi fydd y plentyn yn costio mwy na dwy bunt iti mewn blwyddyn, cofia.'

'Os ydych chi'n deud y buaswn i'n dolurio'r Meistr Ifanc wrth anfon y sofrod yma'n ôl iddo fo, mi ddaw'r rhain at dalu am fagu'r eneth fach.'

'Dônt, falle,' cytunodd Saro'n wannaidd. Ei syniad hi oedd cadw y rheini wrth gefn i'r fam ddiswcwr, ond doedd dim i'w wneud ond gwyro i Mali am y tro.

Ni soniwyd am y pwnc wedyn, nes i Mali ddweud, wrth fwyta'i swper, 'Pe cawn i le iddi hi,' gan amneidio at y baban oedd yn cysgu ar obennydd ar lawr yr aelwyd, 'gorau po gynta imi ddechrau gweithio. Mi aiff yn drwm i chi fy nghadw i o hyd.'

'Taw â siarad gwirion,' meddai Saro'n gwta. 'Mae hi'n amheuthun i mi gael cwmni. Mi fydda i wrth fy modd efo rhywun sy'n gadael imi fusnesa a thrin tipyn ar eu hamgylchiadau nhw, a hynny heb siarad gormod eu hunain.'

Syllodd Mali arni'n fyfyrgar. Sylwodd yn ddisymwth mor hen yr edrychai, a blinedig hefyd, ar ôl lludded y daith ddoe. Er bod ei chalon yn llawn diolchgarwch trwy'r bythefnos oedd newydd fynd heibio, fe welodd yn awr yn gliriach nag erioed o'r blaen mor fawr fu caredigrwydd Saro tuag ati, a hynny heb fod gronyn o gysylltiad na pherthynas rhyngddynt. Gan ddangos ei theimlad mewn modd cwbl ddieithr iddi hi, gosododd ei llaw am eiliad ar lin yr hen wraig, a dweud,

'Wn i yn y byd mawr sut y tala i ichi am bopeth, na pham rydych chi mor garedig wrth un hollol ddiarth ichi.'

Tynerodd wyneb Saro. Roedd hithau'n hoffi cael ei gwerthfawrogi, ac fe wyddai faint yr oedd o'n ei gostio i Mali i amlygu'i theimladau.

'A deud y gwir yn onest,' meddai, 'wn innau ddim chwaith. Mi fyddai'n ddigon garw gen i drosot ti bob tro y clywn i dy hanes efo Seimon, ac mi gymerais i atat ti, fwy na heb, y troeon y buost ti yma ynglŷn â'th ffrog. Eto, dydi hynny ynddo'i hun ddim yn ddigon. Rwy'n credu mai taro imi wnaeth o, pan glywais i'r si honno amdanat ti ym Mhlas-yr-Allt, fod rhywbeth ynot ti yn debyg i mi pan oeddwn innau'n ifanc.'

Ni ddaliodd Mali am funud ar y tro a roddai'r pedwar gair diwethaf i frawddeg yr hen wraig. Roedd wrthi'n ei sicrhau ei hun nad oedd yr un o'r tri drych, a brofodd mor anffodus iddi, yn dangos dim o'r rhychau dyfnion oedd mor amlwg ar yr wyneb gyferbyn â hi, na chwaith olion o'r brithni difywyd oedd yn y gwallt. Roedd Saro ymhell ymlaen ar ei sgwrs cyn i'w gwrandawr gofio am gynffon ei brawddeg a sylweddoli'i hystyr.

'Nid dy fod ti hanner mor olygus ag oeddwn i, cofia, nac yn debyg o ran cyflymder meddwl. Ond roedd yna rywbeth yn perthyn i mi y pryd hwnnw yr wyf i'n methu'n deg â phenderfynu p'un ai difetha 'mywyd i wnaeth o, ynteu ei gyfoethogi. A phan glywais i dy hanes di yn y Plas, mi ddechreuais amau tybed oedd o ynot tithau hefyd. Felly mi benderfynais fod yn gefn iti tros dy helynt, ond os gwelwn i mai dim ond drygioni dy galon oedd wedi dy gymell, y gadawn i iti wedyn. Petai waeth am hynny! Mi welais yn ddigon buan fod fy amheuon amdanat ti'n wir, ac felly, er mwyn yr eneth oeddwn i gynt, mi'th helpa i di hyd eitha fy ngallu.'

Nid oedd Mali'n deall dim ar yr hyn oedd gan Saro, ac felly tawodd.

'Paid ag edrych mor wirion, ferch,' meddai hithau'n ddiamynedd. 'Rwy'n disgwyl o hyd i helyntion y byd yma gyflymu tipyn ar dröell dy feddwl. Oes gen ti ddim eisiau gwybod beth sy'n debyg ynot ti a minnau?'

'Oes,' ebe Mali'n ufudd.

'Mi ddweda i wrthyt ti. Ffyddlondeb i wrthrych annheilwng. Wyt ti'n deall nawr?'

Ysgydwodd Mali ei phen.

'Roeddwn i'n meddwl na wnaet ti ddim,' gwenodd Saro'n fuddugoliaethus, 'a bron na ddwedwn i'r stori wrthyt ti. Fuaset ti'n deall yr un mymryn mwy ohoni nag oeddwn i am iti wneud, a dwyf i ddim yn tybio fod peryg iti ei hailadrodd hi chwaith. Mi fyddwn i'n dafotrydd iawn erstalwm, ond pan ges i gyfrinach yr oeddwn i'n benderfynol o'i chadw trosof fy hun, ac wedyn ambell un o eiddo fy nghwsmeriaid, mi fu raid imi droi'n dawedog. Os bydd rhywun yn siarad llawer, mae peryg iddo adael i air nad oedd o'n ei fwriadu lithro allan ar dro.'

'Ie,' cytunodd Mali, 'mi welais innau mai bod yn ddistaw ynglŷn â phopeth ydi'r ffordd ddiogelaf i gadw unpeth.'

'Wnest ti'n wir?' meddai Saro yn bur edmygol. 'Doi, mi ddoi dithau'n raddol, a falle na fydda i ddim mor barod i adrodd fy hanes wrthyt ti y pryd hwnnw. Fel y soniais i o'r blaen, roeddwn i'n dlysach o lawer nag wyt ti. Yn wir, roeddwn i'n hardd. Mi glywais hynny ddigon yma yn y wlad, ac wedyn yn Llundain, fel nad oes yna ddim o'i le imi'i gredu o, a ph'un bynnag, rwy'n ddigon parod i addef ei fod o i gyd wedi diflannu erbyn hyn. Roeddwn i'n fywiog hefyd, ac yn ffraeth fy nhafod. Fel, rhwng popeth, doedd o ryfedd yn y byd fod fy rhieni'n bryderus o weld eu Saron yn cychwyn i Lundain.'

Cydiodd Mali yn yr enw.

'Saron? A minnau'n meddwl bob amser mai Sara oedd eich enw chi.'

'Nage, Saron. Rhosyn Saron—o'r Beibl, wyddost.' Ond roedd y Beibl yn llyfr caeedig i Mali ymhob ystyr, ac nid oedd hi fymryn elwach o'r eglurhad. 'Pan aned fi, roedd fy mam druan yn mynnu 'mod i'n debyg i rosyn ac roedd hi am fy ngalw i'n hynny, ond roedd 'nhad yn deud fod Rhosyn yn enw rhy wamal ar ferch, ac felly mi gytunodd y ddau i 'ngalw i'n Saron. Wedyn, pan oeddwn i'n dal yn blentyn, mi anfonwyd fi'n forwyn fach i Blas-y-Glyn.'

'Lle bu fy mam i,' llefodd Mali'n falch. Plas-y-Glyn, a phopeth ynglŷn â'r lle hwnnw, fu'r unig ramant yn ei bywyd am flynyddoedd.

'Ie siŵr, ond roedd hyn rai blynyddoedd cyn i dy fam di fynd yno.'

'Mae'r lle'n wag nawr, on'd ydi?' gofynnodd yr eneth, gyda mwy o ddiddordeb yn y Plas nag yn stori'r hen wraig.

'Ydi, a gwag fydd o, mae'n debyg, tra bydd byw yr hen Syr, ac wedyn hefyd, o bosib, o achos rhyw berthynas pell yn Awstralia ydi'r aer. Ond rwyt ti'n fy chwalu i efo'm stori! Pan briododd yr aer, mi ges i fynd yn forwyn i weini ar y Ladi ifanc, i'w helpu i wisgo amdani, gwneud ei gwallt, a chadw trefn ar ei dillad hi.'

'Yr aer sydd yn Awstralia?' holodd Mali'n gymysglyd.

'Nage'r gloncen! Yr aer y pryd hwnnw, tros hanner canrif yn ôl—Meurig Llwyd, a gyd-fagwyd â mi, yr hen Syr erbyn hyn. Ei wraig o oedd y Ladi newydd. Mi fûm i gyda hi am rai blynyddoedd. Wedyn, am reswm neilltuol, mi benderfynais geisio am le fel gwniadwraig yn un o siopau mawr Llundain. Roeddwn i wedi gorfod dysgu tipyn o wnïo gan hon a'r llall er mwyn trin dillad Ladi Llwyd. Mi gafodd hi waith imi yn y siop lle'r arferai hi brynu ei gwisgoedd ac roeddwn i'n gwneud yn iawn yno ac wedi cyrraedd i gyflog pur dda. Eto, mi adewais i'r cyfan, a dod adre i'r fan yma. Cyn hynny, mi arferwn dybio na allwn i byth ddygymod â'r wlad, a minnau mor hoff o fywyd Llundain, ond fûm i ddim yn agos i'r un dre fawr byth ar ôl hynny. Oes arnat ti ddim awydd gwybod pam?'

'Oes,' meddai Mali, mewn cais at foesgarwch.

'Am yr un rheswm yn union ag yr wyt tithau'n fodlon mynd i slafio dy enaid i ffwrdd ym Mhlas-yr-Allt am ddwybunt y flwyddyn a bwyd sâl. Mi gefais i gariad yn Llundain, un â chysylltiadau â'r ardal yma, ond yn anffodus i mi roedd o'n ŵr priod ac yn uwch ei stad o lawer na mi. Wn i ddim faint oedd o'n ei feddwl ohonof i mewn gwirionedd, hyd yn oed ar y dechrau—dim llawer, mae'n bosib, ond ei fod o'n gallu cymryd arno'n well na . . .' Daliodd Saro lygad Mali a brysiodd i ail-lunio'i hymadrodd. '. . . yn well na llawer un. Amdanaf i fy hun, er 'mod i'n gwybod y byddai o'n ddigon i wneud am yr hen bobl yma yn y Wern petaen nhw'n clywed fy hanes i, fo oedd codiad haul a'i fachlud i mi. Dim ond iddo fo fod yn hapus, doeddwn i'n malio am neb na dim arall.'

'Ac felly finnau!' llefodd yr eneth, a'i llygaid yn disgleirio.

Ni chymerodd Saro un sylw o'i chyffes, ond dilyn ymlaen â'i stori.

'Un wythnos, roeddem ni'n brysur iawn gyda gŵn i Ladi Llwyd. Roedd o o'r sidan drutaf, a'i liw fel gwin tan lewych yr haul. Mi gymerodd gryn amser i'w wneud gan fod pob pwyth ynddo fo i'w wnïo â llaw, a phob un o'r pwythau i fod yn anweledig i lygad noeth. O'r diwedd, mi orffennwyd y wisg, ac roedd hi mor hardd.'

'Mi glywais ddeud mai lliw'r gwin ydi fy ffrog i,' ebe Mali'n araf.

'Ond dy ffrog di yr ydw i'n sôn amdani. Wyt ti ddim yn cofio imi ddeud wrthyt ti 'mod innau wedi'i gwisgo hi erstalwm? A dyna sydd gen i'n awr. Y noson y gorffennwyd y ffrog, mi ddigwyddodd nad oedd yno neb i'w danfon hi at y cwsmer. Mi gofiodd y feistres mai oddi wrth Ladi Llwyd y deuthum i yno ac mi ofynnodd i mi fynd â'r parsel. Mi gychwynnais innau'n ufudd, ond wrth y tŷ dyma fi'n cyfarfod y dyn yma.'

'Hwnnw o'r ardal hon?' holodd Mali.

'A chanddo gysylltiadau ag yma ddwedais i,' ebe Saro'n swta. 'Roedd o hefyd yn digwydd bod yn gyfarwydd iawn â thŷ'r Ladi, ac mi ddwedodd ei bod hi oddi cartre am dridiau. Dyma fo'n gofyn beth oedd gen i iddi ac mi adroddais innau am y ffrog. A beth feddyliet ti ddaeth i'w ben o nesa?—i mi ei benthyg a'i gwisgo hi i fynd allan i swpera gydag o! Wel, roeddwn i bob amser yn barod am hwyl, a'r pryd hwnnw yn llawn awydd i ddynwared y mawrion. Mi fynnodd imi wneud yr un peth nos drannoeth, a'r noson wedyn hefyd. Chafodd y Ladi byth wybod. Mi dwtiais i'r ffrog ar ôl y drydedd noson. Yr unig nam arni oedd un smotyn bychan o win a gollodd un ohonom ni, a welech chi mo hwnnw heb graffu, o achos dyfnhau lliw'r wisg ei hun yr oedd o. Dyna'r marc yr oeddwn i'n chwilio amdano pan ddoist ti â hi yma'r llynedd, ac mae o arni o hyd.'

'Wisgodd y Ladi lawer arni, tybed, cyn ei rhoi i fy mam?' meddai Mali'n fyfyrgar.

'Nid hi a'i rhoddodd i'th fam,' eglurodd yr hen wraig, 'ond y Syr ei hun yn ôl pob tebyg, o achos mi fu farw'r Ladi'n fuan iawn wedi'r amser y soniais i amdano fo. Roedd dy fam yn gweini yn y Plas erbyn hynny, ac roedd yn ddigon naturiol i'r Syr gofio amdani wrth glirio dillad y wraig gynta i wneud lle i rai'r ail wraig. Ymhen deunaw mis mi briododd o ferch oedd yn casáu'r wlad a byth am ddod yn agos i Blas-y-Glyn wedi'r tro cynta iddi fod yno. Ond roedd ei thras hi'n uchel a'i chyfoeth yn fawr, a dyna'r pethau yr oedd o'n eu prisio. Mae hithau wedi marw erbyn hyn, ond ddychwelodd o byth i'r Glyn.'

'Beth ddigwyddodd i'r dyn hwnnw oeddech chi'n ei garu?' anturiodd Mali ofyn yn swil.

'Y fo? Wel, mi fu farw ei wraig yntau'n bur fuan, a dyna pryd y gwelais i nad oeddwn i'n ddim yn ei olwg o, ond safle ac uchelgais yn bopeth. Mi es ato fo i ddeud fy mod i, fel tithau, wedi mentro'n rhy bell. Mi ddeallais wrth y braw oedd arno fo nad oeddwn i'n cyfrif yn ei olwg o. Mi gynigiodd arian imi, dyna i gyd. Ac mi cymerais i nhw. Pam lai? Fel mae dyn yn heneiddio, mae hi'n gryn gysur gallu teimlo fod yna ryw fymryn wrth gefn. Yr adeg honno, rywsut, mae cystal gafael ar fymryn o bres ag ar ddim. Dyna pam rwyf i mor awyddus i ti fachu cymaint fyth ag y cei di gynnig arnyn nhw.'

Nid oedd hyn mor ddiddorol gan Mali, a cheisiodd dynnu'n ôl i lwybr y stori trwy ofyn, 'Ydi o'n fyw'n awr?'

'Ydi, ond yn ddigon pell oddi yma.' Roedd hi'n amlwg nad oedd Saro am roi rhagor o fanylion.

'Pryd ddaethoch chi'n ôl yma i fyw?' Doedd Mali erioed yn ei hoes o'r blaen wedi cael y fath flas ar ofyn cwestiynau.

'Nid ar unwaith. Mi drawyd fy mam yn wael iawn ac mi fûm gartre am wythnosau'n gweini arni. Ond pan fu hi farw mi fynnais fynd yn ôl, yn hytrach nag aros yma gyda'm tad druan. Roeddwn i'n deud na allwn i oddef bywyd y wlad, ond mewn gwirionedd ofn aros oedd arna i. Mi wyddwn y câi 'nhad ei ddolurio hyd farw pe bawn i'n aros, ac yntau â'r fath feddwl ohonof i. Felly mi lwyddais i ddianc yn ôl i Lundain cyn i neb o'r ffordd hon ddeall am fy helbul. A phan anwyd fy mhlentyn . . .'

'Saro! Fu gennych chi blentyn?' gofynnodd Mali'n llawn syndod.

Ochneidiodd Saro.

'O! rwyt ti'n rhy ddwl! Dwyt ti ddim hyd yn oed yn deall gymaint ag ydw i eisiau iti'i ddeall. Mi ddwedais i hynna wrthyt ti gryn chwarter awr yn ôl.'

'Beth ddaeth o'r baban?' Erbyn hyn roedd diddordeb Mali'n ddigon dwfn i fodloni unrhyw un.

'Mi fu'r creadur bach farw cyn cyrraedd ei wythnos oed. Roeddwn i â mwy o helynt efo fo nag sydd gen ti efo'r fechan yma—ar yr wyneb, beth bynnag—ac mi fûm bron â thorri 'nghalon am gryn flwyddyn a hanner wedyn, rhwng colli'r plentyn, a phriodas ei dad o, a phopeth.'

'Ond roedd o wedi priodi cynt, on'd oedd o?'

'Oedd, oedd.' Aeth Saro ymlaen yn frysiog. 'Roeddwn i wedi cael lle mewn siop arall erbyn hyn, rhag i'r genethod yn y llall wybod gormod o'm hanes i. Un diwrnod, yn gwbl annisgwyliadwy, mi gododd chwant mynd yn ôl i Gymru arna i. Roeddwn i'n meddwl y buaswn i'n nes ato fo yno—roeddwn i'n ddigon gwirion i'w garu o hyd. Nid am ei fod yno bryd hynny, dealla, ond am iddo fod yno flynyddoedd cyn hynny, a minnau'n gwybod y ffyrdd y cerddai, a'i holl arferion. Felly yn ôl y dois i at fy nhad, a chanddo fo y dysgais i gasglu deiliach a'u trin. Druan diniwed, roedd o'n fy nghanmol i i'r cymylau am ddod i ofalu amdano, pryd mai ffyddlondeb dwl i'r llall ddaeth â fi, mewn gwirionedd, fel mae o'n mynd â thithau i Blas-yr-Allt. Mi wisgodd ymaith ymhen blynyddoedd, ond erbyn hynny roedd hi'n rhy hwyr imi fynd oddi yma. Roeddwn i wedi gwladeiddio gormod.'

Gwyddai Mali fod yna rywbeth oedd yn bwysig ganddi'i ofyn, ond bu'n hir iawn cyn cael gafael arno. O'r diwedd, fe'i cafodd.

'Petai'r plentyn heb farw, Saro, beth oeddech chi'n mynd i'w wneud ynglŷn â fo?'

Chwarddodd yr hen wraig.

'Mi ddwedais fod gen i syniadau uchel bryd hynny, on'd do? Ac er 'mod i'n gwirioni arno fo o'r munud y gwelais i o, mi benderfynais na fagwn i mohono fy hun. Mi fûm yn meddwl am dalu ar ei ôl o, ond wrth dalu chawn i mohono fo i mewn i deulu fuaswn i'n ei ystyried yn ddigon bonheddig, a fuaswn i ddim yn gallu arbed i'r gwrthnod o fod yn anghyfreithlon lynu wrtho fo.'

'Dyna'n union fel rwyf innau'n teimlo,' tystiodd Mali.

Aeth y llall ymlaen heb sylwi arni.

'Mi glywswn adrodd am ferch rhyw deulu urddasol iawn, mai plentyn a adawyd ar y lawnt o flaen ffenest eu hystafell fwyta oedd hi. Mi benderfynais mai dyna wnawn innau. Roeddwn i'n gwybod am ddau neu dri o deuluoedd di-blant mewn safleoedd yr oeddwn i'n eu hystyried yn deilwng o'm plentyn i, a cheisio penderfynu rhyngddyn nhw oeddwn i pan fu o farw. Erbyn heddiw, mae'n dda gen i mai felly y digwyddodd pethau. Dydi hwn ddim yn fyd i ddod â phlant iddo fo.'

PENNOD V

Distaw dros ben fu'r ddwy am weddill y noson honno; ond ben bore trannoeth, a Saro wrthi'n glanhau cawell Mol, safodd Mali wrth ei phenelin a chyhoeddi'n ddisymwth,

'Rwyf innau am wneud yr un fath gyda'r plentyn yma.'

'Gwneud beth?' meddai Saro, a'i bryd i gyd ar ei gorchwyl.

'Ei gadael ar garreg y drws i rywun ei magu,' eglurodd Mali, mor ddigyffro â phetai'n sôn am y tywydd.

Gollyngodd Saro ei hysgub rug o'i llaw.

'Mali,' rhybuddiodd, 'gochel di rhag rhoi lloches i syniadau ffôl fel yna yn dy ben.'

'Dyna oeddech chi eich hun yn fwriadu'i wneud,' atgoffodd Mali hi.

'Ond mi ddwedais wrthyt imi weld fy nghamgymeriad. Mae hi'n well i blentyn gael ei fagu yn y cylch y ganed ef iddo. Rho di'r ugain punt yna i Mallt, ac addo punt y flwyddyn iddi wedyn. Mi rof innau ddwy neu dair punt iddi bob Calan tra bydda i byw. Ŵyr Mallt fawr arni'i hun gyda'r twr yna sydd ganddi'n barod, a'm cred i ydi y byddai hi'n ddigon caredig wrth y beth fach.'

Ysgydwodd Mali'i phen yn ystyfnig.

'Na, tebyg i mi fyddai hi wedi i Mallt ei magu hi. Mae arna i eisiau iddi allu chwerthin, a siarad Saesneg fel . . . fel . . .'

'Fel Wil o'r ochr draw i'r mynydd,' awgrymodd Saro'n faleisus.

'Ie,' cytunodd Mali, yn falch o gael osgoi'r anhawster mor rhwydd.

Fe fu'r ddwy'n dadlau'n ôl a blaen am oriau, ond daliai Mali'n dynn at ei bwriad, ac o'r diwedd dywedodd Saro,

'Roeddwn i ar fai yn adrodd yr hanes wrthyt ti, a minnau wedi cael digon o brofiad bellach mai taw piau hi. Ond mi ddysgais hefyd mai gadael i bawb wneud yn ôl eu mympwy eu hunain sydd fwyaf didrafferth a'r peth gorau yn y pen draw. Felly, af i ddim i daeru rhagor â thi. Pan ddechreuodd pobl gymryd yn eu pennau y medrwn i rag-weld y dyfodol iddyn nhw, mi ddysgais yn bur fuan mai cael allan beth oeddyn nhw'n ei ewyllysio eu hunain oedd y ffordd, a deud wrthyn nhw wedyn y deuai hynny i ben. Y tebygolrwydd oedd y deuai o hefyd, os byddai arnyn nhw ddigon o'i eisiau. Nid sôn am y tywydd a'r cnydau ydw i'n awr, wyddost. Rhaid i bawb arfer ei synnwyr gyda'r rheini a cheisio deall ymhle y mae'r Brenin Mawr arni, o achos yn aml iawn fydd ei farn O ddim yr un â dymuniadau'r bobl yma. Ond mi ddysgodd fy nhad fi i grapio'n go lew at ei fwriadau Yntau drwy ddarllen beth sydd gan yr awyr, y ffosydd, a'r gwynt i'w ddeud.'

'Ddewch chi efo mi, 'te, i chwilio am gartre i'r eneth fach?' Doedd dim bwys gan Mali am yr un blewyn o sgwrs Saro ar ôl y geiriau, 'Af i ddim i daeru rhagor â thi'.

'Fûm i ddim mewn tre fawr ers blynyddoedd,' ebe Saro, 'ac mae'n beryg y bydd golwg od arna i i fynd bellach. Ond hyn sy'n sicr—mi fyddai golwg odiach arnat ti petawn i'n gadael iti fynd ar dy ben dy hun. Mae arna i ofn hefyd y bydd Mol yn go unig, o achos mi fydd raid inni gloi'r lle am ddeuddydd neu dri, ond fydd hi fawr gwaeth o hynny efo digon o fwyd a diod.'

'Deuddydd neu dri!' wfftiodd Mali. 'Mi gymerodd Ifan Ifans fi yno ac yn ôl mewn diwrnod.'

'Dy gymryd i ble?' holodd Saro'n chwyrn.

'I'r Dref, debyg iawn.'

'Y ti a'th Dref! Wyt ti ddim yn meddwl o ddifri 'mod i'n ddigon o ffŵl i fentro rhywbeth fel'na yn y twll bach yr wyt ti'n ei alw'n Dref, wyt ti? Na, o'i wneud o gwbl, mae gofyn inni fynd i rywle lle byddwn ni ar goll yn y dorf, a lle cawn ni ddigon o ddewis rhwng lleoedd. Am wn i na fyddai Caerarbra gystal ag unman. Mae hi'n ddigon o ddinas i bawb yno fodloni ar feindio'i fusnes ei hun, ac yn nes atom ni o blwc na Llundain neu Lerpwl.'

'Fedrwn ni gerdded yno?'

'Choelia i fawr! Mi gawn drên o'r Dref, ond sut i gyrraedd fan'ny ydi'r pwnc. Mae cariwr Llanllŷr yn mynd yno bob pythefnos, ond mi fyddai gystal gen i i bobl y pentre yma beidio â'n gweld ni'n cychwyn. Ar ba ddyddiau mae certwyr y pentrefi eraill yma'n mynd yno, dywed? Dim ond pan all o godi llwyth y mae'r Gaerddu'n mynd, ac mae hynny'n rhy ansicr i ni. Mae Llanfair yn mynd bob diwrnod Ffair, a honno newydd basio am y mis yma. Dyna'r Glyn wedyn. Gad weld

. . . Ie, hwnnw fyddai orau. Mae o bob amser yn mynd ar y Llun ola o'r mis—dydd Llun nesa felly! Mi anfona i ato fo am gadw lle i ddwy fydd yn ei ddisgwyl wrth Fwlch-y-Beudy fore Llun. Waeth inni saith milltir o gerdded na chwech, wedi inni ddechrau arni, ac mi osgown bentre'r Glyn felly.'

Teimlai Mali erbyn hyn fod problem y baban wedi'i phenderfynu. Ceisiai Saro'i rhybuddio o'r posibilrwydd mai dod â hi'n ôl fyddai raid, gan sôn mor anodd y gallasai hi fod i daro ar gartref cymwys fyddai'n fodlon rhoi lloches i faban dieithr, a'r peryg i'w cynllun gael ei ddarganfod a'i lesteirio. Ond ni fynnai Mali ystyried dim o hyn. Iddi hi, fe ymddangosai popeth yn hollol syml.

Bore Llun a ddaeth, ac fe gychwynnodd y ddwy'n gynnar iawn. Bu Mali mewn cryn benbleth ynghylch beth i'w wisgo. Ei thuedd gref hi oedd gwisgo'i ffrog sidan, ond Saro a orfu ynghylch hynny.

'Na, mi allai rhywun ddigwydd cofio am y ffrog yna a'i disgrifio hi wedyn, ac mi allai hynny ddifetha popeth. Mae'n well iti'r ddu yma, serch iddi fod fymryn yn henffasiwn, ac mi gei wario tipyn o'r cyflog enillaist ti'n y Plas ar brynu pâr o esgidiau yn y Dref i'w gwisgo yn lle'r clocsiau yna. Mi wnânt ar orau iti wedyn, efo'r ffrog sidan, ac mi barhan nhw am d'oes iti.'

Ildiodd Mali ar y pwnc yma, ac yn y ffrog fereina gul y cychwynnodd ar y daith fawr, a'r baban ar ei mynwes yn y siôl garpiog a gipiodd y mwnci oddi arni flwyddyn yn ôl. Roedd y daith hon yn wahanol iawn i'r un ddiwethaf yng nghwmni'r ddoctores. Er nad oedd y baban yn llawn dair wythnos oed, fe wnaethai'r gorffwys dibryder, ynghyd â meddyginiaethau Saro, wyrthiau ar y fam, ac roeddynt wedi cerdded pump allan o'r saith milltir cyn i flinder ei goddiweddyd. Cymerodd Saro'r baban i'w chario am weddill y ffordd, a chyraeddasant Fwlch-y-Beudy heb orflinder.

'Mae'r fan yma dair milltir yn nes i'r Dref na phentre'r Glyn,' eglurodd yr hen wraig, fel yr eisteddent ar dwr o gerrig i aros y cerbyd, 'ond wrth dorri ar draws y caeau fel y gwnaethom ni, dim ond milltir yn rhagor o gerdded oedd o inni.'

'Gobeithio nad ydi'r dyn ddim wedi pasio,' pryderai Mali.

'Dim peryg,' siwriantai ei chyd-deithiwr. 'Un hwyrfrydig iawn ei gychwyn ydi John, cariwr y Glyn, a waeth inni gael ychydig o orffwys na cherdded yn ein blaenau a gorflino.'

Fe suai Mali'r plentyn, a'i bwydo, ond roedd ei meddwl ymhell i ffwrdd. Ym Mhlas-yr-Allt y treuliai hi bob munud o ran ei meddwl, pan nad oedd galw arni i roi sylw i rywbeth ddywedai Saro. Nid yr un oedd ei meddyliau â'r bore hwnnw pan gychwynnodd oddi cartref flwyddyn yn ôl. Roedd siom a gwrthryfel y tri mis cyntaf, ar ôl gwybod fod Tim yn ŵr i Ann Huws, wedi peidio hefyd.

'Dacw fo,' gwaeddodd Saro gan neidio ar ei thraed a rhoi pwt i benelin Mali.

Galwodd y gyrrwr. 'Ai chi ydi'r ddwy sydd am y Dref? Mi fentrais gadw lle ichi er nad oeddwn i'n gwybod yn iawn pwy oeddech chi.'

Nid oedd Mali erioed o'r blaen wedi gweld brêc, a rhyfeddai at ei wychder a'i gyflymder rhagor siandri Tŷ-draw a throl y Plas. Mae'n wir fod y dynion yn gorfod disgyn a cherdded i fyny'r rhiwiau, ond fu dim rhaid i Saro a hithau symud o'u sedd. Dynion oedd y teithwyr eraill i gyd, a rhai ohonynt wedi gweld Saro yng ngwyll ei bwthyn neu wedi cael cip arni ar y moelydd yn llysieua, ac mae'n debyg y buasent yn ei hadnabod petai hi'n ei diwyg arferol; ond roedd eu cyfathrach â hi yn rhy arwynebol iddynt fedru'i hadnabod yn ei dillad parch anghynefin. Fe geisiodd rhai ohonynt dynnu sgwrs â'r ddwy, i gael gwybod o ble y daethont ac i ble yr aent. Gofalai'r hen wraig am ateb yr ymholiadau hyn bob tro, ac yn raddol fe beidiodd Mali â gwrando ar eu cwestiynau a throdd yn ôl at ei meddyliau ei hun. Cipiodd yr amser yn ddiarwybod iddi, ac fe synnodd glywed Saro'n dweud,

'Dyma ni. Gwna dy hun yn barod i ddisgyn.'

Methai â chredu mai dyma'r stryd fawr y bu ynddi ddiwrnod y Ffair fythgofiadwy honno. Doedd dim stondinau i'w gweld heddiw, ac ychydig iawn o bobl oedd yn cerdded ar hyd-ddi. Y tro hwnnw, fe ymddangosai fel pe na bai terfyn iddi am mai ychydig ohoni oedd i'w weld gan mor lluosog y dorf arni, a hawdd dychmygu fod yr hyn sydd o'r golwg yn fwy nag ydyw mewn gwirionedd.

Roedd Saro'n llawn ffwdan.

'Tyrd, hel dy draed yn go sionc,' gorchmynnodd. 'Rwy'n credu y cawn ni drên da tua'r un yma. Tro i'r dde yma'n awr. Mae'n rhaid i mi redeg i'r Banc. Aros di amdana i tu allan yma, a phetai rhywun yn gofyn iti o ble'r wyt ti'n dod a beth ydi dy neges, paid â'u hateb nhw.'

Arhosodd Mali o flaen tŷ gyda phedair llythyren fras wedi'u hysgrifennu ar draws ei ffenest. Roedd golwg braidd yn bwysig ar Saro pan ddaeth oddi yno.

'Eisiau tipyn o arian yn fy mhoced oedd arna i,' eglurodd, 'neu anaml iawn y bydda i yn galw yma.'

'Oes arian i'w gael yma wrth alw amdano?' holodd Mali'n syn.

'Oes,' chwarddodd Saro, 'dim ond ichi ei roi i mewn yn gynta. Mi awn ni i'r fan yma'n awr,' gan droi i un o'r siopau.

Fe brofodd hon yn gymaint o ddirgelwch i Mali ag a wnaethai'r Banc. Siop ryfedd y galwai hi, gyda dim ond dillad i'w gweld ynddi, a dim golwg am fwydydd o un math, na chymaint â bwced at fwydo moch. Rhaid mai rhai sâl at fyw oedd y bobl yma. Fuasai Wiliam Dafis a Lowri byth wedi bodloni heb geisio gwneud ceiniog o rywbeth arall. Syllai'r wraig tu ôl i'r cownter hefyd yn ddigon od arnyn nhw eu dwy, ond fe ufuddhaodd ar unwaith pan ofynnodd Saro iddi ddangos dillad baban iddynt.

'Y rhai gorau sydd gennych chi,' gorchmynnodd yr hen wraig, 'a dau o bob dilledyn sydd ei angen ar faban.'

'Mae ganddi ddigon o ddillad,' protestiodd Mali'n ddistaw, gydag i'r siopwraig droi ei chefn.

'Rhaid i Mallt gael y rheini'n ôl,' meddai Saro. 'Mae'n beryg y bydd hi'n ddigon da iddi wrthyn nhw eto druan, ac mae arna i eisiau dillad gryn lawer yn well na'r rheina i'r plentyn erbyn hyn.'

Pan ddaeth y siopwraig â rhai iddi, holodd yn bryderus a oeddynt yn rhai da ac o'r ffasiwn diweddaraf.

'Ydyn, yn siŵr,' sicrhâi honno. 'Dim ond hyn brynais i, am 'mod i'n ofni eu bod nhw'n rhy ddrud i'w gwerthu'r ffordd hyn.'

Deffrowyd diddordeb Mali wrth weld y gynau a'r peisiau llaes, yn wniadwaith ac yn laesiau gwyn i gyd, ynghyd â'r boneti bach rhubanog. Yn olaf, dangosodd y wraig siôl fawr wen, gyda brodwaith gwych ar hyd-ddi a sider llaes o'i chylch.

'Wn i ddim,' meddai'n amheus, 'a fyddai hon o ddiddordeb ichi. Gadawodd y trafaeliwr hi ddoe, ond ei hanfon yn ôl ydi fy mwriad i. Mae hi'n rhy uchel ei phris imi feddwl am ei gwerthu i'm cwsmeriaid i.'

'Faint ydi hynny?' gofynnodd Saro.

'Dwy bunt,' atebodd y wraig.

Tynnodd Mali'i hanadl ati. Ei chyflog hi am flwyddyn o waith caled!

'Rhowch hi i mewn,' meddai Saro, mor ddigyffro â phetai hi'n arfer lluchio pres i ffwrdd bob dydd. 'Ac yn awr am siôl ddu iddi hithau,' gan bwyntio at ei chydymaith, 'a bonet fach. Does dim rhaid iddyn nhw fod yn ddrud, a phâr o hosanau duon.'

'Mi wnaf i'r tro yn iawn,' sibrydodd Mali.

'Rhaid iti edrych mor debyg ag sydd bosib i bobl eraill, fel na fydd dim peryg i neb sylwi arnat ti mewn torf,' meddai Saro'n bendant. 'Falle y prynaf innau fonet hefyd. Mi welaf fod hon yn rhy wahanol i rai'r merched eraill sydd o gwmpas yma. Mae fy siôl i'n ddi-fai, fel na raid i neb edrych ddwywaith arni hi.'

Brawychwyd Mali gan y swm a dalodd Saro yn y siop honno. Gofynnodd yn ddistaw iddi a oedd hi wedi cofio dod â'r ugain punt i'w chanlyn.

'Do, ac mi gadewais nhw yn y Banc yn ddigon diogel,' meddai. 'Rhaid iti alw yno efo fi ar y ffordd yn ôl, i roi croes yn y llyfr amdanyn nhw. Roedd yr amser yn rhy brin gynnau.'

'Y rheini ddylwn i fod yn eu gwario ar y plentyn, gan eich bod chi'n fy ngorfodi i i'w cadw nhw,' gwrthwynebodd perchennog yr ugain punt.

'Gad ti rhyngof i a'r rheina. Y fi cafodd nhw, ac felly mae gen i air i'w ddeud ynglŷn â beth i'w wneud efo nhw. Rhaid iti eu cadw nhw wrth gefn. Falle y bydd hi'n dda iti wrthyn nhw rywdro. Heddiw roeddwn i'n gwario tipyn o'r arian sy'n weddill o'r hyn ges i gan Syr . . . gan y dyn hwnnw yn Llundain erstalwm, ac mae'n gysur gen i eu defnyddio nhw i geisio rhoi cychwyn i'r plentyn yma.'

Chafodd Mali ddim cyfle i'w hateb, oherwydd nid cynt y cawsant eu parsel gan y wraig nag yr oeddynt trwy'r drws a Saro'n gorchymyn yn frysiog,

'Tyrd, croesa efo fi i'r siop esgidiau acw. Mi gei di dalu am y rheini.'

Pan ddeallodd yr eneth fod yn rhaid iddi dynnu'i chlocsen a gadael i'r siopwr wisgo esgid ar ôl esgid am ei throed dde, gofidiai'n fawr nad oedd yn gwisgo'i hosanau newydd duon. Fe'i cysurai'i hun, fodd bynnag, fod y rhain yn llawer gwell na'r hosanau oedd ganddi flwyddyn yn ôl. Serch fod eu gwlân yn llwyd a bras, roeddynt yn gyfan, wedi cael eu troedio ganddi hi ei hun ar ambell funud brin o segurdod cyn amser gwely.

Esgidiau gloywon gyda blaenau main ddewisodd Saro iddi, a chrugai Mali na bai'r ffrog sidan amdani wedi'r cyfan. Nid oedd esgidiau ail-orau Sioned Ifans yn cyrraedd hanner y ffordd atynt o ran ystwythder, ac fe syrthiai hyd yn oed pâr gorau Saro ymhell o'u hôl.

'I'r stesion am dy fywyd nawr,' meddai'r hen wraig, gan dynnu yn ei braich. 'Os collwn ni'r trên canol dydd yma, fydd dim siawns inni gyrraedd Caerarbra heno.'

Ni welsai Mali erioed drên cyn hyn. Clywsai sôn droeon fod un yn y Dref, ac fel y chwyrnellai heibio fel tân. Eithr ni chyffyrddodd y sôn â'i dychymyg. Felly, pan ddilynodd Saro i'r orsaf a gweld y prysurdeb yno, fe'i trawyd hi â syndod. Ymddangosai'r berw'n anferth iddi—un trên yn cyrraedd ac un arall ar gychwyn, a dynion mewn capiau pig yn rhuthro yma ac acw, rhai ohonynt yn llusgo rhyw wagenni bychain isel ar eu holau, wedi'u llwytho â chistiau a bagiau.

Pan adawodd Saro hi i fynd i siarad ag un o wŷr y capiau rhyfedd, teimlai Mali'n amddifad iawn. Yn y cythrwfl anghynefin, fe ddeffrôdd y baban a chrio'i hochr hi, a hithau'n arfer bod mor ddiddig. Ond roedd ei mam yn rhy gynhyrfus ei hunan i arfer amynedd i'w suo a'i thawelu'n iawn, dim ond rhoi rhyw fan ysgytiadau iddi a dweud, 'Ust', 'Taw sôn', a 'Bydd ddistaw' yn awr ac yn y man.

Dim ond gwneud y plentyn yn groesach fyth a wnâi'r ysgytiadau anwastad yma, ac âi Mali'n fwyfwy cynhyrfus. Sefai'n union ar lwybr un o'r cludwyr gyda'i wagen fach, a hwnnw'n gweiddi arni yn Saesneg i symud o'r ffordd. Er nad oedd yn deall beth a ddywedai, gwyddai ei fod yn siarad â hi a gwnâi hynny hi'n fwy cymysglyd fyth. Roedd Saro hefyd wedi llwyr ddiflannu erbyn hyn, a dechreuodd Mali hel meddyliau ynghylch hynny. Beth os oedd yr hen ddoctores ar goll, neu wedi diflasu ar ei helpu hi a mynd adre? Amheuai a lwyddai hi i gymaint â chyrraedd yn ôl i'r Wern ar ei phen ei hun, oherwydd roedd y brêc wedi teithio mor gyflym a hithau â'i meddwl i gyd ar y Plas yn lle gwylio'r ffordd. Daliai'r baban i grio'n enbyd. Teimlodd rywun yn cydio yn ei braich. Un o ddynion y capiau rhyfedd eto, ond medrai ddeall hwn yn siarad.

'Eisiau ichi symud o'r ffordd sydd arno fo,' eglurodd wrthi mewn Cymraeg glân, a'i thynnu oddi ar lwybr y gŵr blin a'i wagen lawn.

Ar yr un funud daeth Saro i'r golwg, a thawelwyd ofnau Mali'n llwyr. Nid oedd y daith yn poeni dim arni mwyach, a hithau'n cael taflu'r cyfrifoldeb i gyd ar ei chydymaith.

'Beth oedd yn dy gorddi di, i edrych mor wyllt?' oedd geiriau cyntaf honno.

Adroddodd hithau hanes ei helbulon a'i hofnau.

Chwarddodd Saro a dweud,

'Aros di nes cyrhaeddwn ni stesion Caerarbra. Os bydd hi hanner tebyg i un Paddington, mi gei di gryn agoriad llygad. Tyrd yn dy flaen at y fainc acw. Waeth inni eistedd na pheidio, gan na fydd o'n costio dim rhagor inni.'

Dilynodd Mali hi, gan geisio'n ofer dawelu'r baban.

'Mae'n well iti eistedd i dawelu mymryn arnat dy hun yn gynta,' cynghorodd y ddoctores, 'a rhoi llaeth iddi hi wedyn, neu mi gyrri hi'n gaclwm wyllt. Hwde, rho hi i mi am dipyn ac agor dithau'r fasged yma. Mi gymrwn ni damaid nawr. Mae arna i ofn y bydd y trên yn ysgwyd gormod inni allu codi dim byd at ein cegau. Dyna botelaid o ddiod ddail yn yr ochr yna.'

Wrth fwyta, syrthiodd Mali'n ôl i'w chyflwr breuddwydiol arferol. Roedd Saro yma eto a phopeth yn siŵr o fod yn iawn. Erbyn hyn roedd y baban yn dawel ddigon, ac estynnodd yr hen wraig hi'n ôl iddi.

'Mae'n well iti roi llymaid iddi hithau'n awr, tra mae llonydd efo fo.'

Prin fod y baban wedi cysgu ar ôl cael ei digoni, nag y dywedodd Saro,

'Dacw'r bobl acw'n dechrau hel eu taclau at ei gilydd, ac mae hynny'n arwydd fod y trên yn ymyl. Wyt ti'n barod?'

Dychwelodd anesmwythyd Mali ar ei waethaf pan chwyrnellodd y creadur fflamllyd trystfawr i mewn, ond ni chafodd amser i feddwl fawr amdano gan fod Saro'n gwthio o'r tu ôl iddi.

'Ffwrdd â thi i mewn, rhag iddo fo gychwyn hebom ni.'

Ar y dechrau, câi Mali fyd i gadw'i sedd gan yr ysgytiadau sydyn ac aml, ond yn raddol fe ddysgodd eistedd yn fwy cadarn ar y fainc galed anesmwyth. Sôn am fynd! Ni welsai ddim tebyg iddo erioed. Roedd o'n sicr o fod yn gyflymach na cheffyl gorau'r Meistr Ifanc. Cysgai'r baban yn braf gan ddygymod yn iawn â'r cyflymder, ac yn araf daeth Mali hefyd i gynefino â gweld y gwrychoedd yn carlamu heibio. Arhosent yn aml mewn gorsafoedd, pryd y deuai teithwyr newydd i mewn i lanw lle'r rhai aeth allan. Unwaith, rhwng dwy orsaf, fe gawsant y cerbyd iddynt eu hunain, ac meddai Saro,

'Cymer di'r gongl yna tra bo cyfle arni. Mi fydd yn fwy cysurus iti ar siwrnai hir.'

Eisteddodd yr hen wraig yn y gornel gyferbyn ac agor parsel y siop ddillad, gan dynnu allan siôl ddu a bonet Mali.

'Taro'r rhain amdanat nawr,' gorchmynnodd. 'Roeddwn i'n meddwl ei bod hi'n ddoethach inni beidio â newid amdanom yng ngorsaf y Dref, rhag ofn i rywun gafodd gip arnom ni yno ddigwydd ein gweld yng Nghaerarbra wedyn a'n cofio oddi wrth ein dillad.' Plygodd ei hen gapan ei hun yn ôl yn y parsel, a gwisgo'i bonet newydd. 'Mi elli guddio llawer ar y plentyn ym mhlygion y siôl fawr yna. Mae hi'n rhy fuan i wisgo amdani hi eto. Maen nhw'n deud y byddwn ni'n newid trên yn y Jyncsion, pryd bynnag y daw hwnnw, ac felly dim ond i'r Jyncsion y codais i docyn, er mwyn cadw 'musnes rhag hen daclau'r Dref yna.'

Os oedd gorsaf y Dref yn brysur i olwg Mali, roedd y Jyncsion yn saith gwaeth, ond y tro hwn gofalodd Saro am ei hangori'n ddiogel ar fainc tra holai hi o gwmpas.

'Awr o aros eto,' meddai pan ddychwelodd, 'ond wrth lwc ar gyfer fan hyn y daw'r trên i mewn, fel na fydd dim rhaid inni redeg amdano fo. Mi gymrwn ni damaid eto o'r fasged, ac mi gei dithau roi llaeth i'r baban. Fydd gennym ni ddim amser ar ôl cyrraedd Caerarbra, o achos mi fydd gofyn inni chwilio'n syth am le i aros.'

Mwy o drafferth i gael sedd yn y trên y tro hwn. Mwy o fynd i mewn ac allan yn y gorsafoedd, a rhai o'r teithwyr am siarad â nhw, eraill heb sylwi dim arnyn nhw. Gadawai Mali i Saro ateb drosti fel arfer, ac o ddygymod â chlonc a sŵn y trên, fe ddaeth eisiau cysgu arni hithau fel ar y baban. Neidiodd yn ddychrynedig pan roddodd yr hen wraig bwt iddi.

'Mae gofyn iti fod o gwmpas dy bethau'n awr. Rydym ni bron iawn â chyrraedd yno.'

Roedd pawb yn y cerbyd yn teimlo'r un fath. Roeddynt yn eistedd yn syth i fyny ar y sedd, eu paciau'n barod yn eu dwylo, un droed ymlaen a'r llall yn ôl yn barod i godi ar funud o rybudd, a'u llygaid wedi'u hoelio ar y drws. Pan arafodd y trên, roeddynt yn barod bob un, a phawb yn gwthio am y cyntaf â'i gymydog. Nid oedd gan Mali gyda'r baban, a Saro gyda'r paciau, ddim siawns yn yr ymgiprys, a gorfu iddynt hwy aros yn olaf. Oherwydd fod y lleill yn gwthio mor egr, roeddynt hwythau hefyd o gymaint â hynny yn hwy yn cael mynd allan. Dechreuodd Mali ofni y cychwynnai'r trên ymlaen i'w daith cyn iddynt hwy allu disgyn ohono, ac fe edrychai hyd yn oed Saro yn bur anesmwyth. Ond fe ddaethant yn rhydd o'r diwedd, a'u cael eu hunain wrth borth mawr haearn, a Saro'n bwtffala yn ei phwrs am ddau gerdyn bychan melyn ac yn eu hestyn i ryw ddyn, efo cap pig fyth. Methai Mali â dyfalu beth allai fod gan Saro o ddiddordeb i ddieithryn felly, ond doedd dim cyfle i holi gan mor brysur oedd hi yn ceisio cadw wrth sodlau'r hen wraig yn y tyndra.

Wedi ymwthio i'r stryd, dywedodd Saro,

'Alla i wneud dim mwy heno na chwilio am wely yn rhywle. Mae'r hwrli-bwrli yma'n codi'r bendro arna i, serch imi arfer cymaint ag o yn Llundain erstalwm. Roeddwn i'n deud wrthyt ti 'mod i wedi gwladeiddio gormod i fynd yn f'ôl.'

Cerdded y stryd wedyn a rhythu ar ddrysau'r tai.

'Mi groeswn ni fan hyn. Mae'r stryd groes acw'n edrych yn llai llewyrchus na hon ac mi ddylai llety fod yn rhatach ynddi. Tŷ sy'n llawn bob nos o bobl mynd a dŵad fyddai orau i ni. Maen nhw'n llai busneslyd na rhywrai sydd ddim ond yn cadw rhyw un neu ddau, ar dro.'

Ym mhen draw'r stryd groes, arafodd.

'Mae hwn yn edrych yn lle go dda i mi. Golau ymhobman, ac yn cyhoeddi'n uchel eu bod yn gosod gwlâu am y nos. Mi rown ni gais arno fo, beth bynnag.'

Synnai a rhyfeddai Mali glywed Saro'n siarad yn rhugl â'r wraig ddaeth at y drws—a honno'n Saesnes! Pwy feddyliai fod Saro'r Wern yn medru Saesneg, a hynny gystal â'r Meistr Ifanc yn ôl pob golwg.

'Tyrd yn dy flaen,' galwodd, gan ddilyn y wraig i'r tŷ. Sôn am risiau! Cyn gynted ag y cyrhaeddent i ben un rhes, roeddynt yn wynebu ar un arall, a'r rhesi'n mynd yn gulach a thywyllach bob cynnig. Roedd y rhai olaf yn waeth na grisiau granar y Plas, ond wedi cyrraedd i'w pen, agorodd y lletywraig ddrws ystafell fechan gul gan amneidio arnynt i'w chanlyn i mewn iddi. Siaradodd Saro a hithau beth yn rhagor, a gwelodd Mali yr hen wraig yn estyn arian gleision iddi o'i chod. Yna aeth y Saesnes allan, gan adael y gannwyll iddynt.

'Diolch am rywle i roi clun i lawr,' ochneidiodd Saro, 'ac am wn i nad ydi'r lle yma'n eitha o'r hyn ydi o. Mi ddechreuais i egluro dy fod ti'n ferch i nith imi, a'n bod ni wedi dod yma i chwilio am dy ŵr di sy'n gweithio'n y dociau yn rhywle. Mi ddwedodd hithau nad oedd o bwys ar y ddaear ganddi hi beth fyddai neges y sawl sy'n lletya yma, dim ond iddyn nhw dalu ymlaen—na fyddai hi byth yn eu holi nhw ar y pryd nac yn sôn amdanyn nhw wedi iddyn nhw ymadael. Digon sur, ond yn ardderchog at ein pwrpas ni. Tyrd â'r fasged yna'n nes yma. Mae yna frechdan neu ddwy bob un inni, a llwnc o ddiod ddail. Digon inni tros heno, siawns. Mi gawn ni frecwast ganddi hi fory.'

PENNOD VI

Cyn mynd i'r gwely, cymerodd Saro'r gannwyll yn ei llaw i edrych ar lawr y llofft ac ar y gwely. Roedd ei sylwadau'n feirniadol tros ben, a rhyfeddai Mali mewn edmygedd syn at ei chraffter yn meddwl am edrych o dan y gwely a than ei obenyddiau. Ar ddiwedd yr ymchwiliad, trodd Saro at yr eneth a dweud,

'Ie, mi elli di ddannod bod fan'cw yr un fath, neu hyd yn oed yn waeth, cyn i ti ei lanhau o'—gwirionedd na ddaethai i feddwl heb sôn am dafod Mali—'ond dywed ti a fynnot, mae hi'n haws gan bawb ddygymod â'i faw ei hun.'

Fe sylwodd hyd yn oed Mali fod y gwely'n galetach o lawer nag un plu Saro, ac nag un manus y Plas hefyd. Doedd dim angen dweud wrthi chwaith, wedi iddyn nhw unwaith orwedd arno fo, ei fod o'n gul iawn i ddwy, a bwrw eu bod eu hunain heb y plentyn. Fel yr oedd hi, bu raid i Mali orwedd gyda'r baban ar ei mynwes trwy'r nos. Ofnai droi rhag iddi ei gollwng dros yr erchwyn ar un ochr, neu i'r rhigol rhyngddi hi a Saro ar yr ochr arall, ac iddyn nhw yn eu hanwybod ei gwasgu i farwolaeth. Felly noson ddi-gwsg a diorffwys gafodd hi. Ond roedd Saro wedi llwyr adnewyddu'i hoen erbyn y bore.

'Mi fûm i'n meddwl cyn cychwyn,' ebe hi, 'mai'r peth gorau fyddai holi yn y tŷ lle'r oeddem ni'n aros am hanes lle i'r plentyn, ond mi wela i erbyn hyn na wnâi hynny mo'r tro o gwbl. Ellid dim disgwyl i ryw bobl fel yma wybod am unman uwch bawd sawdl. Mi ddaeth imi'r bore yma mai rhywun sydd newydd gladdu plentyn eu hunain fyddai debycaf o gymryd at un fach fel hon.'

Ychydig iawn a siaradodd hi wedyn. Trwy gydol brecwast fe fu mewn cyfyng-gyngor dwys â hi ei hun, a'r unig beth a ddywedodd oedd,

'Tase lwc imi fod wedi dod â mymryn o ddail mafon efo fi, yn lle'r hen drwyth dramor yma.'

Sylwodd Mali arni'n talu eilwaith i'r lletywraig.

'Mae'n siŵr y bydd hi'n dda inni wrth y gwely yma eto heno. Felly mi dalais iddi'r bore yma er mwyn iddi ei gadw o inni, ac mi fydd yn dda i tithau gael rhywle i eistedd tra bydda i o gwmpas.'

'Adewch chi mohono i fy hun yn y fan yma,' protestiodd Mali'n ddychrynedig.

'Ddaw dim drwg atat ti,' ceisiodd Saro ei darbwyllo, 'dim ond iti beidio â symud o'r llofft. Mi ddof yn ôl erbyn cinio, â rhywbeth inni i'w fwyta. Fyddai o ddim yn beth doeth i ti a minnau ganlyn gormod ar ein gilydd ar hyd y strydoedd yma. Cymryd fy nghario i ddarn mwy parchus o'r dre wnaf i'r bore yma, i edrych rhai o'r mynwentydd yno, ac os gwela i fedd bychan newydd, mi hola i yn ei gylch o.'

Anfodlon iawn oedd Mali.

'Mae arna i ofn eich colli chi,' oedd ei hateb i bob ymresymiad.

'Twt lol,' dwrdiai Saro, 'paid â chyboli. Does yna ddim byd iti ei ofni, ac mae gwraig y tŷ yma'n Saesnes bur, fel nad oes beryg iddi dy holi di, hyd yn oed petai hi'n dymuno gwneud hynny.'

Er maint ei hofnau, fe basiodd y bore'n ddidramgwydd i Mali. Gorweddodd ar y gwely, a'r baban i'w chanlyn, a chysgodd yn drwm nes teimlo llaw Saro ar ei hysgwydd.

'Mi allwn feddwl iti gael bore mwy difyr nag a ges i,' grwgnachodd. 'Dyma fi wedi cerdded mynwentydd am oriau bwygilydd a heb fod yr un gronyn elwach yn y diwedd.'

'Mae'n debyg nad oes dim plant bach yn marw yma,' awgrymodd Mali.

'A'th helpo di! Oes, ddegau o'r pethau bach, ond pwnc arall ydi cael o hyd i'w hanes nhw, er bod yna ddyn yn gofalu am bob un o'r mynwentydd mewn tref fel hon.'

'Mi allai'r rheini ddeud wrthych chi ble oedd cartrefi'r plant bach felly.' Ni welai Mali unrhyw anhawster i bawb yn y ddinas fod yn gwybod hanes ei gilydd.

'Falle'n wir, ond i mi holi a stilio digon,' oedd yr ateb digalon. 'Ond cofia di nad yw hi ddim yn ddiogel gwneud gormod o hynny chwaith. Na, mae hi'n anos cael o hyd i rywle nag y meddyliais i erioed. Roedd mam un o'r babanod yma wedi marw ddoe, a thad un arall cyn ei eni o, ac mae yna wyth o blant eraill yng nghartre un oedd yn cael ei gladdu ddoe. A dyna fel roedd hi bob tro, yn ddigon i dorri calon dyn. Hwde! Dyma iti damaid o fara a chaws.'

Wedi bwyta, siriolodd Saro.

'Falle'i bod cystal imi fwrw golwg tros fynwentydd eraill cyn ildio. Os bydda i yn dal i fethu erbyn amser te, fydd dim ond ceisio meddwl am gynllun arall, neu gymryd y plentyn yn ôl gyda ni. Mae'n well gen i geisio'i magu hi fy hun na'i gadael hi yn rhywle at y fenter, heb amcan sut le fydd o.'

Felly cafodd Mali'i gadael am yr eildro y diwrnod hwnnw. Ni ddaeth cwsg yn agos ati y prynhawn yma, a llusgai'r amser yn araf iawn. Deisyfai yn ei chalon am frws a charp i olchi'r llawr y cwynai Saro gymaint yn ei gylch.

Ond fe basiodd yr oriau annifyr yr un mor sicr ag y gwnaethai'r oriau cyflymach. Diolchai am weld Saro'n ei hôl. Roedd golwg lonnach ar yr hen wraig, er gwaethaf ei lludded. Dechreuodd yn ddiymdroi dafellu'r dorth a ddygasai gyda hi.

'Rhaid inni frysio,' meddai. 'Felly bwyta di, ac mi adroddaf innau'r hanes wrthyt ti. Chefais i ddim gwell hwyl arni'r pnawn yma na'r bore, ac roeddwn i wedi penderfynu mai'r unig beth imi i'w wneud oedd dy berswadio di i ildio i'r syniad afresymol yma. Mi droais i siop gongl fach ym mhen arall y dre i brynu'r dorth yma, ond roedd rhyw wraig yno o'm blaen i ac yn siarad pymtheg yn y dwsin efo'r eneth tu ôl i'r cownter.'

'Saeson, debyg gen i,' ebe Mali.

'Nage'n wir, Cymry glân gloyw, y ddwy ohonyn nhw. Cwyno'r oedd y cwsmer wrth y llall mor ddrwg oedd ganddi hi tros ei meistres, yn ddim gwell heddiw nag oedd hi adeg y claddu, bythefnos yn ôl. Mae rhai pobl nad oes dim byw yn eu plant nhw, medde hi. Peth mawr ydi eu colli nhw'n fabanod bob un, medde hi wedyn. A druan â hi! Ddim yr un fath â phetai iddi siawns am un arall, hynny'n gwbl amhosib bellach. Druan ohonyn nhw! A hwythau'n bobl mor dda! Yn wir, roedd yn gas ganddi feddwl am fynd yno i olchi fory—roedd yno le mor ddigalon. Mi ddwedodd hynna i gyd gryn hanner dwsin o weithiau cyn mynd allan efo'i neges.'

'Mae'n well inni gychwyn â'r eneth fach yno'r munud yma,' meddai Mali'n eiddgar.

'Mi awn ni â hi yno, ond nid yn dy ffordd di chwaith,' gwenodd Saro. 'Mi es innau ati wedyn i brynu'r dorth yma, ac i dynnu sgwrs â'r ferch oedd yn ei gwerthu. Wrth lwc, roedd hi'n ddigon parod. Mi ges wybod mai hen forwyn i'r teulu oedd y wraig siaradus, a'i bod hi'n arfer mynd yno i weithio am ddeuddydd bob wythnos. Gweinidog ydi'r gŵr, ac mae o a'i wraig ar eu canol oed, ac yn byw mewn clamp o dŷ mawr, yn nesaf at gapel yr Annibynwyr yn Rhoslan. Dyna iti loffa go raenus, yntê? Y drwg ydi fod y Rhoslan yma bum milltir i ffwrdd, a fyddai wiw inni gymryd ein cario yno.'

'Mi gerddwn ni.' Ni welai Mali unrhyw anhawster ynglŷn â hynny, gan mai dyna sut y byddai mwyafrif ardalwyr Llanllŷr yn cyrraedd pob man.

'Mi fydd gofyn inni aros heb gychwyn nes ei bod hi wedi troi chwech, 'te,' cynlluniodd Saro, 'rhag i neb allu profi iddyn nhw ein gweld ni ar y ffordd yn ymyl yno. Felly, mi gaem gychwyn y siwrnai wrth olau dydd a chyrraedd y groesffordd, ddwy filltir oddi yma, cyn iddi hi dywyllu. Wedi unwaith basio honno, does dim modd methu'r pentre wedyn, ond mae'r groesffordd braidd yn ddyrys i rywun diarth wedi nos, medden nhw. Gwna le i mi ar y gwely yna. Rwyf i am orffwys hanner awr. Fydd hi ond pump wedyn, ac mi hwylia i yn gynt ar ôl dadflino tipyn.'

Gorweddodd ar ei hyd a chysgu, am ddim a wyddai Mali. Fe gerddodd hithau'n ôl a blaen ar hyd y lle cyfyng. Roedd hi'n croesawu'r syniad o droedio pum milltir ar ôl bod dan orfodaeth i aros yn ei hunfan gyhyd. Trawodd cloc yn rhywle, a neidiodd Saro i fyny, mor effro â'r gog.

'Dyna bump o'r gloch. Mi af i ofyn am badellaid o ddŵr cynnes gan y wraig yma, at olchi'r eneth fach, ac i ddeud wrthi na fyddwn ni ddim yma heno.'

'Ond rydych chi wedi talu,' atgofiodd Mali hi, gan synnu clywed Saro'n llithro felly.

'Do, a dyna pam 'mod i'n disgwyl y bydd hi'n fodlon inni fynd. Fuasem ni ddim wedi gallu stelcian yma trwy'r dydd fel hyn oni bai'n bod ni wedi talu am heno; ond wiw inni ddod yn ôl yma wedyn heb y baban. Mi eglura i wrthi fod y gŵr wedi cael lle iti yn nes ato fo.'

Daeth yn ôl yn fuan iawn, a phadellaid o ddŵr ganddi.

'Mi ges hwyl iawn ar bethau,' canmolodd. 'Roedd yr hen ladi newydd gael cynnig gosod y llofft, ac mi hoffai i ni fod allan oddi yma mewn hanner awr. Dim gwaith egluro pam iddi o gwbl. Tyrd, Mali, gad inni gael graen go dda ar y plentyn yma.'

Nid oedd ddichon ei boddhau gydag ymolchi'r baban y noson honno. Y diwedd fu iddi droi ati ei hunan, er nad oedd wedi osio gwneud hynny o'r blaen ers pan gododd Mali ar yr wythfed dydd wedi'r geni.

'Ac yn awr am y dillad newydd,' meddai. 'Mi ddylen nhw fod yn gras, o achos mi trewais i nhw ar ddarn o bapur yn y popty tra oeddwn i'n siarad â'r wraig yna. Plyga dithau'r lleill yn becyn bach taclus. Mi elli lapio'r rhai budron yna rywsut rywfodd.'

'Rwy'n methu â'ch deall chi'n rhoi dillad mor dda â hyn iddi, i fynd i ffwrdd,' protestiodd chwaer Seimon.

'Wnaet ti fawr ohoni hebof i,' ymffrostiodd yr hen wraig, wrth wisgo'r baban yn ofalus. 'Wrth weld dillad mor dda amdani hi, mi feddylian nhw ei bod hi'n Rhywun ac mi fyddan yn fwy parod i'w magu na phetaen nhw'n ei gweld hi yn ei charpiau, druan fach. A phetai digwydd iddyn nhw drafferthu holi yn siopau Caerarbra yma, fyddan nhw ddim callach, gan nad yma y prynwyd y dillad. Wyt ti'n gweld nawr?'

'Ydw,' meddai Mali'n wylaidd, ei hedmygedd yn dangos ar ei hwyneb.

'Ydi popeth yn barod gen ti?' gofynnodd Saro ar ffrwst. 'Mae hi'n hen bryd inni gychwyn.'

Profiad newydd eto i Mali oedd croesi'r ddinas yn y cerbyd mawr, y tu ôl i'r ddau geffyl. Fe giliodd brêc y Glyn i'r cysgod wrth ymyl trol y Plas a siandri Tŷ-draw. Roedd Saro wedi gorchymyn iddi eistedd yn y sedd wag gyntaf a welai, a pheidio â chymryd arni fod a wnelo hi ddim â hi.

'Mi eisteddaf innau rywle o'th flaen di. Felly cwyd ti i fynd allan ar yr un pryd â fi, ond ceisia edrych fel pe na bai dim cysylltiad rhyngom ni. Fydd dim rhaid iti yngan gair, dim ond rhoi'r ddwy geiniog yma i'r dyn pan ddaw o heibio amdanyn nhw.'

Fe lwyddodd Mali'n eithaf gyda hynny i gyd. Disgynnodd ar yr un pryd â Saro a cherdded y tu ôl iddi ar hyd y palmant, ond nid yn rhy agos chwaith. Pan drodd Saro gyda chongl y stryd, trodd hithau hefyd. Roedd yr hen wraig yn aros amdani, ychydig lathenni i lawr.

'Mi wnaethost hwnna'n dda iawn,' canmolodd hi. 'Yn nesa, mae rhaid iti gerdded ar dy ben dy hun ar hyd y ffordd yma. Paid â throi i'r un stryd na ffordd arall, a phaid â bod yn anesmwyth. Does dim posib methu nes cyrraedd y groesffordd yr oeddwn i'n sôn amdani gynnau, ac mae honno ddwy filltir dda oddi yma. Aros amdana i yno, os na fydda i wedi dod o hyd iti cyn hynny. Raid iti ddim brysio. Mi fydd yn hen ddigon buan inni gychwyn o'r groesffordd ymhen rhyw awr dda, er mwyn iddi fod yn tywyllu arnom ni bob cam o hynny i Roslan.'

Ufuddhaodd Mali yn ôl ei harfer, er y teimlai'n annedwydd iawn yn cerdded ei hun ynghanol pobl. Cerddai'n weddol gyflym tra oedd hi yn y dref, ond fel y prinhâi'r tai a'r bobl, fe arafodd ei chamau. Roedd arni ofn pasio'r groesffordd, neu fethu troad ati, er cymaint y sicrhaodd Saro nad oedd hynny'n bosib. Roedd bron yn llwyd-dywyll arni'n cyrraedd croesffordd fawr, mor fawr fel y buasai'n anodd iddi, hyd yn oed yn ei hawr fwyaf breuddwydiol, beidio â'i gweld, gyda mynegbost tal gwyn ar ei chanol. Gwelai eiriau ar ei bum asgell, ond gan na fedrai eu darllen nid oedd ddim elwach ohonynt.

Cyrhaeddodd Saro bron mor fuan â hithau. Edrychai'n llawer mwy cefnog nag y gwnaethai ganol dydd.

'Mae pethau'n dod ymlaen yn wych,' meddai. 'Mi drawsom i'r blewyn ar yr amser iawn i gyrraedd fan hyn. Mae hi'n ddigon golau i fedru darllen y mynegbost, ac eto'n rhy dywyll i neb sylwi fawr arnom ni. Mi fydd fel y fagddu erbyn y cyrhaeddwn ni Roslan.'

Cerddodd o gylch y postyn gan graffu i fyny ar bob asgell yn ei thro. Arhosodd funud cyn edrych ar y drydedd, a dweud wrth Mali,

'Mi ges le inni aros heno hefyd, yn y siop fach lle clywais i'r hanes yna y pnawn yma. Maen nhw'n llenwi'r tŷ bron bob nos, medden nhw.'

Wfftiai Mali at ffolineb hen wraig mor graff â Saro.

'Ond mi fydd honna'n eich adnabod, a chithau'n deud nad oeddech am i neb ein gweld ar ôl inni gael gwared â'r baban.'

'Ŵyr hon ddim fod baban gyda mi, ac mi ddwedais wrthi 'mod i'n cyfarfod ag wyres imi o'r wlad, i fynd â hi i chwilio am le mewn tŷ preifat. Dyna'r unig ffordd welwn i o gael gwybod a wnaiff y gweinidog yma gymryd at y plentyn ai peidio. Dyma hi'r ffordd i Roslan. Tyrd, mi gychwynnwn.'

Fe gerddai'r ddwy yn weddol gyflym. Roedd yn prysur dywyllu erbyn hyn ac felly dim galw am iddynt oedi.

'Bydd, mi fydd hi'n dywyll iawn heno, efo'r cymylau yma,' cadarnhaodd Saro wrthi'i hun, 'a gorau i gyd i ni.'

Petaent wedi cael eu gollwng i'r tywyllwch yn sydyn, fe gaffent fyd i weld eu ffordd, ond gan mai cydgerdded â hwy a wnâi'r gwyll, ni theimlent unrhyw anhawster. Wedi hir gerdded dygn, dywedodd Saro,

'Mi ddylem fod yn nesu yno erbyn hyn. Rhaid ein bod wedi dod dair milltir.'

'Mi welais ryw fân oleuadau rhwng bonau'r gwrychoedd funud yn ôl,' cynigiodd Mali.

'Dyna Roslan, yn siŵr i ti. Teimla am y clawdd, inni gael eistedd ychydig funudau cyn mynd yn rhy agos i'r pentre i allu mentro gwneud hynny. Ceisia di wneud y fechan yn gysurus, a rho laeth iddi, er mwyn iddi fod yn weddol ddiddig am y teirawr nesa.'

Ymlaen wedyn, a'r goleuadau i'w gweld yn gliriach gyda phob cam a gymerent.

'Y tŷ cynta yn y pentre ydi o,' sibrydodd Saro, 'a'r capel am y gwrych ag o.' Ceisiodd rythu trwy'r tywyllwch. 'Dyma fo yn ein hymyl,' ebe hi wedyn.

Aethant at y glwyd ar flaenau eu traed.

'Maen nhw i mewn. Weli di'r golau trwy wydr y drws? Tyrd yn dy flaen mor ddistaw ag y gelli di.' Bwtffalodd Saro o gwmpas y drws. 'Oes,' meddai toc, 'mae yma ail ddrws, tu allan i'r un gwydr. Mi fyddan nhw'n siŵr o ddod i gau'r drws pren yma cyn noswylio, ac wedyn mi welan nhw'r plentyn.'

Clywai Mali Saro wrthi'n crafu ar hyd lawr yn rhywle. Mewn munud daeth ei sisial drachefn.

'Dyma fat esmwyth fan yma . . . Tyrd â hi yma . . . a'r siôl yn gynnes amdani . . . Fydd hi ddim gwaeth am awr neu ddwy . . . Mi rof i'r pecyn dillad rhyngddi hi a'r tŷ. Mi fydd raid i bwy bynnag ddaw allan sathru hwnnw cyn cyrraedd yn agos ati hi. Felly dim peryg iddi hi gael ei brifo . . . Tyrd nawr . . . am dy fywyd.'

Bryd hynny y profodd Mali syndod mwyaf y noson. Roedd hi'n edrych ymlaen ers dyddiau at gael cartref da i'w geneth fach, ac yn meddwl llawer mwy am y tad nag am y plentyn. Yn gymaint felly nes bod Saro'n rhyfeddu ati weithiau. Eithr yn awr, am ryw reswm nas gwyddai, teimlai'i llygaid yn lleithio a chlap yn codi yn ei gwddw. Ymgripiodd yn ei hôl yn ddistaw ac estyn ei llaw at y llygedyn o wyn a welai ar y llawr, gan chwilio am yr wyneb bach a thynnu'i llaw drosto a'i anwylo. Parodd cyffyrddiad ei dwylo caled, er mor dyner y ceisiai fod, i'r plentyn ystwyrian a hanner-crio. Ymbalfalodd Saro'i ffordd yn ôl ati.

'Brysia, neu mi fydd rhywun yn siŵr o'n dal ni,' sibrydodd. 'Beth wyt ti'n ei wneud?'

'Dim byd,' meddai Mali, gan ei dilyn yn ufudd tua'r glwyd. Roedd goslef yn ei llais a barodd i Saro ddweud,

'O'r annwyl fawr, os nad wyt ti'n edifarhau wedi'r cwbl! Dydi hi ddim yn rhy ddiweddar eto, wyddost.'

Am funud petrusodd yr eneth. Roedd y baban yn agosach at ei chalon nag y meddyliasai erioed. Yna cofiodd am y glust dde oedd ganddi a throdd hynny'r fantol.

'Na. Mae arna i eisiau iddi gael gwell magiad nag a ges i, a dysgu Saesneg . . . a dysgu chwerthin.'

Dyna'r cyfan a glywodd Saro wrth fynd trwy'r penwar, ond nid yn y fan yna y gorffennodd y frawddeg yng nghalon Mali, ond fel y diweddai hi bob amser, gyda'r geiriau, 'yr un fath â'r Meistr Ifanc'.

Cerddodd y ddwy'n frysiog yn ôl i'r dre. Wedi unwaith gychwyn, methai Mali â'u gweld yn mynd yn ddigon buan, gan ofn i rywun o Roslan ymlid ar eu holau. Wrth iddynt nesu at eu llety, rhybuddiodd Saro,

'Paid ti ag yngan gair o'th ben wrth y bobl yma. Mi wnaf i'r siarad i gyd.'

Ofnai Mali y byddai eu lletywyr yn eu gwlâu ar awr oedd iddi hi mor hwyr; ond pan ddangosodd Saro'r siop iddi, fe'i gwelai wedi'i goleuo a phobl i mewn ac allan fel petai hi'n ddydd.

'Rhaid inni gerdded trwy'r siop i'r stafell fach gefn,' eglurodd Saro. 'Mi addawson nhw wneud mymryn o fara llaeth inni i swper.'

Prin fod angen gorchymyn Saro ar i Mali beidio â siarad, gan na fyddai hynny byth yn demtasiwn iddi. Yn awr, fe grynai rhag ofn i rywun ei holi, ac oherwydd yr ofn hwnnw aeth i fethu siarad hyd yn oed gyda Saro. 'Gwirion bost,' oedd disgrifiad yr eneth y tu ôl i'r cownter ohoni i'w mam, ac wedi ymgais neu ddwy at ei gwneud yn gartrefol, ni thrafferthodd neb yngan gair wrthi wedyn. Fe wnâi hyn y tro'n iawn gan y ddwy, er nad oedd Mali druan â syniad am y rheswm oedd tu ôl i'r llonyddwch y câi ei fwynhau. Gwrandawodd mewn braw, wedi swper, ar hanes ei bywyd, yn ôl Saro.

'Ychydig feddyliais i'r bore yma y byddai raid imi aros oddi cartre tros nos; ond gan nad oedd yr eneth yma wedi cyrraedd erbyn y pnawn, mi wyddwn ei bod yn ofer ei disgwyl hi wedyn tan yn hwyr heno. Ie, merch amddifad fy unig fab ydi hi, ac wedi bod mewn lleoedd rhy galed ers pan oedd hi'n ddeg oed, a'i hiechyd wedi torri i lawr yn y diwedd. Mi feddyliais unwaith am ei chymryd hi adre efo mi i gryfhau tipyn, ond falle mai chwilio am le ysgafn iddi yn y dre yma wna i wedi'r cyfan, tros imi orfod aros yma gymaint â hynny'n hwy.'

Ychydig gysgodd Mali'r noson honno eto, er bod y gwely'n fwy a dim ond dwy ohonynt ynddo fo. Bob tro y byddai ar fin syrthio i gysgu, dychmygai fod y baban ar fin syrthio tros yr erchwyn, neu ei bod yn ei chlywed yn crio. At y bore, dechreuodd ei bronnau boeni. Edrychodd Saro'n graff arni amser codi.

'Ychydig gysgaist ti, allwn i feddwl. Mi wna i blastar bach iti mewn munud, i gilio'r llaeth. Mi ddeuthum â defnydd un efo mi, rhag ofn y byddai ei angen o.'

'Beth os gwrthodan nhw gymryd y baban?' pryderai Mali.

'Mi gyrren nhw hi i'r Tloty, yn siŵr, mewn lle fel hyn,' atebodd Saro.

'Chaiff hi ddim mynd i fan'ny, beth bynnag.' Roedd mwy o bendantrwydd nag arfer yn nhôn Mali. 'Mi maga i hi fy hun cyn hynny.'

'Mi ddechreui di rincian am y plentyn yn ôl eto, debyg gen i,' gwawdiodd Saro, ond roedd tinc braidd yn bryderus yn ei llais fel yr ychwanegai, 'Wela i ddim beth allem ni'i wneud petaen nhw'n dewis ei hanfon hi yno. Mi fyddai'n helynt ofnadwy arnat petait ti'n cyfaddef mai ti oedd ei mam, ac wedi'i gadael hi fel'na. Ond mi gawn glywed rhywbeth cyn heno. Roedd y wraig yna ddoe yn deud ei bod hi'n mynd yno ben bore heddiw.'

Arhosodd y ddwy yn eu llofft hyd ganol dydd, ond araf ac annifyr y llusgai'r amser heibio, i Saro'n ogystal ag i Mali.

'Sut mae hi ar Mol erbyn hyn, tybed?' ebe hi. 'Mi allai fyw'n fras am wythnos ar y bwyd a'r diod adewais i iddi, ond mae hi'n siŵr o fod â hiraeth mawr amdana i. Adewais i mohoni o'r blaen am fwy na noswaith ar y tro, er pan mae hi gen i.'

Ac am Mali, tybiai hi o hyd ei bod yn amser gwneud rhywbeth i'r baban a chlustfeiniai am y crio; a hithau, pan oedd yn y Wern gyda'r plentyn, yn anghofio'i bodolaeth am oriau bwygilydd.

Fe aethant allan yn y pnawn, dan esgus o chwilio am le addas i Mali weini. Pan gyraeddasant yn ôl fin nos, brysiodd merch y tŷ ar eu hôl i'r stafell fach.

'Os nad ydi hi wedi cyflogi,' meddai'n gynhyrfus, 'mae gen i hanes lle ardderchog iddi hi. Y stori ryfedda glywsoch chi'n eich dydd! Ydych chi'n cofio imi ddeud wrthych chi am y baban bach hwnnw fu farw bythefnos yn ôl, ac fel roedd ei fam yn galaru amdano?'

Crychodd Saro'i thalcen a meinio'i llygaid mewn ymdrech galed i geisio cofio.

'Mae 'nghof i wedi mynd yn rhyfedd iawn,' esgusododd ei hun, 'ond am wn i nad ydw i'n cofio rhywbeth am hynny. Oedd mam y plentyn ddim i mewn yma ar unwaith â mi pnawn ddoe?'

'Na, nid ei mam, ond y wraig fydd yn mynd yno i olchi,' eglurodd yr eneth.

'Ie, ie,' llefodd Saro. 'Dyma fi wedi cael pen y llinyn arni'n awr. Dim ond ar ambell i funud y bydda i mor ddwl. Petaech chi'n gofyn imi fory, mae'n bosib y gallwn i adrodd y stori'n rhugl trwyddi.'

Roedd ar y llances frys am eu synnu, ac aeth ati'n ddi-oed, heb gymryd llawer o sylw o gwyn yr hen wraig.

'Neithiwr ar ôl swper, mi glywodd y gweinidog yma a'i wraig sŵn plentyn yn rhywle. Mi ddechreuodd Mrs Llywarch feichio crio, ac mi redodd yntau i ofyn i bwy bynnag oedd o gwmpas yno fynd â'u baban o'i chlyw. A wyddoch chi beth oedd yno ar garreg y drws? . . . Yr eneth fach dlysaf . . . a thua'r un oed â'r un a gladdwyd, a'r dillad delaf amdani hi, gwell o lawer nag oedd ganddyn nhw i'w baban nhw, meddai'r wraig oedd yn adrodd yr hanes wrthyf i.'

'Pwy oedd piau hi?' holodd Saro'n anneallgar.

'Dyna'r dirgelwch,' byrlymodd yr eneth. 'Ŵyr neb sut y daeth hi yno, na phwy a'i piau hi. Mi gariodd y gweinidog hi i'r tŷ, ond fynnai Mrs Llywarch ddim edrych arni. Roedd o'n rhy drwm ganddi, wrth gofio am ei geneth fach hi ei hun, ac roedd hi bron â mynd yn sâl o grio. Wedyn mi gychwynnodd o fynd â'r beth fach i dŷ'r heddlu, iddi gael ei hanfon i'r Tloty os na byddai neb yn gwybod pwy oedd ei piau hi.'

'O! mi fagai rhywun hi'n siŵr, yn hytrach na'i hanfon i le felly,' meddai Saro o lwyrfryd calon.

'Chaiff neb y cyfle! Cyn iddo fo gyrraedd y drws, mi aeth yr hen eneth fach i grio a dyma Mrs Llywarch yn neidio i fyny, ac ar ei ôl o gan ddeud, "Y chi sydd ddim yn cydio'n iawn ynddi hi. Rhowch hi i mi." Erbyn heddiw, mae'r ddau'n deud mai Rhagluniaeth ddaeth â hi iddyn nhw ac maen nhw eisiau morwyn, er mwyn i Mrs Llywarch gael ei hamser i gyd at fagu'r eneth fach. Maen nhw mewn sobor o ofn i rywbeth ddigwydd iddi hi fel i'r lleill, a chymaint â hynny wedyn o ofn i'w theulu ddod i holi amdani. Mi gofiais eich bod chi eisiau lle iddi hi,' gan amneidio i gyfeiriad Mali, 'a meddwl y gwnâi hi'n burion iddyn nhw at y gwaith trymaf.'

'Rydych chi'n garedig tros ben yn cofio amdani hi,' diolchodd Saro, 'ond mi ges allan ohoni heno fod yn well ganddi le ar fferm wedi'r cwbwl, ac felly mynd â hi adre bore fory sydd orau imi ac edrych am le iddi yn ymyl, er mwyn gallu cadw golwg arni.'

'Dyna fo felly,' ebe'r ferch, heb ragor o ddiddordeb ym Mali. 'On'd ydi hi'n stori ryfedd mewn difri? Ac roedd gwraig y drws nesa yma'n deud fod llaeth Mrs Llywarch yn dygymod â'r beth fach yn iawn, a'r doctor ar hyd y pythefnos wedi bod yn methu â'i gilio fo. Mae o'n wir yn debyg i Ragluniaeth, on'd ydi o?'

'Falle y daw rhywun i'w mofyn hi oddi yno un o'r dyddiau yma,' awgrymodd Saro.

'Mae Mrs Morus y drws nesa yma'n deud na ŵyr hi ddim beth ddeuai o Mrs Llywarch petai hynny'n digwydd. Maen nhw'n falchach ohoni hi hefyd am eu bod nhw'n credu ei bod hi o deulu da iawn. Mae'r dillad sydd amdani'n werth eu gweld, allwn i dybio, a rhai i newid hefyd, a phopeth gyda hi. Fuasai gweinidog fel'na ddim yn hoffi cymryd pob riff-raff i'w dŷ, ond mae Mrs Morus yn deud fod siôl y baban yma'n ddigon o brawf ynddi'i hun nad i deulu cyffredin y'i ganwyd hi. O sidan pur, medde Mrs Morus, a ffrins fawr lydan arni. Mae hi'n siŵr o fod yn ferch i ryw foneddigion mawr.'

Yn ei gwely'r noson honno ymfalchïai Saro.

'Rwyt ti'n gweld mai fi oedd yn fy lle ynglŷn â'r dillad. Roedd y siôl yn llawn werth y ddwy bunt. Mi gaiff yr eneth fach fwy o barch o lawer na phe gwydden nhw mai Mali Meredur ydi ei mam, a'i thad yn rhyw bitw o amaethwr wedi cael plentyn heibio i'w wraig.'

Disgwyliai'n ddireidus am brotest fawr, ond roedd Mali'n cysgu'n drwm, ac ni ddeffrôdd nes i Saro'i hysgwyd fore trannoeth am bump.

'Cwyd, inni gael hwylio. Mae arna i frys am gyrraedd adre at Mol, ac mi gychwynnwn ni i'r stesion gydag y gallwn ni godi'r bobl yma i wneud brecwast inni. Mi ddaliwn ni'r trên cynta fydd yna i gyfeiriad Llanllŷr.'

PENNOD VII

Cyn cyrraedd ati, roedd Mali wedi penderfynu mai mynd heibio i fynwent Llanïor a wnâi; ond gogyfer â hi, newidiodd ei meddwl yn ddisymwth a dringo tros y penwar brau i ganol y cerrig adfeiliedig.

Byddai wedi hoffi, ar ei hail daith fel hyn i Blas-yr-Allt, cael dilyn y llwybr gymerodd Saro yno, ond gwrthwynebai'r hen wraig yn bendant.

'Mae o'n rhy ddyrys o'r hanner i ti. Mi fûm i mewn digon o drafferth, Duw a ŵyr! Na, dos di'r ffordd yr wyt ti'n ei gwybod, a gad y dillad yma yn nhŷ Mallt wrth basio. Mae'n rhaid iti arfer wynebu pobl, ac mi fydd cystal iti ddechrau efo Mallt â neb.'

Eithr er carediced Mallt, ofnai Mali ei chyfarfod. Roedd yn dyheu am gael dychwelyd i'r Plas, ac eto'n arswydo rhag y cyfarfyddiad cyntaf gyda'i breswylwyr. Roedd Saro wedi'i hebrwng gryn bellter tros y caeau y daethai â hi adref ar hyd-ddynt y noson cyn geni'r baban, ac felly ni fu mewn peryg o daro ar neb hyd yma. O hyn ymlaen y byddai hynny debycaf o ddigwydd.

'Mi ddeuwn ymhellach,' ymesgusodai'r hen wraig wrth ffarwelio, 'ond rhaid imi ar bob cyfri roi tro i Goed-y-Garth heddiw i gasglu'r rhisgl oddi ar y deri ifainc yno, neu mi aiff yn rhy hwyr am eleni, a does wybod sut dywydd fydd hi'r dyddiau nesa yma.'

Ceisiai Mali ddiolch iddi am ei charedigrwydd, ond torrai Saro ar ei thraws bob tro.

'Paid â sôn, 'merch i. Mae hi'n dda ar les f'enaid imi wneud cymwynas ar dro. Cofia y bydd drws y Wern ar agor iti bob amser, a gofala ynghylch yr hyn ddwedais i wrthyt ti. Mi wyddost ble rwyt ti'n sefyll bellach. Rhoi ydi dy dynged di, a fedri di ddisgwyl dim yn ôl fydd yn werth ei gael. Paid tithau â bodloni ar y peth salaf, fel y gwnest ti'r tro o'r blaen.'

Cofiai Mali am ei haddewid i Saro'r noson cynt. Roedd yr hen wraig wedi siarad yn bur blaen â hi, ac fe wyddai'r eneth mai at hynny y cyfeiriai wrth ffarwelio. Teimlai hithau'n benderfynol o gadw'i gair iddi.

'Mae Saro'n siŵr o fod yn iawn. Does dim posib ei fod o ag unrhyw feddwl ohonof i, neu fyddai o ddim heb siarad rhywbeth â fi trwy gydol y misoedd olaf yma, ac yntau'n gwybod yn iawn sut oedd pethau.' Llyfodd y llwch am ysbaid. Yna dechreuodd godi'n raddol. 'P'un bynnag, waeth gen i petai o byth yn edrych arna i. Mi fydda i yn hapusach wrth fod yn ei ymyl o nag yn unman arall. Ar yr un pryd, mi gadwa i fy ngair i Saro. Dwyf i eisiau dim sy'n eiddo i arall.'

Nid oedd yn teimlo arswyd y fynwent heddiw. Roedd fel petai geiriau Saro, fod rhai o'i hynafiaid yn gorffwys yno, yn ei hamddiffyn rhag hynny. Ceisiai ddyfalu o dan ba un o'r cistiau y gorweddai, efallai, hen hen daid iddi. Daeth hynny â hi'n ôl drachefn at ei bywyd ei hun. Fe ddywedai Saro nad oedd y ffrog liw'r gwin yn lwcus—am iddi hi ei gwisgo i swpera gyda'r cariad hwnnw yn Llundain, mae'n debyg. Teimlai Mali'n hollol sicr ynddi'i hun na fyddai'r Meistr Ifanc wedi siarad â hi yn y Ffair oni bai am y ffrog. Ond digwyddiad lwcus y cyfrifai hi hynny. Os daeth o â phoen a blinder yn ei sgil yr ail dro, roedd rhywbeth o leiaf wedi digwydd yn ei bywyd yn awr, ac roedd ganddi rywbeth i lenwi'i meddwl yn lle'r gwacter fuasai yno unwaith ar wahân i Seimon a'r gwaith a wnaethai ddoe ac y bwriadai ei wneud fory.

Wisgai hi'r ffrog eto? Ddylai hi ddim, os oedd am gadw'i gair i Saro, a doedd hi ddim yn sicr ei bod yn dymuno ei gwisgo eto chwaith. Edrychodd ar ei phecynnau ar y llawr. Yn y mwyaf roedd ei dillad gwaith a'i chlocsiau. Roedd Saro wedi'i gorfodi i wisgo'i hesgidiau newydd at gerdded mor bell, ac er ei bod yn anfodlon ar y cyntaf, fe deimlai Mali'n ddiolchgar erbyn hyn wrth gofio fel yr oedd hi wedi dechrau blino y llynedd ymhell cyn cyrraedd i'r fan hon. Yma hefyd yr oedd y dillad isaf a wnïasai Saro iddi ar ôl cyrraedd adref o Gaerarbra. Ni fu gan Mali erioed o'r blaen y fath lawnder.

Yn y pecyn lleiaf oedd y ffrog sidan a'r cadach lliwgar. Syllodd yn hir ac yn ddyfal ar hwn, gan droi rhywbeth yn ei phen. Yn y man daeth i benderfyniad, a chododd y pecyn a'i gario at un o'r cistiau cerrig. Gwthiodd ef trwy'r agen fawr yn ochr y garreg, nes bod pob trimwedd ohono o'r golwg. Yna rhedodd i mofyn ei dau barsel arall, ac allan â hi tros y glwyd, gan geisio gwrthod rhoi amser iddi'i hun edifarhau. Gydag iddi gamu i'r ffordd, cyfarfu ag un o'r dynion oedd yn yfed yn nhŷ Mallt flwyddyn yn ôl. Ddywedodd o ddim byd wrthi ond 'Pnawn Da', ond dychmygai hi ei fod o'n edrych yn rhyfedd arni ac fe arhosodd i sefyllian o gwmpas y glwyd. Pan drodd hi i edrych yn ôl arno, aeth yn ei flaen.

Daeth i feddwl Mali beth pe gwelsai hi'n cuddio'r ffrog? Gallai oddef meddwl am y sidan llathr a'r cadach lliwgar yn pydru ynghanol esgyrn ei hynafiaid hi ei hun, ond roedd dychmygu'r dyn yma'n chwilio amdanynt ac yn eu cludo adref a'i wraig neu ei ferch yn eu gwisgo, yn ormod iddi, a throdd yn ôl ar ei rhedeg. Wedi hir balfalu yn yr hollt, llwyddodd i gipio'i haberth yn ôl, a rhyfeddai ati'i hun am fod erioed yn fodlon ymadael â nhw. Fe allai o leiaf gadw'r wisg, hyd yn oed os oedd hi'n ei thynghedu ei hun i beidio byth â'i gwisgo.

O un drofa gryn hanner milltir i lawr y lôn, roedd clwyd yr eglwys yn y golwg. Digwyddodd Mali droi ei phen yn y fan honno, a gwelai ddyn yn dringo tros y glwyd i'r fynwent. Roedd y pellter yn ormod iddi allu dweud ai'r un dyn oedd o â hwnnw a welsai hi yno gynnau. Aeth yn ei blaen gan wasgu'r pecyn yn dynn ati.

Teimlai'n ysgafnach ei chalon yn awr, fel petai cael y ffrog yn ôl yn golygu llawer iddi. A phaham bryderu yn ddiachos ynghylch pethau nad oedd yn eu deall? Dyna ei phlentyn mewn cartref da yn ddi-os, a dyma hithau'n cael ail gyfle ym Mhlas-yr-Allt.

Nid eisteddodd ar y clawdd cerrig rhwng Traethaur a Llanala heddiw. Fe wyddai ei llwybr y tro hwn, ac roedd brys arni i'w gerdded. Ond pan ddaeth at yr hafn gyntaf yn y graig, gyda'r pwll berwedig yn ei dyfnder, er ei siom fe gollasai'r dewrder oedd ganddi y diwrnod y daeth heibio gyda Saro ac y gallodd benlinio ar y min yn ddi-ofn. Heddiw, roedd ganddi ofal am ei bywyd eto a bu raid iddi wneud yr un fath â'r tro cyntaf hwnnw a dringo trosodd i'r cae, gan gerdded ar hyd y cae a chadw'r clawdd eithinog rhyngddi hi a'r dibyn.

'Dyna brofi Saro'n iawn gyda hyn eto,' meddai wrthi'i hun.

Roedd plant Mallt yn chwarae fel arfer o gwmpas y tŷ. Llithrodd Mali'n ddistaw at y drws cefn, rhag gorfod wynebu llymeitwyr y gegin fawr. Rhedodd y bachgen hynaf ar ei hôl i'r tŷ.

'Mae mam wedi picio i fyny i'r pentre i weld Nain, a fi sydd yng ngofal y lle nes daw hi'n ôl,' meddai'n bwysig.

'Dwyf i ddim am aros,' ebe Mali'n frysiog, yn falch o esgus i osgoi cwestiynau caredig Mallt. 'Wnei di roi'r pecyn yma iddi pan ddaw hi'n ôl, a deud 'mod i'n ddiolchgar tros ben am gael eu benthyg nhw. Mae yna eli a dail i mewn hefyd, a dywed wrthi y caiff hi ragor o'r rheini pan eilw Saro Owen ei hun heibio.'

A brysiodd allan, yn falch fod y prawf yna arni trosodd mor ddidrafferth. Doedd dim sôn am Deio a'i drol yn yr hafn y tro yma, ond doedd y pellter ddim yn ei blino heddiw. Arhosai'n aml i syllu ar y môr, fel y gwnaethai y tro cyntaf. Rywfodd, yn siom yr wythnosau cyntaf hynny, a braw a phryder y misoedd olaf, roedd wedi colli'i phleser o edrych arno, ond heddiw fe ddychwelodd iddi yn ei rym. Er hynny, roedd yr arswyd o wynebu preswylwyr y Plas yn mynnu ymwthio arni, ac yng ngwaelod Allt-y-Plas fe wnaeth gais teg i'w llethu. Dal ymlaen wnaeth hi, serch hynny.

Fe'i heriai ei hun. 'Wnaf i ddim troi'n ôl bellach. Unwaith y cyrhaedda i yno, mi fydda i yn iawn, ac mi alla i osgoi pawb fel y gwnawn i o'r blaen.'

Fe gynhaliodd yr ysbryd hwn hi i'r buarth. Edrychodd yn ofnus o'i chwmpas yno. Bron na ddisgwyliai weld y Meistr Ifanc yn croesi i'w chyfarfod fel y tro arall hwnnw. Fe glywai dwrw rhai o'r gweision yn y tai allan, a rhedodd ar flaenau'i thraed heibio iddynt. Y briws oedd ei hafan erbyn hyn, oherwydd fe wyddai nad oedd yn amser pryd bwyd. Pan gyrhaeddodd ato, dim ond Ann Huws ei hun oedd yno, ac wrth y stŵr a gadwai fe ddeallodd Mali fod hwyl ddrwg arni. Prin y cododd ei phen i'w chyfarch.

'O! Mi gyrhaeddaist o'r diwedd 'te? Roedd hi'n hen bryd iti wneud, os oeddet ti am ddod o gwbl. Hwde! Cymysga fwyd i'r moch a'r lloi yma, gynted ag y gelli di. Mae'r hen enethod yna wedi'i baglu hi a gadael y cyfan ar fy nghefn i.'

Diflannodd swildod Mali'n fuan iawn; neu'n hytrach, ni roddwyd amser iddi feddwl amdano. Cadwai o'r golwg hyd y gallai—roedd hynny bron â mynd yn reddf ynddi—ond nid oedd ganddi fawr o hamdden i ystyried beth oedd pobl yn ei ddweud amdani. Yn wir, pan gyfarfu am y tro cyntaf â'r Meistr Ifanc, fe basiodd hynny heb yr un ias—roedd gwlyb y lloi ar hanner ei gymysgu, brecwast y dynion heb ei hwylio, a hithau'n ddiwrnod golchi gwrthbanau. Ni chymerodd ef sylw ohoni, ac yn raddol fe gynefinodd Mali eto â'i weld o gwmpas y lle. Yn rhyfedd iawn, po fwyaf a welai arno, lleiaf y meddyliai amdano, a pho bellaf oddi cartref y byddai ef, agosaf y teimlai hi ef at ei meddwl.

Edrychodd Deio'n syn arni pan welodd hi gyntaf. Roedd yn amlwg arno na wyddai ei bod hi'n dod yn ôl.

'O, dyma fel mae hi, ie?' oedd ei gyfarchiad sychlyd. 'Roedd yn ddrwg gen i trosot ti'r tro o'r blaen, ond nawr, rhyngot ti a'th botes, gan mai dyna sut un wyt ti.'

Am Huw, yr un oedd ef o hyd. Ni ddywedai fawr wrthi yng ngŵydd y lleill, dim ond cipedrych yn llechwraidd arni, a rhoi pigiad iddi pan gâi gyfle.

Newidiai'r morynion o dro i dro, yn ôl arfer y lle. Yn aml iawn byddai Mali yno ei hun; dichon y byddai'n un o ddwy am dymor wedyn; eithriad mawr fyddai tair ar unwaith, a doedd hynny byth yn para'n hwy na thair wythnos ar y tro. Roedd ar Mali fwy o swildod yng nghwmni merched, yn enwedig rhai ieuanc, na chyda neb. Saro oedd yr unig ferch iddi erioed deimlo'n rhydd yn ei chwmni. Prin ei bod hi'n werth gan y morynion hwythau drafferthu i geisio ymgydnabyddu â hi. Roedd hi mor wahanol i bawb. Dim diddordeb mewn dillad newydd, dim natur hwyl ynddi, na thuedd at ffair na chapel, dim anturiaethau carwriaethol i'w hadrodd, na blas ar eu gwrando chwaith.

Mae'n wir fod yna straeon rhyfedd wedi'u taenu ar hyd y wlad, ond ar ôl wythnos yn y Plas byddai pob un o'r genethod yma'n barod i dyngu nad oedd gair o wir yn y sôn. Dim peryg i'r Meistr Ifanc edrych ar fath hon, beth bynnag, ac fe wyddai'r hen wreigan hynny'n eitha da, neu fuasai hi byth yn ei chadw cyhyd. Fe goleddai pob un o'r merched hyn y gred mai dyna lle gorweddai'r eglurhad am fyrder a blinder ei harhosiad hi ei hun yno. O ran hynny, a bod yn deg, doedden nhw ddim yn credu fod Mali â dim meddwl ohono yntau chwaith. Doedd hi byth yn cymryd dim sylw ohono nac yn sôn gair amdano. Rhaid bod ei stori hi'n wir ac mai rhyw hen drempyn ddaeth heibio o rywle.

Yn ymddygiad Ann Huws tuag ati yr oedd y gwahaniaeth mwyaf, er na wyddai fawr neb mo hynny ac mai prin y sylweddolai Mali ei hun yn iawn. Yn ystod ei misoedd cyntaf yn y Plas roedd Ann, os nad yn glên wrthi—doedd o ddim yn ei natur i fod felly—yn llawn cystal gyda hi â chyda'r un forwyn arall fu ganddi erioed. Roedd dillad clytiog ac ymddygiad swil Mali'n ei bodloni'n llawer gwell na rhai'r genethod eraill, oedd am brynu dengwaith mwy o ddillad nag a wnâi'r tro i'w Meistres, ac yn meddwl dim o esgeuluso'u gwaith er mwyn sgwrs â'r gweision. Ac ni ofynnodd Mali erioed am godiad yn ei chyflog, nac am gael mynd i hoetio fin nos. Yn wir, fe fu Ann lawer tro yn beryglus o agos i'w chanmol am hyn, ond llwyddodd i ymatal.

Yn awr, fodd bynnag, a dim ond hwy eu dwy lawer wythnos i wneud popeth a'r gwaith yn feistr corn arnynt, fe allesid tybio ambell ddiwrnod fod y Feistres yn ymroi ati'n fwriadol i geisio gyrru'r forwyn i ffwrdd. Gwylltiai'n gaclwm wrthi un funud, gan luchio a thaflu o'i chwmpas. Wedi un o'r pyliau hyn, byddai oriau heb siarad ddim mwy nag oedd raid â hi. Trôi wedyn i ddweud geiriau miniog, cas, a dilynai'r ffit dymherog ar ôl hynny drachefn. Ni weithiai Mali byth ddigon gan Ann Huws, hyd yn oed ar adeg cynhaeaf, pan godai cyn pedwar a gweithio tu allan bob munud y gallai ei hepgor o'r tŷ, gan geisio dod i ben â gweddill ei gwaith ei hun yn ystod yr awr ganol dydd pan orffwysai'r dynion yn y daflod rhag y gwres.

Bron nad âi y bywyd yno'n drech na hi weithiau, er i'w chyd-fyw â Seimon feithrin ynddi'r gallu i fyw ynddi'i hun ac anwybyddu'r storm oddi allan. Yr hyn a'i cadwai yno ar adegau felly oedd bygwth iddi'i hun na châi hi byth ddychwelyd yno os ymadawai'n awr, a dychmygu mor ddi-sawr fyddai bywyd iddi wedyn.

Daeth iddi un cyfaill annisgwyl yn yr unigedd hwn. Yn ystod y mis y bu hi i ffwrdd, ymwelodd trychineb ag un o gartrefi bach yr ardal a chipio'r tyddynnwr ymaith. Buasai ei wraig ar ei thraed ddydd a nos yn ei wylio, a'r bwyd a'r maeth yn brin. Cydiodd llid yn ei hysgyfaint, ac ymhen yr wythnos dilynwyd angladd ei phriod â'i hun hithau. Un bachgen bach oedd iddynt, a hwnnw'n chwe blwydd oed. Roedd hi'n waeth ar hynny oedd ganddynt o berthnasau nag arnynt hwy hyd yn oed, a'r sôn oedd y byddai raid i'r bachgen bach fynd i Dloty'r Dref, os na cheid cartref iddo am ei waith yn un o ffermydd y gymdogaeth. Petai bedair blynedd yn hŷn, byddai amryw'n fodlon ei fentro, ond roedd chwech oed braidd yn ifanc i fod o lawer o ddefnydd.

Cyrhaeddodd y stori am drybini'r bychan i Blas-yr-Allt ar yr un pryd â'r newydd am farw ei fam. Wfftiai'r Feistres at y syniad y gallai unrhyw un drafferthu gyda phlentyn o'r oed yna—pa werth fyddai o i neb? Ni chymerodd Tim fawr o sylw o'r stori. Fe lenwid ei feddwl ef gan y broblem o sut i ddenu ugain punt arall allan o Ann yn lle'r rhai y bu ef mor ffôl â'u rhoi i'r hen wraig dafotlym honno. Eithr dradwy, fe aeth i'r angladd a gweld Dafydd bach yn cerdded rhwng dwy o'r cymdogesau y tu ôl i arch ei fam. Fe'i gwelodd yn wylo pan ollyngwyd hi i lawr, ac yn estyn ei ddwylo eiddil ar ei hôl gan alw, 'Mam! Mam!' Am y munud hwnnw, anghofiodd Tim Huws bopeth ynghylch yr ebol a flysiai, a phrysurodd ar eu hôl i'r tŷ.

'Beth sydd i ddod o'r bachgen?' gofynnodd.

'Mae o'n mynd i'r Wyrcws fory.'

Roedd Dafydd yn eistedd ar stôl, a'i ben yn pwyso ar ymyl y pentan, ond pan glywodd y geiriau yma ymsythodd a llefain, gyda dagrau yn ei lygaid,

'Af i ddim i'r Wyrcws! Mi ddwedodd Mam na chawn i byth fynd yno.'

'Do siŵr,' ebe'r cymdogesau, 'ond beth arall sydd i'w wneud efo ti? Fydd dim lle iti yma. Mae rhaid gwerthu'r dodrefn i gyd i dalu costau'r angladd.'

Ni ddywedodd Dafydd ddim yn rhagor, ond rhedai dwy ffrydlif o ddagrau i lawr ei fochau gwelw.

'Mi gaiff ddod acw,' meddai Tim, mor uchel nes bod y sŵn fel petai'n chwarae o gylch yr ystafell ymhell wedi iddo orffen dweud y geiriau.

'Dyna ti wedi disgyn ar dy draed,' gorfoleddai'r merched. 'Fu erioed y fath lwc i neb, ond cofia di fod yn ufudd i bopeth ddywed Timothy Huws wrthyt ti, a gwneud dy orau glas i blesio Ann Huws hefyd.'

'Tyrd yn dy flaen 'te,' meddai Tim yn swta. Roedd clywed enwi ei wraig wedi deffro amheuon yn ei fynwes.

'Mi anfonwn ei ddillad o acw fory,' addawodd y cymdogesau, 'ar ôl inni gael amser i fynd trwy'i bethau o, i weld beth sydd yna.'

Dyfnhâi anesmwythyd Tim fel y nesâi adref, ac edifarhâi na bai wedi perswadio Ann i fynd i'r claddu yn ei le. Byddai hynny wedi ei arbed ef rhag gweld Dafydd bach, ac fe fyddai popeth yn iawn felly. Fe gâi ei wawdio am droi yn ei garn yn awr, newydd iddo addo mor dalog wrth y merched yn y tŷ. Ond dechreuodd chwilio am esgusodion y gallai eu rhoi iddynt.

'Mi weithia i fy ngorau glas ichi, Meistr. Mi fyddai 'nhad yn deud 'mod i'n un da iawn am helpu. Ac mae'n well gen i weithio fy nwylo'n gyrn na mynd i'r Wyrcws yna.'

Edrychodd Tim i lawr ar y bychan oedd yn brasgamu wrth ei ochr, a daeth chwerthin arno wrth weled y llygaid glas, plentynnaidd, a gwrando ar frawddeg oedd yn amlwg yn ailadroddiad o un a glywsai Dafydd ganwaith gan ei fam. Ymlidiodd y chwerthin yma'r esgusodion erthyl i ffwrdd, ac yn rhyfedd iawn, ymlidiodd hefyd y gilwen chwerthinog oedd yn arfer llechu yn llygaid y Meistr Ifanc. Arweiniodd y bachgen i'r gegin gefn, a'i adael yno tra chwiliai am ei wraig. Cafodd yr hyn a ofnai.

'Dydych chi ddim ffit i'ch gadael i fynd gam eich hun . . . Beth wnawn ni â baich fel hyn, ar amser mor ddrwg? . . . Gweithio? . . . Choelia i fawr! Pa weithio wnaiff creadur bach o'r oed yna, wedi arfer â dim ond anwes erioed? . . . A does dim digon o fwyd i'w gael i blant o'i oed o . . . Rhaid iddo fo fynd yn ôl ar unwaith . . . Mi allwn i dybio fod yna ddigon o warth a gofid wedi'i dynnu ar y lle yma'n ddiweddar heb ddwyn rhagor o drafferth yma efo hwn . . . Dyma fi'n deud wrthych chi na fynna i mohono fo ar un cyfri. Mae'r Wyrcws yn ddi-fai lle iddo fo.'

'O'r gore 'te, Ann fach. Mi af ag o'n ei ôl y munud yma ac

egluro wrthyn nhw nad ydych chi amdano fo. Y peth casaf gen i fydd meddwl am yr hen ferched yna'n clebran am y fath feistres ydych chi arna i ac nad oes gen i hawl i ddeud dim byd yn y lle yma—ond fydd dim ond dioddef hynny, debyg gen i.'

Cas beth gan Ann oedd awgrym o syniadau fel hyn. Nid oedd Huw'n ôl o fod wedi dweud wrthi gred yr ardal mai am ei heiddo y priododd Tim Huws hi, ac mai trwy'i phoced y cadwai hi afael arno byth wedyn. Trodd yn ei thresi'n awr.

'Mi wyddoch, Timothy, na fydda i byth yn rhoi lle i neb synied yn fach ohonoch chi. Gan fod y drwg wedi'i wneud, mae'n debyg nad oes dim amdani bellach ond cadw'r bachgen yma. Ond gofalwch chi, Timothy, nad oes yna ddim hen fwytho gwirion i fod. I weithio y daeth o yma, a gorau po gyntaf y daw o i wneud gwerth ei fwyd.'

Felly y cafodd Dafydd aros yn y Plas. Yr oedd at alwad pawb, a phawb bron yn ysgythru arno os digwyddai iddynt fod y tu hwnnw allan.

Roedd Ann Huws yn gwarafun pob tamaid o fwyd iddo. Byddai'n beichio wylo cyn cysgu lawer noson, ond cofiai wedyn mor ffodus oedd hi arno i beidio â bod yn y Wyrcws, ac addunedai y deuai yntau ryw ddiwrnod yn ŵr bonheddig fel ei Feistr. Doedd Tim Huws byth yn ysgythru arno. Anghofio'i fodolaeth a wnâi ef. Pan ddigwyddai gofio, byddai'n ddigon caredig yn ei ddull difater ei hun. Roedd Ann wedi addo'i gadw'n awr, ac felly roedd y cyfrifoldeb wedi mynd oddi ar ei ysgwyddau ef. Petai wedi'i weld o'n wylo, fel ar ddiwrnod yr angladd, fe wnaethai unrhyw garedigrwydd iddo oedd o fewn ei gyrraedd ar y funud honno. Heb hynny, ni ddeuai i'w feddwl fod y plentyn â hiraeth ac yn anhapus.

PENNOD VIII

Roedd Dafydd wedi treulio naw niwrnod ym Mhlas-yr-Allt cyn i Mali gyrraedd yno am yr eildro. Ychydig o sylw a roddai hi iddo ar y dechrau, er ei fod yn treulio llawer o'i amser gyda hi, yn hel coed o dan y popty mawr ac yn helpu gyda'r lloi a'r moch. Ef hefyd oedd yn casglu'r wyau ac yn cario aml i siwrnai o ddŵr glân yn y bwced bach.

Cyn hir, o glywed y siarad ar bryd bwyd neu fin nos, fe gafodd Mali grap ar ei hanes o, ac fel y cynefinai Dafydd â hi, fe ddechreuodd yntau ei adrodd wrthi. Roedd o wedi arfer siarad fel melin pan oedd gartref gyda'i fam, ond wedi cyrraedd y Plas doedd yno fawr o neb ag amynedd i wrando arno. Ym marn Dafydd, un sâl oedd Mali hithau am amenu, ond o leiaf doedd hi byth yn dweud wrtho am ddal ei dafod, fel y gwnâi'r lleill. Un diwrnod, uwchben bwcedi'r moch, adroddodd wrthi hanes diwrnod angladd ei fam, ac fel y buasai wedi gorfod mynd i'r Wyrcws oni bai am y Meistr Ifanc.

'Ac mae'n well gen i fo na neb yn y byd yma, ond 'nhad a 'mam,' diweddodd, 'a thebyg iddo fo wyf i am fod pan dyfa i'n fawr. Rwy'n meddwl mai ti sydd orau gen i wedyn, yn agosaf ato fo, er nad wyt ti ddim yn dlws fel oedd Mam.'

Y funud honno cerddodd Tim Huws heibio, heb gymaint â thaflu golwg ar y ddau ohonynt; ac wrth edrych ar Dafydd yn ei wisg garpiog, lawer rhy fechan iddo, mor astud uwchben y bwcedi, a gweld fel y pefriai'i lygaid wrth sôn am y Meistr Ifanc, teimlodd Mali dosturi am y tro cyntaf yn ei hoes.

'Dyma Meistr,' meddyliodd, 'wedi iddo fo hel Dafydd bach yma, yn anghofio'r cyfan yn ei gylch, ac yntau heb neb ond y fo.'

O'r munud hwnnw y tarddodd eu cyfeillgarwch, oedd i gryfhau tros y blynyddoedd trwy fân brofedigaethau ac anturiaethau eu bywyd ynghyd ym Mhlas-yr-Allt.

Un wythnos sylwodd Mali fod Dafydd â hob gloff arno. Fe waethygai bob dydd, ac un canol dydd ni fwytaodd ddim i'w ginio, ond crio'n ddi-baid. Wrth ei weld mor druenus, gofynnodd iddo,

'Neno'r dyn, beth sydd ar dy draed di? Dyw hi ddim yn amser llosg eira'n awr. Gad i mi eu hedrych nhw.'

'Roedd Huw'n chwerthin y bore yma,' snwffiai'r bachgen, 'fod fy nghlocsiau i'n rhy fach, ond mi ddwedodd Meistres wrtho na phrynai hi yr un pâr newydd imi nes bod y rhain wedi mynd yn rhy sâl i'w trwsio, ac,' gan ailddechrau crio, 'wn i ddim pryd fydd hynny, o achos mae Ic yn medru rhoi clwt arnyn nhw o hyd.' Cododd ei lais yn gyffrous. 'Edrych, Mali. Mae 'nhroed i'n fwy na'r glocsen. Ydi'n wir,' a gosododd Dafydd ei droed ar wadn un o'r clocsiau er mwyn dangos fel yr oedd blaen ei fawd i'w weld trosti.

'Mi wn i eu bod nhw'n brifo wrth wasgu fel'na,' cydymdeimlodd Mali. 'Mi fûm innau'n gwisgo rhai tebyg lawer gwaith erstalwm. Paid ti â chrio, 'ngwas i. Mi ofala i y cei di bâr fydd yn ddigon o faint iti, erbyn fory.'

Y noson honno, fe synnwyd y Feistres o glywed Mali'n hawlio cael mynd ar neges i'r pentref. Soniodd hithau am y cruglwyth smwddio oedd yn aros amdani, ond unwaith yr oedd Mali wedi penderfynu ar rywbeth yn bendant, nid oedd troi'n ôl arni. Gwariodd y cyfan oedd ganddi'n weddill o gyflog y flwyddyn flaenorol, ac eithrio ychydig geiniogau, ar bâr o glocsiau i Dafydd. Yr oedd wedi torri llinyn i hyd yr hen rai, a mynnodd i'r pâr newydd fod ddwy fodfedd helaeth yn hwy na hynny. Os oedd rhywun ym Mhlas-yr-Allt yn gwybod o ble y daeth y clocsiau newydd, nid oeddynt yn cymryd arnynt, a daliodd Dafydd i briodoli pob daioni a ddeuai i'w ran i ffafr y Meistr Ifanc.

Wedi unwaith ddechrau sylwi arno, synnai Mali cyn lleied oedd y bachgen yn ei fwyta. Pan ddwrdiai hi ef am hynny, ei unig ateb oedd, 'Dydi o ddim yr un fath â bwyd Mam.'

Gwyddai Mali mai digon tynn oedd yr amgylchiadau yng nghartref Dafydd; ond o'i holi ef yn awr, deallodd fod y tamaid bach gorau bob amser yn cael ei gadw iddo fo. Un diwrnod eithriadol o oer yn yr hydref, fe'i dychrynwyd hi wrth weld y bachgen yn syrthio mewn llewyg o'i sedd wrth y bwrdd cinio. Fe'i codwyd, a daeth ato'i hun yn union deg, ond ei fod yn llwytach nag erioed.

'Y tywydd oer wedi deud arno fo. Mi newidiodd yr hin mor sydyn,' cytunodd pawb. Aeth y Feistres mor bell â rhoi dwy wasgod wlanen i Mali.

'Mae'r sircynod yma wedi mynd yn rhy sâl gan y Meistr eu gwisgo, ond petait ti'n taclu tipyn arnyn nhw, mi wnaent yn iawn i Dafydd, ac mi fydden nhw'n gynhesrwydd am ei gefn o.'

Nid oedd Mali fawr camp o wniadwraig, ond medrodd dorri'r darnau salaf i ffwrdd ac ailredeg y gweddill ynghyd. Er y traul ar eu gwaelod ac o dan eu ceseiliau, roedd eu canol yn dew fel gwrthban o'u haml olchi, ac yn hen ddigon o faint i eiddilyn bach fel Dafydd.

Canmol oedd ef. 'Maen nhw'n glên, Mali, er eu bod nhw'n cosi fy nghefn i. O'r blaen, roedd y gwynt ar y ffriddoedd yn chwythu reit trwy fy nillad.' A dyna ddigon o ad-daliad i Mali am y min nosau a dreuliasai'n craffu yng ngolau cannwyll frwyn, yn lle bod yn ei gwely wedi diwrnod hir o waith.

Yn union ar ôl gwasgfa Dafydd, dechreuodd y forwyn, nad oedd erioed wedi cwyno ar fwrdd y Plas o'i rhan ei hun, gelcio bwyd. Byddai'r Meistr Ifanc a'r Feistres bob amser yn bwyta eu swper yn y parlwr cefn, ac os nad oedd y Meistr yn digwydd bod oddi cartref, fe fyddai yno well bara, a thamaid bach o enllyn hefyd gydag ef. Fe gymerodd Mali i dorri tafell dros ben wrth baratoi eu swper bob nos, a chelcyn o'u menyn hwy arno fo yn lle'r menyn cadw oedd yn drwm o flas halen, ond oedd yn cael ei ystyried yn ddigon da i'r gegin. Wedi i bawb fynd o'r golwg, estynnai'r frechdan wen i Dafydd, a châi lawer mwy o fwynhad wrth ei weld ef yn ei chlirio i'r briwsionyn olaf na phe bwytâi hi ei hun. Fe gadwai aml i gwpanaid o armel iddo fo hefyd, ac wy pan gâi gyfle, a hyd yn oed ambell olwyth o gig moch oedd heb ddechrau melynu eto. Rhwng popeth, fe'i perswadiai'i hun ei fod o'n cryfhau ac yn gwella'i olwg rhagor fel yr oedd cyn iddi hi ddechrau gwneud hyn. Roedd o hefyd yn fwy bywiog nag ar unrhyw adeg ers iddo ddod i'r Plas, ac yn llawn brwdfrydedd gyda'r Ysgol Sul a'r Cwrdd Dirwest yn y capel. Roedd y Feistres yn grwgnach ei fod o'n gwastraffu cymaint o'i amser i fynd i'r rheini, ond chwerthin wnâi'r Meistr Ifanc a dweud wrthi,

'Gedwch iddo fo, Ann fach, os daw o at hynny. Mae'r

bachgen wedi arfer mynd erioed, ac mi ydych chithau'n pregethu digon y dylswn i fod yn ffyddlonach i'r capel. Falle y bydd gyrru Dafydd yno yn gwneud peth iawn tros fy ngholliadau i.'

Câi Mali hanes y cyfarfodydd hyn o bant i bentan fore trannoeth, a llawer o gwestiynau yn sgil hynny.

'Mali, pam na ddeui di i'r Ysgol Sul? . . . Pam nad wyt ti eisiau mynd? . . . Fedri di ddarllen? . . . Bron iawn na fedra i ddarllen adnod ddim ond fy hun yn awr. Mi fyddwn yn gallu dysgu'n gynt yn yr Ysgol Sul pan fyddai Mam yn fy nysgu i gartre hefyd . . . Hoffet ti imi dy ddysgu di i ddarllen? Mae gen i lyfr bach hawdd, hawdd, a phrint bras arno fo, wedi imi'i gael pan oeddwn i'n fychan, cyn imi ddod yma.'

A hynny fu weddill y gaeaf. Byddai Mali ac yntau lawer o amser ar eu pennau eu hunain fin nos, a'r gweision naill ai'n chwarae yn llofft y stabal neu ynteu'n caru yng ngheginau rhai o'r ffermydd cyfagos. Ar adegau felly, deuai Dafydd â'i lyfr bach a'i gorfodi hi i chwilio am y llythyren 'D' am Dafydd, ac 'Ll' am Llywelyn, ac 'M' am Mali Meredur, ac felly ymlaen trwy holl breswylwyr y Plas.

'Rwyt ti wedi dysgu'r llythrennau am enw'r Meistr Ifanc yn gynt na'r un o'r lleill,' sylwodd yr athro. 'Dangos di rai f'enw innau'n awr . . . Nage, "O" ydi honna. Dyma hi, "D" am Dafydd ac "Ll" am Llywelyn.'

A phan ddigwyddai'r ddau fod allan gyda'i gilydd, os pasient ddefaid ar eu llwybr, byddai Mali'n gorfod dehongli'r llythrennau ar eu hochrau, nes iddi'i chael ei hun, trwy ryw ryfedd wyrth, yn medru'r wyddor ac yn gallu sillafu ac ysgrifennu'i henw—yn flêr ond yn ddealladwy.

'Rwy'n cofio mai fel yna y byddwn innau erstalwm,' meddai'r athro seithmlwydd yn nawddogol. 'Mi ddeui dithau i fedru darllen yn chwap.'

Ond daeth gofid annisgwyl i darfu ar ddedwyddyd newydd-anedig y ddau. Un bore rhedodd Dafydd at Mali gan grio, a chuddio'i wyneb yn ei ffedog. Yn ffodus, dim ond hi oedd yn y briws ar y pryd. Cydiodd ynddo a gofyn yn bryderus,

'Beth sy'n bod, Dafydd bach?'

'Wnaethost ti mo hynny, on'naddo Mali?'

'Gwneud beth?' gofynnodd hithau mewn dryswch.

'Mae gen i ofn iddyn nhw fynd â thithe i ffwrdd, yr un fath ag yr aethan nhw â Mam,' llefodd y plentyn, yn crynu i gyd drosto.

'Mynd â fi i ble?' Teimlai Mali ryw ias oer yn torri drosti hithau.

'Mynd â thi i'r carchar, ac i'r twll du wedyn,' meddai Dafydd. Gorfu i Mali aros wrtho am ysbaid wedyn am ei fod yn atal gormod ar ei wynt i allu siarad. 'Mae Huw'n deud fod gen ti fabi bach erstalwm. Oedd gen ti, Mali?'

'Oedd,' addefodd hi'n benisel.

Aeth Dafydd yn ei flaen ar ruthr wedyn.

'Ac mae Huw'n deud dy fod ti wedi lladd y babi.'

Edrychodd Mali arno mewn mudandod syn. Roedd hwn yn haeriad rhy aruthrol iddi'i sylweddoli'n llawn am rai oriau.

'A'i wthio i mewn i dwll mewn carreg fedd mewn rhyw hen fynwent, a dyn o'r pentre yma'n dy weld di'n gwneud hynny. Ac mae Huw'n deud y bydd o'n gyrru plismon i'th nôl di un o'r dyddiau nesa yma.'

Disgwyliai am i Mali ei ateb, ac wrth deimlo'i distawrwydd aeth yn fwy cynhyrfus fyth.

'Dywed rywbeth, Mali,' ymbiliodd. 'Wnaethost ti mo hynny, on'naddo. Ar dy wir?'

'Naddo, ar fy ngwir,' ebe hithau, yn hanner distaw.

'Hwrê. Mi reda i i ddeud hynny wrth yr hen Huw yna y munud yma.'

'Nage, paid. Cymer ofal na sonni di'r un gair wrtho fo.' Ni allai Mali egluro paham yr oedd gymaint yn erbyn achub ei cham gyda Huw.

'Ble mae'r babi bach? Pam na ddeui di ag o yma? Mi edrychwn i ar ei ôl o iti,' perswadiai Dafydd.

'Mae gen ti ddigon i'w wneud i edrych ar dy ôl dy hun, 'ngwas i. A heblaw hynny, chawn i ddim dod â hi yma.'

'Geneth fach ydi hi?' Roedd hyn yn fwy boddhaus fyth yng ngolwg Dafydd. 'Falle, petait ti'n gofyn i'r Meistr Ifanc, y câi hi ddod, fel y ces i. Mi fyddai pawb arall yma'n siŵr o fod yn erbyn. Ble mae hi gen ti?'

Wedi iddo ddal i rincian yn hir, ildiodd Mali i ofyn,

'Os cei di wybod rhywbeth nad oes neb ond y fi, ac un arall, yn ei wybod, wnei di addo peidio â sôn yr un gair wrth undyn byw?'

'Ar fy ngwir, Mali! Wir-yr! Crist croes, tân poeth!' Sicrhaodd Dafydd ei adduned gyda'r cloeon cadarnaf a wyddai.

Plygodd Mali i sisial yn ei glust.

'Mae hi'n cael ei magu gan weinidog a'i wraig, mewn tŷ mawr braf, bum milltir o Gaerarbra—ond gofala di nad oes neb arall i wybod.'

Doedd yr enw Caerarbra'n cyfleu dim i Dafydd. 'Rwyf innau am fod yn bregethwr pan dyfa i yn ddyn,' breuddwydiodd. 'Oni byddai o'n beth braf, Mali, pe cawn i fy ngwadd i de gan y gweinidog yna? Wedyn mi gawn weld dy fabi bach di.'

Yn ei gwely y noson honno, cofiodd Mali amdani'i hun yn gwthio'r ffrog i'r hollt yn y gist garreg, ac am y dyn gerllaw'r glwyd. Bu'n chwysu am nosweithiau wrth feddwl am fygythiad Huw. Roedd arswyd mawr rhag carchar ar drigolion Llanllŷr, ac fe gawsai Mali argraff mai crogi oedd y gosb leiaf y gellid ei disgwyl yno. Ni wyddai pa erchylltra a arhosai rywun oedd yn cael ei amau o lofruddiaeth. Crynai rhag pob sŵn troed a glywai ar y cerrig o flaen drws y briws, ac aeth i osgoi pawb, yr un fath yn union ag yn ystod ail hanner ei blwyddyn gyntaf yno. Fe soniai Huw beunydd yn ei chlyw am blismyn, nes ei gyrru bron yn wallgof. Fe ddywedai'n sydyn, ar amser cinio,

'Mi feddyliais yn siŵr imi weld plismon y Dref ar Allt-y-Plas heddiw. Ys gwn i beth oedd arno fo'i eisiau y ffordd hyn?'

Fel y dihangai hi oddi yno un tro, clywodd lais Deio, yn sarrug iawn,

'Bwbach brain y cae tatws welaist ti, siŵr iawn.'

Er na soniai'r un o'r gweision eraill air am y stori, fe ddychmygai Mali eu gweld yn edrych yn amheus arni o hyd. Collodd bob diddordeb yng ngwersi Dafydd. Penderfynodd, os galwai'r plismon amdani, yn hytrach na mynd i'w ganlyn, y dewisai'r trobwll creigiog rhwng Traethaur a Llanala.

Dim ond un oedd ganddi y gallai droi ati. Dywedodd wrth Ann Huws un bore ei bod yn bwriadu mynd i edrych am Saro drannoeth.

'Aros tan yr wythnos nesa,' gorchmynnodd y Feistres. 'Mi

fydd yma ddwy forwyn dda erbyn hynny, ac mi fydd yn ddigon hawdd dy hepgor di.'

'Mae'n rhaid imi fynd fory,' ebe Mali, ei hwyneb yn welw a'i gwefusau'n crynu. Dychrynodd Ann at ei golwg ac ni wrthwynebodd ragor arni, dim ond canu'n ei chorn ynghylch rhai oedd yn meddwl am ddim ond cael codiad cyflog a gwybeta o gwmpas.

Ni allai Mali feddwl am gymryd ei llwybr arferol. Parhâi arswyd y trobwll hwnnw arni byth er pan ymwthiodd y syniad amdano i'w meddwl. Ofnai hefyd gyfarfod y plismon ar ei ffordd i chwilio amdani. Fe gâi osgoi'r ddau beryg yma wrth groesi gyda godre'r moelydd, fel y gwnaethai Saro y llynedd. Felly mentrodd y ffordd honno wrth ei hamcan. Yr unig beth a wyddai i sicrwydd oedd fod y Wern yn union gyferbyn â phigyn uchaf y gadwyn fynyddoedd, a cheisiodd anelu at hwnnw.

Cerddodd lawer yn ofer, a rhwygo'i phais aml i dro yn y drain. Roedd yn rhy gythryblus ei meddwl i sylwi hyd yn oed ar hynny; ond fel y digwyddai orau, ei phais waith oedd hi, gan na thrafferthodd i gymaint â newid o'i dillad godro cyn cychwyn i'w thaith. Fodd bynnag, cyrhaeddodd yn ddiogel, ychydig cyn amser cinio Saro.

Fe ymddangosai'r hen wraig, a'i bwthyn, a Mol, yn union yr un fath ag arfer, ac roedd Mali trwy gydol y misoedd wedi edrych ymlaen at eu gweld felly. Ond ni châi gysur o ddim heddiw.

'Mae'n hynod o dda gen i gael sgwrs â thi,' croesawodd Saro hi. 'Falle y byddwn i wedi galw heibio acw cyn diwedd yr wythnos, ond mae'n well gen i gael arbed y siwrnai. Mi fûm â thipyn o risgl a gwreiddiau yn nhŷ Mallt yr wythnos ddiwetha, ond mi dorrais fy nghalon i ddod cyn belled â'r Plas ar hyd y ffordd serth yna.'

Tywalltodd Mali ei stori allan. Ni welsai Saro hi erioed mor gynhyrfus, hyd yn oed ar y daith i Gaerarbra.

'Eistedd i lawr i gymryd tamaid, ac mi rof i ychydig o ddail Cadwgan i ystwytho mewn dŵr, iti gael ei yfed o cyn mynd oddi yma. Mi wnaiff hwnnw dy dawelu di. Mae golwg colli cwsg arnat ti.'

'Yn ara deg. Yn ara deg,' sgrechiodd Mol, ond roedd Mali wedi arfer digon â hi erbyn hyn i beidio â sylwi ar ei sŵn.

'Chysgais i ddim gwerth sôn amdano ers nosweithiau,' addefodd Mali. Aeth ymlaen i adrodd am ei hofn o'r plismon, ac fel y byddai'n well ganddi waelodion y pwll du na'i ddilyn ef i'r carchar.

Syllodd Saro'n ddifrifol arni.

'Mi rof i dipyn o ddail Cadwgan iti eu cymryd yn ôl efo ti hefyd,' ebe hi toc. 'Mi ddylet allu gwneud trwyth ohonyn nhw dy hun erbyn hyn. Mi ges innau grap ar y stori yna gan Mallt. Holi'n dy gylch di oedd fy mhrif neges i yno, a dyna beth glywais i.'

'Mae pawb yn ei gwybod hi felly,' dolefodd Mali.

'Hen stori wirion y galwai Mallt hi, ac roedd hi'n fy sicrhau nad oedd neb yn ei chymryd o ddifri, a bod pawb yn gwybod mai gwaith Huw oedd hi, yn ceisio codi rhywbeth i sbeitio'r Meistr Ifanc. Mi fu fisoedd cyn cael neb i gymaint â gwrando arni, meddai Mallt.'

'Ond falle y cred y plismon hi,' meddai'r eneth yn ddiobaith.

'Dyna pam roeddwn i gymaint o eisiau gair â thi, rhag ofn i rywun felly alw heibio ac i tithau golli dy ben. Wnest ti wthio rhywbeth i un o feddau Llanïor?'

Adroddodd Mali ei hanes yn y fynwent, ond methai'n deg ag egluro i fodlonrwydd Saro paham y gwthiodd y ffrog i'r fan honno.

'Rwy'n deud o hyd nad wyt ti ddim ffit i'th ollwng i unman ar dy ben dy hun,' ceryddodd yr hen wraig hi. 'Rwyt ti'n eitha gartre efo dy waith, ond naw wfft iti pan orffenni di hwnnw. Mi ddwedais i'n bendant wrth Mallt fod y plentyn allan yn cael ei magu mewn cartre da, ac y gwyddwn i ymhle. Os digwydd i rywun ddod ar dy ôl di, does gen ti ond deud yr un peth a'u gorfodi nhw i'm nôl i. Ar yr un pryd, rwy'n disgwyl na chlywi di ddim rhagor ynghylch y peth, gan fod Mallt yn deud mor gadarn nad oedd neb o gwbl yn sôn am y stori ar wahân i ychydig o daclau hanner-pen, a fod Huw wedi tynnu plismon y Dref ar siwrnai seithug i Lanala rywdro o'r blaen. Os felly, fydd gan hwnnw ddim cymaint o wynt i wrando ar straeon Huwcyn yr eilwaith.'

'Ydych chi'n siŵr nad ân nhw ddim â fi i'r carchar, 'te?' ymbiliodd Mali, fel petai'i ffawd yn dibynnu ar farn Saro.

'Dim andros o beryg tra byddaf i byw. Er mwyn iti fod yn ddiogel wedyn hefyd, ynglŷn â'r helynt yma, mi af i at Jones y gweinidog fory, a gofyn iddo fo sgrifennu'r hanes fel y dweda i o, ac mi arwydda i f'enw ar y gwaelod. Mi gaiff Jones ei gadw o, ac felly mi fyddi'n ddiogel petai'r stori'n codi'i phen i daro eto ar ôl fy nydd i. Rwyf i'n arw iawn am y dyn yna er nad ydw i byth yn tywyllu'i gapel o, ac mae o'n un all gadw cyfrinach yn saff hefyd. Mi gadwodd o a minnau aml i un rhyngom, cyn hyn.'

Roedd Mali wedi sirioli cryn lawer.

'Gobeithio'r un fath na ddaw yna neb ohonyn nhw i ofyn dim byd i mi,' meddai.

'Bron nad awn i ar fy llw na chlywi di ddim yn ei gylch o eto. Yn un peth, mi fu Huw a rhai o'r diotwyr, fisoedd yn ôl, yn chwilio'r bedd ddangosodd y dyn, ac amryw o'r rhai o'i gwmpas hefyd rhag ofn ei fod o wedi camgymryd p'un oedd o. Chafwyd hyd i ddim byd ac mi drodd y rhan fwyaf o'r dynion i chwerthin am ben yr hen greadur, ei fod o wedi mynd yn rhy wan i gadw'i gwrw rhag codi i'w ben. A phetai Huw ei hun yn credu'r stori, mi fuasai wedi gwneud rhywbeth yn ei chylch ymhell cyn hyn, yn siŵr i ti. Mae o'n gweld nad ydi'r stori'n dda i ddim iddo, ond i ddychryn tipyn arnat ti. A pheth arall —mi ddwedais i ar y pryd, on'do, fod Rhagluniaeth wedi bod yn garedig wrthyt ti, yn caniatáu i'r plentyn etifeddu'r nam oedd ar glust ei thad a'i nain.'

'Sut fyddai hynny o unrhyw help?' amheuai Mali.

'Wel, mae o'n ddigon o farc arni. Petai raid inni fynd â nhw i Roslan er mwyn profi ein geiriau, mi allen nhw daeru mai digwydd gwybod am blentyn wedi'i gadael felly yr oeddym ni, a'n bod ni'n defnyddio'r stori at ein pwrpas drwg ein hunain. Ond all neb wadu'r glust yna. Ond hei lwc na ddaw hi ddim i hynny, neu mi fyddai gen ti a minnau gryn lawer o waith egluro o'n blaen wedyn, er na fyddai o ddim agos mor ddifrifol cyhuddiad â'r llall yna chwaith.'

Dychwelodd Mali y noson honno yn llawer tawelach ei meddwl. Hebryngodd Saro hi nes bod ffriddoedd Plas-yr-Allt yn y golwg, gan ei chynghori i beidio â sylwi ar ddim a glywai.

'Pa wahaniaeth i ti beth mae unrhyw un yn ei ddeud?' oedd ei hymresymiad. 'Petait ti'n awyddus i wneud ffrindiau ar hyd y fan acw, falle y byddai o'n anfantais i hynny, ond welais i erioed arwydd dy fod ti'n un felly. Ac os bydd pethau'n troi'n ddrwg, mi fyddaf i, neu Ezra Jones, gen ti i syrthio'n ôl arno wedyn. A phetait ti'n sôn wrth y Meistr acw, mae'n siŵr gen i y gallai o roi taw yn syth ar y glep.'

Safodd Mali'n stond.

'Ydych chi ddim yn meddwl fy mod i'n mynd i'w boeni o efo fy helyntion?' meddai'n chwyrn.

'Dal ati,' ebe Saro'n ddigyffro. 'Mi fydd yn braf iawn iti gymryd dy grogi rhag i neb gael deud fod y Meistr Ifanc wedi'i iselhau ei hun erioed trwy siarad â thi.'

Wrth ymwahanu, dywedodd, 'Mi fyddai'n burion peth iti roi tro am Seimon pan gei di gyfle. Mae hanesion rhyfedd amdano y ffordd acw. Fûm i ddim yno fy hun, ond maen nhw'n deud fod y tŷ mewn cyflwr ofnadwy, a Seimon ei hun heb fod fawr gwell na hynny wedyn, a bron â bod yn rhy grintach i anadlu.'

'Fyddwn i'n disgwyl clywed dim byd arall amdano fo,' ebe Mali'n ddihidio.

'Nid am y pethau yr arferaist ti â nhw y mae pobl yn siarad yn awr,' pwysleisiodd Saro. 'Mae rhai yn mynnu ei fod o'n gwirioni, ac iddo fo wario pymtheg punt o arian glân yn y Dref ar y dillad gorau y gellid eu prynu yno, ac eto mae o'n ei dolli'i hun ar fwyd.'

'Celwydd ydi'r stori yna, beth bynnag,' meddai Mali'n ffyddiog.

'Falle'n wir.' Nid oedd gronyn o argyhoeddiad yn llais yr hen ddoctores. 'Mae eraill yn deud iddyn nhw ei weld o ar hyd Coed-y-Glyn fin nos, a'r dillad yma amdano.'

'Mae'r fan honno'n bell iawn,' dadleuodd ei chwaer. 'Fûm i erioed yn fy mywyd yn agos yno, a fyddai Seimon yn mynd yr un cam oddi cartre os na byddai hi'n rhaid arno.'

'Dos di heibio iddo fo ryw ddiwrnod,' cynghorodd yr hen wraig. 'Mi weli felly trosot dy hun faint ydi'r gwahaniaeth ynddo fo rhagor dwy flynedd yn ôl. Dacw'r ffriddoedd. Mi drof i tuag adre wrth fy mhwysau'n awr. Cholli di mo'r ffordd yn dy fyw bellach. A chofia di, 'merch i, beth ddwedais i wrthyt ti.'

A chofio hynny y bu Mali trwy gydol y daith tros y ffridd-oedd a chaeau'r Plas. Dyma hi unwaith eto wedi llwyddo i daflu baich ei phryderon ar gefn Saro. Teimlai'n berffaith esmwyth yn awr, wedi cael dweud wrthi sut i wneud. Roedd ufuddhau yn llawer haws ganddi bob amser na gorfod meddwl trosti'i hun. Ni phoenai gymaint ynghylch siarad pobl os nad oedd niwed yn dod iddi o hynny, oblegid, fel y dywedodd Saro, nid oedd hi'n blysio dim ar eu cyfeillgarwch. Prin y cofiodd am yr hyn a glywodd ynghylch Seimon. Roedd o fel petai wedi pasio o'i bywyd yn llwyr, a doedd hi ddim yn sylweddoli mai ei argraff ef oedd yr un ddyfnaf arno o hyd.

Trodd ei meddwl at Dafydd. Tybed a fyddai wedi bod yn chwith ganddo amdani heddiw? Roedd ei habsenoldeb yn gwneud cryn wahaniaeth iddo yn ei breseb, beth bynnag. Falle y gallai hi gelcio rhyw damaid bach iddo fo ar ôl swper. Yna, yn y Ffridd Isaf, gwelodd greadur bach digalon yr olwg, a chloff, yn hercian o gylch y bustych. Galwodd arno, a chwifiodd yntau ei law a cheisio rhedeg at yr adwy i'w chyfarfod.

'Beth wyt ti'n drio'i wneud, Dafydd bach?'

'Cyfri'r bustych yma,' meddai Dafydd yn druanaidd. 'Maen nhw i gyd yma, felly mi ddof adre ar unwaith â thi, Mali. O'r annwyl, rwyf i wedi blino,' cwynfannodd, gan ymollwng ar y clawdd a snochtian crio.

'Beth fuost ti'n ei wneud, neno'r dyn?' chwarddodd hithau. 'Beth petait ti fel y fi, wedi bod wrthi'n cerdded bron trwy'r dydd heddiw?'

'Rwyf innau wedi cerdded trwy'r dydd hefyd,' protestiodd Dafydd. 'Mi gychwynnais i'n union ar dy ôl di, efo'r fuwch goch i'r dyn hwnnw o Lanfair fu yma'r wythnos o'r blaen.'

'Pa ffordd est ti?' holodd Mali'n syn.

'Mi ddaeth Ic i'm danfon i at y ffordd fawr, ac wedyn doedd dim peryg imi fethu gan mai Llanfair ydi'r pentre cyntaf y dowch chi iddo fo wrth ganlyn y tyrpeg. Ac mi'i cerddais hi i gyd fy hun, Mali,' gydag ymgais at sythu ac ymorchestu tipyn, 'ac mae hi yn bob llathen o wyth milltir un ffordd.'

Ymollyngodd yn ôl ar y glaswellt. 'Ond rwyf i wedi blino'n ofnadwy ac eisiau bwyd yn sobor iawn.'

'Pryd gefaist ti fwyd olaf?'

'Amser brecwast . . . nage . . . mi gefais geiniog gan y dyn am ddanfon y fuwch ac mi brynais wicsen efo hi, ond mi orffennodd honno'n syth.'

'Ond mi gefaist damaid yn dy boced i'w fwyta ar y ffordd, yn siŵr?' Roedd llais Mali'n bur chwyrn, ohoni hi.

'Naddo. Roeddet ti wedi cychwyn, ac roeddwn i ag ofn gofyn i Meistres.'

'Pam na fuaset ti wedi troi i'r tŷ i nôl bwyd gydag iti gyrraedd adre, 'te, y cloncyn bach?'

'Roeddwn i ar fy ffordd, ond dyna fi'n cyfarfod y Meistr Ifanc wrth ddrws y briws ac mi gyrrodd o fi i olwg y bustych yn ei le o.'

Bu distawrwydd am ennyd, a'r ddau'n ymladd rhag gweld dim bai ar eu harwr. Ailddechreuodd Dafydd grio.

'Ddwedodd o ddim 'mod i wedi gwneud yn dda i allu mynd â hi, a'r hen fuwch yn rhedeg trwy bob adwy welai hi. A Mali, rwy'n meddwl fod y clocsiau yma eto wedi mynd yn fach imi.'

'Paid ti â hidio, 'ngwas i. Mi gaf i 'nghyflog yr wythnos nesa, ac os na wna neb arall, mi rof i arian iti fynd i brynu pâr newydd noson y Cyfarfod Dirwest. Gafael yn fy mraich, inni fynd adre gynted gallwn ni. Mi ferwa i wy iti, os cawn ni'r gegin i ni ein hunain.'

PENNOD IX

Beth bynnag ydoedd siarad yr ardal ynghylch ffawd baban Mali, ni chlywodd hi ragor yn ei gylch, ac eithrio ensyniadau Huw ac ambell forwyn a ddeuai yno ar dro, ond ni flinai'r rheini fawr arni bellach. Âi bywyd yn y Plas ymlaen rywbeth yn debyg o fis i fis. Roedd y Feistres fel petai'n mynd yn llai ac yn fwy crebachlyd o hyd, ond tyfai'i thymer a'i chrintachrwydd yn feunyddiol. Fe gwynai'r gweision fwy arni'n awr na phan ddaeth Mali yno gyntaf. Dywedent ei bod yn busnesa yn eu gwaith yn barhaus, ac yn gwenwyno y dylid gwneud ar un yn llai ohonynt. Am y morynion, Mali o hyd oedd yr unig un allai gyd-fyw â hi, a bron na threthid hithau i'r pen ambell dro, er nad oedd Ann Huws, erbyn hyn, yn ddim gwaeth wrthi hi nag wrth y gwasanaethyddion eraill.

Parhâi'r Meistr Ifanc a'i wraig i gyd-dynnu'n iawn i bob golwg. Fe chwarddai ef gymaint ag erioed, a ffeiriau a cheffylau oedd y ddau brif ddifyrrwch a ganiateid iddo o hyd. Dichon fod ei wallt cyrliog ychydig yn deneuach nag y bu, a'r rhychau a grewyd gan y chwerthin yn ddyfnach, ond wrth edrych o draw ar ei gorff heini, gosgeiddig, ni chwerylai neb dieithr â'r enw a roddid arno o hyd—y Meistr Ifanc. Roedd llai o gyfathrach rhyngddo ef a Mali na rhwng unrhyw ddau arall yn y tŷ. Weithiau deuai'r hen deimlad trosti—tybed nad breuddwydio'r Ffair Bleser honno, a'r flwyddyn a'i dilynodd, a wnaethai? Er hynny câi fwynhad bob bore wrth godi o'i hatgoffa'i hun fod ei gwaith, beth bynnag fyddai, yn mynd i ychwanegu at gysur Tim Huws.

Nid arhosodd Deio ym Mhlas-yr-Allt. Roedd wedi priodi a mynd i fyw i'w dyddyn ei hun, gan weithio fel llafurwr wrth y dydd ar un o ffermydd eraill y gymdogaeth. Er bod yn well gan Mali ef na'r un o'r gweision eraill, eto fe deimlodd ryddhad pan ymadawodd. Fu Deio byth yr un fath gyda hi wedi iddi ddychwelyd i'r Plas at ei hail flwyddyn. Teimlai hi ei fod fel petai'n amheus ohoni, ac yn siomedig ynddi. Ar wahân i'r un tro hwnnw, ni soniodd yr un ohonynt am ei gynnig i'w phriodi.

Daliai Dafydd at ei wersi. Medrai ddarllen popeth Cymraeg erbyn hyn, ac roedd Elis Morgan, y gweinidog, wedi dechrau rhoi benthyg llyfrau Saesneg iddo, ond ychydig o grap oedd ganddo ar y rheini hyd yn hyn. Roedd addysg Mali hefyd wedi datblygu digon iddi fedru sillafu adnod bob yn llythyren, a'i darllen yn weddol rugl ar ôl bod trosti deirgwaith neu bedair. Medrai hyd yn oed ysgrifennu ychydig, er mai bras ac anghelfydd iawn oedd ei llaw.

Fe arweiniodd ei ysgolheictod Dafydd i aml i ysgarmes flin yn ystod y cyfnod yma, ac anaml y crybwyllai neb o'r tu allan enw Dafydd wrth Huw na'r Feistres heb gael hanes un, yn neilltuol, o'r troeon hynny.

Fe ddigwyddodd pan oedd Dafydd heb gyflawni eto ei uchelgais o ddysgu Mali i ddarllen. Fe godai'r bachgen yn fore, ar yr un pryd â'r dynion, a mynnai aros ar ei draed cyhyd â Mali, er fod Siôn Cwsg yn llercian yn ei lygaid ers oriau. Un prynhawn, ar ganol amser hau, daeth Huw o hyd iddo'n cysgu yn y gwellt ar waelod y drol fach yn y gadlas. Wrth gwrs, prysurodd yr hwsmon i nôl Ann Huws i'w olwg, ac mi fu sôn di-daw am ddyddiau wedyn am 'fwydo'r hogyn yma i ddim ond diogi. Pwy fyddai'n meddwl iddo fo gysgu fel'na ar ganol y diwrnod, a hithau ddim yn gynhaeaf? Mi ddwedais i ddigon sut y byddai hi. Mae cynhaliaeth bachgen o'r oed yma'n golygu rhywbeth, ac yntau'n gwneud dim amdano ond cysgu.'

Nid oedd y Meistr Ifanc yn cadw chwarae teg iddo o gwbl, dim ond chwerthin yn braf a gadael i Ann rygnu arni. Arswydai Mali beth pe gwyddai'r Feistres fod Dafydd yn bwyta cymaint mwy na'r ychydig fwyd a olygai hi ar ei gyfer.

Fin nos, rhoddwyd y forwyn a'r bachgen at y gwaith o glirio un o'r parlyrau mawr a wynebai'r môr, er mwyn gwneud lle i ragor o bynnau ŷd. Cadwai Ann Huws lawer o bethau felly yn y tŷ rhag ofn i'r gweision wneud yn rhy hyf arnynt yn y granar. Roedd pawb a ddigwyddodd eu gweld wrthi yn gweiddi arnynt i ofalu peidio â mynd i gysgu yno, nes gyrru wyneb Dafydd mor goch â chrib ceiliog. Toc, dywedodd Mali wrtho,

'Rhaid iti fynd i'th wely'n gynharach, Dafydd bach. Dwyt ti ddim yn cael hanner digon o gwsg.'

Edrychodd Dafydd yn siomedig arni.

'Wyt tithau'n meddwl 'mod i'n cysgu yn y drol? Dim ffasiwn beth, Mali, ond 'mod i'n meddwl y byddai'r gwellt yn gynnes, a minnau wedi blino ac eisiau gweld mymryn ar y llyfr gefais i'n fenthyg gan y gweinidog.'

'Pam na chodaist ti 'te, yn lle gadael i Huw a'r Feistres rythu uwch dy ben di cyhyd?' gofynnodd Mali, yn fwy hoyw ei thafod nag arfer.

Ni welodd Dafydd yn dda i sylwi ar gwestiwn mor anghyfaddas.

'Un iawn ydi'r llyfr yma hefyd,' meddai. 'Dwyf i ddim yn deall y geiriau mawr sydd ynddo fo i gyd, ond mi ofynnaf i Mr Morgan ar ôl y Cyfarfod Dirwest nos Fercher. Mi ddarllena i dipyn ohono fo iti heno, os mynni di.'

'Beth sydd ynddo fo?' holodd Mali, er mwyn plesio Dafydd yn hytrach nag o ran unrhyw ddiddordeb a deimlai.

'Hanes hen blasau Cymru,' atebodd y bachgen, a'i lygaid yn pefrio. 'Ac wyddost ti, maen nhw'n union yr un fath â Phlas-yr-Allt yma—eu tu allan o gerrig llwydion, a'r muriau a'r trawstiau y tu mewn o dderw du. Mi grafais i fymryn o'r calch oddi ar y wal yma ddoe, ac mae hi'n ddigon siŵr mai coed derw sydd o tano. A dodrefn gloyw, meddai'r llyfr, a llestri o bres, a phiwtar, a phren caled. Trueni,' gan edrych o'i gwmpas mewn diflastod, 'fod Meistres yn cadw'r hen bynnau yma yn y tŷ.'

Prin y cytunai Mali ag ef.

'Mi fyddai'n waith glanhau ofnadwy petai pobman yn y tŷ yma yr un fath â'r gegin orau.'

'Ie, mae honno'n debyg i'r llun sydd yn y llyfr, ond fod y dodrefn fwy ar draws ei gilydd nag yn hwnnw.'

'Wel, tyrd yn dy flaen, p'un bynnag,' anogodd y forwyn, 'neu mi gawn ni ddrwg am fod yn hir.'

Ymrôdd Dafydd ati mewn distawrwydd dygn am ysbaid. Yna, pan ddaeth ei ysgubell ag ef i dueddau Mali drachefn, dywedodd, yn hanner distaw,

'Wnei di ddim dynwared os dweda i wrthyt ti, wnei di, Mali?'

'Dynwared beth, Dafydd bach?'

'Wel, mi glywais i Mam yn deud mai ni ddylai fod yn byw

ym Mhlas-yr-Allt, am mai ein teulu ni oedd piau o ers talwm iawn yn ôl, digon o ers talwm iddo fod yn debyg i blasau'r llyfr yma. Ac mi fyddai Mam yn arfer deud mai gwaed Tywysogion y Glannau oedd gennym ni, a bod hwnnw'n well na gwaed y bobl ddygodd y Plas oddi arnom ni.'

'O,' meddai Mali. Nid oedd y datguddiad yn un pwysig o gwbl yn ei golwg hi.

'Gofala na ddwedi di ddim chwaith,' siarsiodd Dafydd eto, 'o achos roedd Mam yn erbyn imi sôn wrth neb rhag ofn iddyn nhw chwerthin am inni ei ddeud o a ninnau mor dlawd, ond mae o'n ddigon gwir er hynny.'

'Ddweda i yr un gair wrth neb,' addawodd Mali, oedd eisoes wedi anghofio llawer o'r gyfrinach.

'Da iawn,' cymeradwyodd yntau. 'Fynnwn i ddim chwaith i'r Meistr Ifanc feddwl 'mod i eisiau mynd â'r lle yma oddi arno fo, ac yntau wedi bod mor dda wrthyf i.'

Er gwaetha'r mân helyntion yma, a thymer afrywiog y Feistres, a'r pryder mawr oherwydd straeon maleisus Huw ynglŷn â'r baban—o edrych arnynt yn eu crynswth, blynyddoedd hapus fu'r rhain i Mali. Fe weithiai'n galed, ac anaml iawn yr âi hi oddi yno heblaw i ymweld â Saro unwaith neu ddwy mewn blwyddyn, ac efallai i'r Dref unwaith mewn tair blynedd. Ond câi bleser yn ei gwaith, ac roedd y môr, mewn heulwen a drycin, wedi tyfu'n rhan o'i bywyd. Yn goron ar bopeth oedd Dafydd, a ddibynnai arni hi a neb arall am ei gysuron a'i hapusrwydd, ac a ymddiriedai ei holl gyfrinachau iddi. Ni sylweddolai hi na'r bachgen mor ddibynnol ar ei gilydd yr oeddynt yn ystod y blynyddoedd hynny yn y Plas.

Ychydig newidiodd Saro yn ystod y chwe blynedd yr oedd Mali wedi'i hadnabod, er ei bod yn cwyno'n gyson ei bod yn mynd yn hen. Eithr nid oedd hynny'n amharu dim ar ei chlyw na'i golygon na'i deall. Fe ddywedodd Mali hynny wrthi un tro.

'Dail ac awyr iach sy'n cyfrif am hynny, 'merch i, ond allant hwythau mo atal henaint rhag fy lladd i yn y diwedd.'

Anogai lawer ar Mali i fynd i edrych am Seimon. Rhywbeth yn debyg fyddai'r hanes bob tro.

'Mae o'n siŵr o wirioni, cred di fi, os nad ydi o wedi gwneud eisoes. Deud mae pobl ei fod o'n eitha yn y dydd, ac eithrio'r holi a'r stilio beunyddiol sydd arno fo ynghylch pryd y daw'r Syr adre. Y nos y mae o'n crwydro, gan siarad ag ef ei hun, ac ŵyr neb beth sydd ganddo. Rhaid mai ychydig iawn mae o'n gysgu, o achos maen nhw'n deud ei fod o gwmpas y Glyn bob awr o'r nos.'

'Alla i yn fy myw gredu'r stori yna ynglŷn â'r Glyn o hyd,' meddai Mali. 'Pam fynd yno, mwy nag i rywle arall?'

'Wn i ddim, ond mae hi'n ddigon gwir iti ei fod o'n mynd, o achos mae'r garddwr a'i wraig, sy'n byw yn y Plas, wedi dychryn am eu bywydau. Mae Seimon yn prowla o gwmpas yn barhaus, medden nhw, a hyd yn oed yn edrych trwy'r ffenestri yno. Tipyn o lwfrddyn ydi Robin, wrth gwrs, ond mae o'n eitha geirwir. Mae o a'r wraig yn deisyfu trwy'r amser am i'r Syr ddod yno, ond chreda i ddim y cymerai hwnnw sylw ohonyn nhw petaen nhw'n ceisio deud wrtho fo —a bwrw i'r fath ryfeddod ddigwydd ag iddo fo ddod ar sgawt i'r Glyn cyn marw. O'm rhan fy hun, mae'n anodd gen i gredu y daw o byth, ond fod siarad gwlad yn traethu ar ei gyfer fel arfer.'

'Ydi'r hen Syr y soniech chi amdano yn dal yn fyw?' rhyfeddai Mali.

'Ydi neno'r annwyl, ond ei fod o'n hen iawn erbyn hyn—fel finnau,' meddai Saro, a'i llygaid yn tremio i'r pellteroedd.

'Petawn i'n mynd i edrych amdano fo,' mwmiodd Mali, ei meddwl yn ôl gyda Seimon, 'chawn i ddim croeso. Mae hi'n well imi adael llonydd iddo fo, rwy'n meddwl.'

A dyna fel y terfynai'r sgwrs bob tro.

Un bore, wrth groesi'r buarth, fe ganfu Mali fachgen tua'r un oed â Dafydd yn sefyll yn betrusgar gogyfer â'r llidiart wen a arweiniai at ffrynt y tŷ. Pan welodd hi, rhedodd i fyny ati.

'Mae gen i lythyr ichi,' meddai.

Craffodd Mali arno.

'Tybed ai bachgen Mallt o Lanala wyt ti? Wnes i mo'th adnabod di. Rwyt ti wedi tyfu cymaint.'

'Rwyf heibio i ysgwydd Mam erstalwm,' broliodd y bachgen, 'ac mi ges o hyd i'r lle yma'n iawn, er na fûm i erioed yma o'r blaen.'

'Roedd hi'n ffordd iti gerdded hefyd,' tosturiodd Mali.

'O nac oedd. Mi ddois i'n iawn. Mi fynnai Mam i 'nhad bicio â fo neithiwr ond wnâi o ddim, ac mi ddwedais i wrthi y down i ben bore heddiw. A dyma fo'r llythyr ichi,' ac estynnodd ddarn o bapur budr i Mali.

Dyma'r tro cyntaf erioed iddi dderbyn llythyr, ac ni wyddai'n iawn sut i'w drin. Gorfu i'r bachgen ddweud am yr eildro cyn iddi deimlo'n sicr ei bod wedi ei ddeall yn iawn ac mai iddi hi yr oedd y neges. Yna, aeth mor gynhyrfus nes methu â gwneud cyfiawnder â'i gallu i ddarllen y nodyn. Ysgrifen fras oedd arno, a'r unig beth y medrodd Mali'i ddeall oedd mai enw Saro oedd wrtho.

'Fedri di ddarllen?' gofynnodd.

'Na fedraf,' hanner ymffrostiodd y bachgen.

Aeth ag ef i'r tŷ gyda hi. Pe câi afael ar Dafydd byddai popeth yn iawn, neu ni fyddai dim ond iddi gymryd amser i'w sillafu ei hun bob yn llythyren. Ond wrth lwc, pwy oedd wrth y popty mawr, a llond ei freichiau o goed tân, ond Dafydd.

'Hwde,' meddai wrtho'n bwysig, 'rwyf wedi cael llythyr, ac eisiau i ti ei ddarllen imi.'

Gollyngodd Dafydd ei goed yn swp ar lawr.

'Mi gei di ddrwg am hynna,' rhybuddiodd Mali.

'Paid â hidio. Gad imi weld dy lythyr di. Chefais i erioed ddarllen un i neb o'r blaen.' Roedd Dafydd yn eiddgar ac wrth ei fodd. 'Twt,' meddai wedyn, yn siomedig, 'hen un bach iawn ydi hwn.'

'Gad wybod beth sydd ynddo fo, a darfod arni,' gorchmynnodd Mali.

'Oddi wrth Saro y mae o.' Mynnai Dafydd gadw'i bwysigrwydd cyhyd ag y gallai.

'Dywed rywbeth na wn i mohono fo.' Rhwng chwilfrydedd a phryder yr oedd Mali bron â cholli'i hamynedd. 'Neu mi fydd yn gynt imi ymroi ati i'w ddarllen o fy hun.'

'Wel, dyma fo iti.' Cliriodd Dafydd ei wddf, a darllenodd tros y tŷ.

> 'Mae Seimon yn wael iawn ac mi ddylet fod efo fo ar bob cyfrif. Tyrd heddiw a gad bopeth, oherwydd mi wn na fydd o fawr iawn.
>
> Saro Owen.'

'Sut cafodd dy fam hwn?' gofynnodd Mali i'r bachgen.

'Hen wraig o'r wlad ucha roddodd o i ryw dorrwr cerrig ar y ffordd, a hwnnw wedyn ei roi i ddyn sy'n arfer galw acw. Mi cafodd Mam o neithiwr, ond mi fethodd yn ei byw â'i yrru o cyn y bore yma.'

'Rhaid iti gael rhywbeth am ddod â fo,' meddai Mali, gan redeg i'r llofft. Roedd hi bron yn ben-tymor arni, a swllt, a phisyn tair, a phedair ceiniog oedd ganddi'n weddill o'i chyflog. Bu'n pendroni'n hir uwch eu pen. Cydiodd yn y pisyn tair unwaith, ac yn y pres dro arall, ond o'r diwedd daeth i lawr â'r saith ceiniog yn ei llaw. Efallai y byddai'n dda iddi hi wrth y swllt, os âi i Dy'n-yr-Ogof. Fyddai Seimon ddim yn fodlon gwario dimai ar fwyd iddi hi, a hithau'n rhoi'i llafur i arall. Oni bai am hynny, fe roesai'r swllt i fachgen Mallt a chadw'r saith ceiniog ei hun. Fe fu ei fam yn hynod garedig wrthi hi y ddau dro y'i gwelodd, ond mae'n debyg hefyd y byddai'n dda ganddi gael hyd yn oed yr ychydig geiniogau at brynu rhywbeth am draed y bachgen.

Ni feiddiai gynnig bwyd iddo wrth y bwrdd, rhag ofn i'r Feistres ddod i mewn a gweld, neu i'r morynion newydd brepian wrthi. Torrodd glamp o frechdan linsi a thrawodd hi yn ei boced, ynghyd â thafell o gaws. Fynnai hi ddim iddo gerdded yn wag o fwyd, fel y bu raid i Dafydd pan yrrwyd ef i Lanfair a hithau wedi mynd i'r Wern.

'Mi fuaswn i'n cyd-fynd â thi,' meddai wrtho, 'oni bai ei bod hi gymaint cynt imi tros y ffriddoedd.'

'Mi alla i fynd i'w ddanfon o hanner y ffordd,' cynigiodd Dafydd yn awchus. 'Maen nhw am imi gymryd tri ar ddeg o wyau y pnawn yma, i'w cyfnewid am eisteddiad o rai Tai'n Rhos, i'w rhoi dan yr iâr wen, wyddost ti. Fydd o ddim ots imi gamddeall a mynd y bore yma yn lle, na fydd?'

'Na fydd, gyda lwc,' cytunodd Mali, 'ond paid ti â chamddeall gormod a mynd bellter mawr tu hwnt i gamfa Tai'n Rhos, neu mi gei ddrwg. Mi fydd y siwrnai'n ferrach i'r bachgen bach yma wrth gael cwmni am ran ohoni.'

Nid yn aml y câi Dafydd siawns am sgawt gyda bachgen o'i oed, a rhedodd yn falch i daro'i goed yn y fasged ger y tân. Yna difrifolodd yn sydyn a dod at Mali i ofyn,

'Wyt ti ddim am fynd i ffwrdd, wyt ti, Mali?'

'Mae'n rhaid imi fynd wedi i Saro yrru fel yna. Paid â synnu os bydda i wedi cychwyn erbyn iti ddod yn ôl.'

'I'th ddanfon di y dylswn i ddod 'te,' meddai'r bachgen yn benisel.

'Nage siŵr.' Taflodd Mali ddŵr oer ar y syniad ar unwaith. 'Does gen ti esgus yn y byd i fynd y ffordd honno. Ffwrdd â thi'n awr, a chofia fod yn fachgen da, a bwyta orau gelli di.'

'Wyt ti ddim yn meddwl aros i ffwrdd yn hir, wyt ti?' Cynhesai'i chalon wrth ei oslef bryderus.

'Mae hi'n dibynnu'n union sut y bydd pethau, ond mi elli fod yn dawel y dof i'n ôl cyn gynted fyth ag y medra i. Ewch eich dau nawr. Rhaid i mi fynd i siarad â Meistres. Diolch yn fawr i'th fam am ei thrafferth yn dy yrru di,' ebe hi wrth fab Mallt gan wthio'r saith ceiniog i'w law, 'a chofia fi ati'n arw. Falle y dof i lawr i'w gweld hi rywbryd yr haf yma.'

PENNOD X

Ni chafodd gymaint o anhawster i gychwyn y tro hwn, ag ar lawer tro byrrach. Digwyddai fod yn fis tair morwyn ar Ann Huws, a'r ddwy newydd heb ddiosg eu gogoniant eto. Felly dywedodd,

'O'r gore 'te, gan fod rhaid iti gael mynd. Ond cofia, os arhosi di'n hwy na than nos fory, mi fydd rhaid imi'i dynnu o o'th gyflog di.'

Penderfynodd Mali alw yn y Wern yn gyntaf. Yn un peth, ni wyddai sut i groesi i Dy'n-yr-Ogof heb hynny; a pheth arall, roedd arni eisiau cael gwybod gan Saro sut y byddai orau iddi wneud. Gydag y sangodd ar y cwrt cerrig o flaen y tŷ, fe glywai lais cras Mol,

'Pwy sydd yna? Yn ara deg. Yn ara deg, y gabetshen lipa.'

Roedd i Mol godi'i chloch fel yna, cyn i neb guro ar y drws, yn arwydd sicr i Mali nad oedd Saro gartref. Eisteddodd am ychydig funudau ar y fainc garreg ger y drws, er mwyn ystyried beth i'w wneud nesaf. Ble oedd Saro tybed? Ar y mynydd, falle, neu yng Nghoed-y-Garth?—roedd hi'n amser casglu rhisgl. Tynnodd y nodyn o'i phoced. Gallai'i ddarllen yn rhwydd nawr, wedi'i glywed unwaith. Yn ôl hwnnw, nid oedd yn amhosib fod yr hen wraig yn Nhy'n-yr-Ogof. Ond os felly, rhaid bod Seimon yn ddifrifol wael, oblegid eithriad mawr oedd i Saro alw yn nhŷ neb, ac ni wnâi hynny byth heb fod rhywbeth pwysig iawn o'i le.

Cychwynnodd Mali tros y waun. Fel y dynesai at ei hen gartref, synnai ati'i hun gymaint y casâi hi'r lle. Yn y munudau hynny fe welodd yn glir pam y bu mor gyndyn i ddychwelyd yma ar hyd y blynyddoedd.

Cafodd syndod arall o weld mor fychan a llwm oedd y lle. Fe wyddai pan oedd gartref nad oedd yn cymharu o ran destlusrwydd a chymhendod â thyddynnau eraill yr ardal, ac fel lle bychan y cofiai amdano wedi ymadael oddi yno; ond rywfodd ni sylweddolasai erioed ei fod fel hyn. Ac yn sicr hefyd, doedd o ddim cyn flered chwe blynedd yn ôl. Mae'n wir na chredai Seimon mewn gwastraffu arian a defnyddiau ar wyngalchu, a bod ei furiau'n fudron iawn bryd hynny; ond erbyn hyn roeddynt bron cyn llwyted â rhai Plas-yr-Allt, na fwriadwyd erioed eu calchu. Fe fyddai hi o leiaf yn glanhau'r ffenestri ac yn chwynnu mymryn rhwng y cerrig o flaen y drws. Teimlai'n sicr na wnaeth neb mo hynny byth ers iddi hi adael. Roedd chwarter y llechi oddi ar y to, a chlytiau o haearn wedi eu taro'n anghelfydd yn eu lle.

Gwelai ddrws y tŷ'n agored, a nesaodd tuag ato gyda chamau petrusgar. Ni wyddai a ddylai guro ai peidio, ond rhoddodd llais Saro ben ar y cyfyng-gyngor hwnnw iddi.

'Tyrd yn dy flaen, 'merch i. Roeddwn i'n dy ddisgwyl di ddoe na fu erioed y fath beth.'

'Heddiw y cefais i'r llythyr,' eglurodd Mali, wrth gamu ar draws y gegin ar flaenau'i thraed.

Gwir a ddywedsai Saro fod yma le ofnadwy. Roedd popeth yn blith draphlith, ac er na fyddai'r gegin a graen da arni yn amser Mali, fe fyddai yn wastad yn daclus a di-lwch. Erbyn hyn, ar ôl blynyddoedd o dan lygaid barcud Ann Huws, roedd y llanast a'r baw yn dreth ar ysbryd morwyn y Plas.

'Yn ei wely mae Seimon?' gofynnodd.

'Ie,' meddai Saro, 'ac yn cysgu tipyn, fel mae ryfedda. Mi achubais innau'r cyfle i gael paned o de dail. Eistedda dithau i lawr tra bo siawns, a chydia ynddo fo. Does dim rhaid iti ei ofni. Fy mwyd i o'r Wern ydi o. Fuasai gen i ddim llawer o ffydd ym mheth Seimon fy hun, a chaniatáu fod ganddo fo rywbeth bwytadwy yn y tŷ.'

Roedd yn dda gan Mali gael tamaid, ond teimlai'n anesmwyth ynghylch pethau, a heb wybod sut i ddechrau tynnu'r hanes oddi ar yr hen wraig.

'Pwy sydd yma'n gweini arno fo, heblaw y chi?' gofynnodd toc.

'Neb,' meddai Saro, gan ysgwyd ei phen yn ddifrifol. 'Ddaw yma undyn yn agos o'i ofn o, ond am Ifan Tŷ-draw ar sgawt weithiau. Mi arhosodd o yma ddoe, i mi gael picio am awr i'r Wern. Mi gychwynnais oddi yno y diwrnod o'r blaen heb feddwl aros i ffwrdd yn hir, ac roedd hi'n hen bryd imi fynd i wneud trefn ar Mol a chasglu ychydig o bethau i ddod yma gyda mi. Mi aeth Ifan i'r Dref echdoe hefyd, i ofyn i'r hen Ddoctor yna alw i olwg Seimon.'

'Pryd ddaethoch chi yma i ddechrau, 'te?'

'Y diwrnod hwnnw, tra oedd Ifan yn y Dref. Mi glywais ar ddamwain mor ddrwg oedd dy frawd, a neb yn agos ato fo, ac mi feddyliais y gallwn i ofyn amdano fo, er dy fwyn di. Ac erbyn imi ddod a gweld yr olwg oedd arno fo, roedd hi'n rhy arw gen i feddwl am yr un creadur o ddyn yn cael ei adael heb gwmni yn y fath gyflwr, ac felly mi arhosais i yma byth.'

'Beth ddwedodd y Doctor?' gofynnodd Mali o dan ei hanadl. Rhaid ei bod yn y pen ar Seimon iddyn nhw fod wedi nôl Doctor o'r Dref ato!

'Dim ond yr hyn wyddwn innau,' oedd yr ateb sur. Ystyriai'r hen wraig ei hun gystal ag unrhyw ddoctor ac ni hidiai lawer fod Ifan wedi troi i'r Dref yn hytrach nag ati hi. 'Roeddwn i wedi ei chwysu o'n ddiferol efo cadachau gwlyb ar fricsen wynias, a drachtiau poeth o de danadl y môr, ac mi fu raid i'r dyn o'r Dref gyfaddef nad oedd ganddo yntau ddim gwell na hynny i'w gynnig—mai oerfel mawr oedd arno fo a hwnnw wedi troi ar yr ysgyfaint.'

'Ydi o'n well ar ôl chwysu?'

'Dydi o ddim mor boeth. Ond,' ysgydwodd Saro ei phen yn fwy difrifol eto, 'does dim gwella i Seimon. Does angen yr un Doctor i ddod yma i ddeud hynny wrthyf i. Mi fynnai o ei symud i Wyrcws y Dref, ond mi ddwedais i y gorffennai hynny fo cyn iddo gyrraedd yn agos yno ac yr anfonwn i amdanat ti i ddod i edrych ar ei ôl. Bwriad Ifan oedd i'r Doctor ei yrru i'r gwallgofdy yng Nghae'r Ynn.'

'O!' llefodd Mali mewn dychryn. Er na feddai rithyn o deimlad at Seimon, roedd y gwallgofdy yn fwy o warth yng ngolwg trigolion y wlad na hyd yn oed y Wyrcws, ac roedd Mali'n barod ar unwaith i wneud unrhyw aberth i gadw perthynas iddi o fan'ny.

'Ond wnâi'r Doctor mo hynny,' cysurodd Saro hi. 'Mi ddwedodd ei bod hi'n amlwg mai dim ond cyfeiliorni mewn rhyw un cyfeiriad a wnâi Seimon ac i'r duedd honno gael ei ffyrnigo gan wendid oherwydd diffyg bwyd, a'r salwch yma ar gefn hynny wedyn. Petai o'n ddyn iach, cryf, mi ddiflannai'r anesmwythyd yma, meddai'r Doctor. Felly raid iti ddim ofni Cae'r Ynn, beth bynnag.'

'Oedd o'n dal i gyboli o gwmpas y Glyn?' Ceisiodd Mali'i

gorau alw i gof yr hyn a ddywedasai Saro ynglŷn â hynny y troeon o'r blaen y bu'n sôn amdano.

'Oedd siŵr, a does dim amheuaeth nad felly y cafodd o'r oerfel yma. Gwisgo'r hen ddillad crand yna bob nos ar ôl swper, a hithau'n barugo, a'r dillad oedd ganddo yn ystod y dydd gymaint cynhesach. O gwmpas y Plas y mae o ran ei feddwl y dyddiau hyn hefyd, a phan ddaw plwc egr o eisiau codi arno fo, yno mae o'n cadw sŵn am fynd.'

Gofynnodd Mali hen gwestiwn Saro a hithau.

'Pam, tybed?'

'Mi gei wrando drosot dy hun, a rhoi dy feddwl ar waith. Falle y deui di i'r un farn â minnau wedyn. Mae o'n rhincian eisiau i'r Syr ddod yma, hefyd, gan nad ydi o'n cael mynd yno.'

'A'r Syr mor bell!'

'Na, dyna sy'n rhyfedd. Mi gyrhaeddodd y Syr y Plas ddoe, am y tro cyntaf ers yn agos i hanner canrif. Does neb wedi crybwyll hynny yng ngŵydd Seimon, ac eto mae o'r un fath yn union â phetai o'n gwybod.'

Eisteddodd y ddwy mewn distawrwydd wedyn, nes clywed pesychiad caled o'r siambr.

'Mi wnaiff hwnna ei ddeffro fo,' sisialodd Saro. 'Tyrd efo fi, er mwyn iti gael y cyfarfyddiad drosodd.'

Rhaid oedd ufuddhau, er y deisyfai Mali fod gan milltir o'r lle. Wedi mynd i'r siambr, edrychodd drosodd a throsodd ar y sawl a orweddai yno. Yn sicr, nid Seimon oedd yr hen ŵr oedd yn gorffwyso'i ben ar y gobennydd budr. Er ei fod bob amser yn edrych yn hŷn na'i oed, eto gŵr yng nghryfder ei ddyddiau oedd o pan gofiai hi amdano ddiwethaf, a lliwiau haul ac awel ar ei ruddiau. Yn awr, roedd ei gnawd wedi curio a'i ewynnau wedi dyhiro, ei wallt yn wyn fel y llin, ei fochau'n bantiau a'i groen yn felynliw afiach. Ond yn ei lygaid yr oedd y cyfnewidiad mwyaf. Pŵl a dilewyrch fyddai llygaid Seimon bob amser, os nad oeddynt yn goleuo i sarugrwydd neu ddigofaint. Heddiw, roeddynt mor ddisglair-obeithiol â rhai plentyn ar fin profi rhyw fwyniant a hir addawyd iddo. Gorffwysai'i ddwylo tenau esgyrnog y tu allan i'r cwrlid clytiau, gan bigo a phlycio arno o hyd ac o hyd.

Pan aeth y ddwy i mewn, ni newidiodd ei wedd ac ni ddywedodd air wrthynt.

'Dyma Mali wedi taro heibio i edrych amdanoch chi, Seimon Meredur,' ebe Saro.

'Mali? . . . Ie, Meredur ydi hi yntê. Ond nid y fi. Nid y fi.'

Roedd ei lais fel petai'n dod o bellter mawr, a thorrodd plwc o besychu ar ei draws. Brysiodd Saro at ei ochr i godi'i ben a rhoi llymaid iddo.

Trodd ei lygaid yn araf ar Mali.

'Wyddet ti fod y Syr wedi cyrraedd i'r Plas?' gofynnodd iddi.

Ysgydwodd hi ei phen a daeth fflach o'r hen olwg i'w lygaid.

'Yr un wyt ti o hyd, yn gwybod dim. Mi goda i, rwy'n meddwl. Mae rhaid imi fynd cyn belled â'r Plas. Mae gen i fater pwysig i'w drafod â'r Syr.'

'Arhoswch nes bod ychydig yn gryfach, Seimon,' ceisiai Saro ei ddarbwyllo. 'Mi gewch fynd wedyn.'

'Rwyf i'n hen ddigon da,' taerodd yntau. 'Os nad af i'n fuan, mi gymer ei adain i rywle eto a ddaw o ddim yn ôl wedyn.'

Dechreuodd ymladd, a Saro â'i holl egni yn ei ddal i lawr. Wrth weld yr hen wraig yn colli'r dydd, aeth Mali i'w helpu, a rhyngddynt fe fu'r ddwy yn drech na fo. Nid anghofiodd Mali tra bu byw yr hyn ddigwyddodd wedyn. Aeth Seimon, o bawb, i wylo, a'i wyneb yn crychu'n dorcalonnus fel plentyn wedi colli'i degan a heb obaith byth gael un yn ei le.

'Mae'n rhaid imi weld y Syr,' meddai'n wannaidd, 'ac mi wn i na fydd o'n aros fawr iawn o dro ffordd hyn.'

Fe geisiodd godi wedyn ond gorchfygodd y peswch ef y tro hwn heb i'r un ohonynt hwy orfod cyffwrdd pen eu bys ynddo. Cododd lygaid erfyniol ar ei chwaer.

'Mali fach, dos di trosodd i Blas-y-Glyn, a gofyn i'r gŵr bonheddig alw yma i'm gweld. Dywed ei fod yn bwysig iawn.'

Fe syfrdanwyd Mali ormod gan ei ddau air cyntaf iddi allu deall beth a ddywedodd wedyn, ond atebodd Saro drosti.

'O'r gore, Seimon druan. Mi anfonwn ni, os bydd hynny'n rhyw gysur ichi, ond peidiwch â dibynnu gormod y daw o.'

'Mae o'n siŵr o ddod i'm gweld i,' sicrhaodd yntau'n ffyddiog. 'Dos ar unwaith, Mali.' Roedd yn fwy tebyg i'w hen ddull yn awr.

'Na,' gwrthwynebodd Saro. 'Mae Mali wedi cerdded digon

heddiw. Mi bicia i drosodd at Ifan Tŷ-draw i ofyn iddo fo fynd, neu am iddo ymorol rhywun arall i redeg cyn belled.'

'O'r gore,' bodlonodd y claf, 'ond rhaid iddyn nhw ofalu deud mai Seimon *Meredur* Ty'n-yr-Ogof a'u hanfonodd nhw.'

Ni allai hyd yn oed Mali beidio â sylwi ar y pwyslais od, a'r chwerthin rhyfeddach fyth a'i dilynodd, wrth iddo gynanu ei gyfenw. Tawelodd wedyn ond am ryw fwmial iddo'i hun. Fe geisiodd Saro ganddo gymryd bwyd, ond gwrthodai'n lân. Er hynny, bodlonai i yfed faint a fynnai hi. Amneidiodd Saro ar i Mali ei dilyn i'r gegin.

'Mi fydd yn dawel am dipyn nawr. Dyna fel y mae o, yn dawel ac yn ymladd bob yn ail.'

'Dydych chi ddim o ddifri yn mynd i yrru Ifan Ifans ar ôl y Syr?' holodd Mali mewn syndod wrth weld Saro'n cychwyn allan, a chofio mor groes oedd hynny i'w gwynt hi pan siaradai yn y gegin ychydig ynghynt.

'Ydw. Mi rof gais arno fo. Wnaiff hi ddrwg yn y byd i ofyn iddo fo, beth bynnag, ac mae hi'n dorcalonnus gwrando ar Seimon yn erfyn amdano fo awr ar ôl awr. Cadw di o'n llonydd a rhwystra fo rhag codi. Fydda i fawr iawn o dro.'

Aeth Mali i'r siambr, ond ni chymerai'r dyn sâl unrhyw sylw ohoni ac nid oedd fel petai eisiau dim. Roedd yn troi a throsi gan fwmial yn barhaus, ond yn gwneud dim ymgais at godi. Clustfeiniodd ei chwaer arno am ysbaid, ond methodd â gwneud dim synnwyr o'r hyn a ddywedai.

'Os na fydd o am fy nghydnabod i, mi bryna i y stad, ond mi fydd rhaid imi gynilo llawer mwy eto . . . Blawd ceirch a dŵr. Beth mwy sydd ar neb ei eisiau? . . . Dim rhaid iddo fod â chywilydd fy arddel i o ran fy nillad, beth bynnag. Maen nhw gystal â dim fu ganddo yntau erioed.'

Cyn hir fe flinodd Mali ar y profiad anghynefin o eistedd yn llonydd yn gwneud dim, ac aeth ar flaenau'i thraed i'r gegin a dechrau clirio yno. Pan ddychwelodd Saro, wedi ysbaid go dda i ffwrdd, roedd yno gryn dacluso wedi bod, er ei fod yn dal ymhell o'i orffen.

'Diolch i'r mawredd,' meddai, 'mae yma le i rywun roi'i droed i lawr o'r diwedd. Mae'n gas gan f'enaid i lanast a baw. Sut mae o?'

Brysiodd ar ei hunion i mewn at Seimon a chlywai Mali hi'n dweud wrtho,

'Mi ddylech fod yn fodlon bellach, Seimon. Mi fûm i trosodd yn Nhŷ-draw a thra oeddwn i yno, pwy alwodd heibio ond Wiliam y Siop yn ei gerbyd bach, ar ei ffordd i ddanfon negesau i'r Glyn. Felly mi gaiff Ifan ei gario cyn belled â'r pentre, a fydd o fawr o dro'n picio i fyny i'r Plas o'r fan honno. Mae o'n mynd i ofyn i'r Sgweiar ddod heibio yma.'

'Fory?' gofynnodd y dyn claf.

'Dyna ddwedais i wrtho fo, ond rhaid ichi gofio y bydd yr hen lwybrau yma'n anfelys iawn i'w gerbyd o, ac mi wranta i na all o gerdded mohonyn nhw. Mae'r Syr blwc yn hŷn na fi ac wedi byw'n frasach o lawer.'

Roedd Mali â gormod o'i meddwl ar y gwaith a ddechreuodd i wrando ychwaneg, a phan ddaeth Saro'n ôl i'r gegin roedd hithau'n llawn ei phrysurdeb yn gwneud grual a thrwyth dail i Seimon. Felly pan gawsant funud o hamdden amser swper y tywalltodd hi'i thruth.

'Roedd ar Sioned Tŷ-draw chwant gwybod llawer o bethau yn dy gylch di a Seimon, ond fu hi fawr callach o'm rhan i. Mae arni ormod o'i ofn o,' yn amneidio'i phen tua'r siambr, 'i alw yma, ond os bydd digwydd i ti daro arni hi neu rai o'i thebyg yn rhywle, fydd dim amdani ond iti wisgo'r olwg letwelan yna ar dy wyneb. Dydi hi ddim yn dod mor naturiol iti ag y bu hi, ond dyna d'unig obaith di i'th amddiffyn dy hun rhagddyn nhw. Hynny, ac ateb wrth dy ben heb feddwl dim am yr hyn ofynnwyd iti fel y gwnei di weithiau.'

Fe wnaethai awyr y ffriddoedd Mali'n gysglyd, ac yn union ar ôl swper dechreuodd ddylyfu gên, ac meddai Saro,

'Rwyt tithau wedi blino, fel finnau. Y nosweithiau o'r blaen mi lusgais i dy hen wely di o'r gongl acw a'i osod ar draws drws y siambr a gorwedd arno fo yn fy nillad, ond ychydig o lonydd ges i. Mi wnawn ni'r un peth eto heno, a synnwn i fawr na chawn ni gwsg go lew. Mae golwg dawelach o'r hanner arno fo nag oedd neithiwr.'

Wrth gario'r gwely, dywedodd Saro'n fyfyriol,

'Ysgwn i ddaw'r Syr fory? Mi rybuddiais Ifan i gofio deud mai ti oedd yn anfon y neges ac i beidio â sôn am f'enw i.'

'Ydych chi'n meddwl y byddai o'n fwy annhebyg o ddod i chi?' gofynnodd Mali'n ddiniwed.

Chwarddodd Saro. 'Wn i yn y byd pa effaith gâi f'enw i arno fo—yn awr.'

Gwireddwyd ei phroffwydoliaeth am y nos. Cafodd y ddwy ohonynt amryw oriau o gwsg, ond eu bod yn codi'n aml i olwg y claf ac i geisio'i esmwytho os byddai'n effro. Rhwng pedwar a phump y bore, clywodd y ddwy ei sŵn yn ceisio codi.

'Dyma fo'n dechrau eto, mae'n beryg,' sibrydodd Saro wrth luchio dillad y gwely o'r naill du i redeg at Seimon.

'Mae'n rhaid imi godi i roi fy nillad gorau, erbyn y daw O,' oedd ei fyrdwn parhaus, ond sylwai Mali fod ei ymladd yn wannach na'r prynhawn cynt.

'Mi gewch chi wisgo'ch dillad gorau â chroeso, Seimon,' meddai Saro, 'ond rhaid ichi gymryd tamaid bach yn gynta. Ac mae hi'n rhy fuan o lawer ichi hwylio eich hun. Mae oriau ar oriau cyn y meddylia'r Syr am godi o'i wâl, heb sôn am godi allan. Dydi boneddigion o waed, fel y fo, ddim yn arfer ymysgwyd yn fore, wyddoch.'

'Nac ydyn nhw?'

Wrth ei glywed yn gofyn felly, mor fwyn a phlentynnaidd, daeth tosturi at ei brawd i galon Mali am y tro cyntaf ers pan gyrhaeddodd adre, er na allai feddwl pam fod yn rhaid i hynny, a'i weld yn swatio'n ôl mor ufudd, godi clap i'w gwddf. Rhyfeddai mor amyneddgar y siaradai'r hen ddoctores ag ef, rhagor ei thôn ddi-lol arferol.

Ar ôl brecwesta a gorffen gyda hynny oedd yno o anifeiliaid, ymrôdd Mali ati i roi sgwrfa i'r gegin, ond cyn iddi gyrraedd i'w hanner fe ddaeth Saro ati a dweud,

'Mae o'n dal â'i feddwl ar y dillad yna, ac roeddwn i'n bwriadu ceisio'i newid o heddiw, p'un bynnag. Gwaetha'r modd mae o wedi colli chwys ers echnos, pan fu o mor wyllt am godi. Waeth iddo fo newid i'r dillad yna nag i rai eraill, os byddan nhw'n rhyw gysur iddo fo. Mi gafodd fywyd digon anniddan, druan, a barnu oddi wrth y pethau mae o'n eu deud weithiau, wrth grwydro.'

Edrychodd Mali'n brotestgar arni. 'Gwneud eraill yn anniddan fyddai Seimon. Mi gafodd o wneud fel y mynnai ei hun, bob amser.'

'Naddo,' oedd ateb Saro. 'Fy nghred i ydi fod tynged pawb ohonom ni wedi'i hysgrifennu ymlaen llaw ac nad oes neb yn gwneud fel y mynn, neu pam y chwilen yna yn ymennydd Seimon druan, ar hyd y blynyddoedd?'

'Fyddai yna ddim byd o'i le ar ei ymennydd o pan oeddwn i gartre,' dadleuodd Mali.

'Mi oedd yn siŵr i ti, ond ei fod o'r golwg a thithau ddim digon craff i'w weld o. Nid peth newydd ydi'r clwyf yma ar Seimon. A beth ond tynged all gyfrif am dy wiriondeb di tua Plas-yr-Allt yna, a'm gwiriondeb innau hefyd, o ran hynny? Ond mi adawn ni hwnna'n awr. Tyrd i roi help llaw imi newid dillad y gwely, rhag cywilydd. Mi gludais ddillad efo mi o'r hen gist acw ac felly maen nhw'n berffaith gynnes.'

Roedd Seimon yn drwm iawn i'w symud i roi'r dillad glân oddi tano, ond wrth i Saro addo y câi newid i'w ddillad gorau ar ôl gorffen, fe wnâi'i orau trwsgl i'w helpu.

'Mi rof fy nillad isa gorau hefyd y tro yma,' meddai, 'rhag ofn y bydd O am fy nghymryd i'n ôl efo fo.'

Estynnodd Saro hwy allan o'r hen gist frau wrth draed y gwely a gorchymyn i Mali eu twymo nhw'n dda o flaen y tân. Rhyfeddai hi i Seimon, o bawb, gredu i brynu'r fath ddillad. Roedd y crys o liain gwyn main, ac yn llawn gwell ei ddefnydd na rhai gorau'r Meistr Ifanc. Pan dybiai eu bod wedi crasu digon i fod yn ddiberyg iddo, aeth â hwy i'r siambr, a dyna lle'r oedd Saro wrthi'n ymolchi Seimon ac yntau'n dioddef fel yr oen iddi. Roedd hi am ei adael ar hanner gwisgo amdano iddo gael gorffwys tipyn, ond protestiai ef yn groch yn erbyn hynny ac fe fuont wrthi eu tri yn ymladd nes cael ei gôt, a hyd yn oed ei grafat, amdano. Yna gorweddodd yn ôl, yn llesg ond buddugoliaethus. Tybiai Mali'i fod wedi gwaethygu'i olwg ers y noson cynt.

'Dyna chi, Seimon. Mi ellwch orffwys nawr tra bydda i'n mofyn paned fach o rual ichi.'

Ysgydwodd ei ben.

'Heb orffen,' meddai'n floesg, a cheisio estyn rhywbeth â'i law grynedig o boced ei wasgod. Plygodd Saro ato a gwthio'i bys i'r boced, ar ôl beth bynnag oedd yno. Allwedd fechan oedd yno, a phwyntiodd Seimon at focs ar y bwrdd serfyll yn ei ymyl. Rhoddodd hithau'r agoriad yn y clo ac estyn y bocs iddo fo ar y gwely.

Edrychai Mali ar ei gynnwys a'i llygaid bron â syrthio o'i phen. Oriawr a chadwyn, a'r rheini'n aur pur fel modrwy briodas! Dim ond rhai arian oedd gan y Meistr Ifanc. Gwnaeth Seimon arwydd ar yr hen wraig, a rhoddodd hithau'r gadwyn am ei wddf a thrwy'r twll botwm croes yn ei wasgod, a'i chlymu wedyn wrth yr oriawr a llithro honno i'w boced. Roedd yno fodrwy fawr ar ôl wedyn, ac fe geisiai Seimon yn ofer ei gwthio ar ei fys bach. Gwnaeth Saro hynny hefyd iddo, ac yna trodd i'r gegin i geisio'r grual oedd yn llanw'i meddwl ers meitin. Dilynodd Mali hi. Roedd yn anodd ganddi aros ar ben ei hun gyda'i brawd, os na fyddai'n rhaid arni.

'Dim rhyfedd iddo fo wario pymtheg punt yn y Dref,' meddai wrth Saro, 'ac yntau wedi prynu'r pethau aur yna.'

'A'th helpo di,' ebe honno. 'Doedd dim sôn am y taclau yna yn y pymtheg punt. Rhaid mai'n ddiweddar iawn y cafodd o rheina, a heb i neb o'r gêr ffordd hyn wybod, neu mi fuasai yma ddigon o sôn wedi bod.'

Trodd ei llwy'n egnïol yng nghynnwys y sosban, tra ail-gychwynnai Mali ar y llawr.

'Mae'n edrych i mi fod y clefyd mawr oedd arno fo wedi'i adael o,' meddai'r ddoctores, 'ond drwg ydi'r arwyddion. Mae o wedi gwanhau llawer er pan ddois i yma y diwrnod o'r blaen.'

'Dyna sŵn rhywun yn dod.'

Roedd sŵn felly yn un mor anghynefin a chyffrous gan Mali pan gartrefai yma fel nad oedd chwe blynedd o absenoldeb wedi pylu dim ar yr argraff a wnâi arni.

'Tybed?' amheuai Saro, gan symud i edrych trwy'r drws. 'Ddeuai'r Syr byth mor fore â hyn. Na'n wir! Rwyt ti'n dy le hefyd! Jones y gweinidog, 'tawn i byth o'r fan yma. Gwaith Sioned Tŷ-draw, mi gymera i fy llw. Ond mae'r dyn yn ddigon clên, a chall hefyd, o ran hynny.'

Clywai Mali lais y gweinidog o'r drws.

'Sut mae hi yma heddiw, Saro Owen?'

'Digon tebyg i'r un fath, Mr Jones. Llesg a gwan iawn y gwelwn i o gynnau.'

'Mae rhai o'r aelodau acw yn beio na bawn i wedi bod yma'n holi Seimon Meredur ynghylch ei gyflwr, ond roeddwn i'n ofni'n wir nad oedd stad ei feddwl o'n addas i hynny nawr. Ac mi ddwedodd ei hun wrthyf i, flynyddoedd yn ôl, fod yn well ganddo fo imi beidio â galw. Ond mi hoffwn i ofyn iddo fo sut y mae o, os tybiwch chi na chynhyrfwn i mohono fo.'

'Wnewch chi fawr ohono fo fel gweinidog, Mr Jones, a feiwn i mo Seimon am hynny. Wedi byw ei oes heboch chi a'ch tebyg, prin y mae hi'n deg iddo fo, mwy nag i minnau, fynd ar eich gofyn chi'n awr, fel petai o'n un o'r plant.'

'Dyw hi byth yn rhy ddiweddar, Saro Owen, ac mi wyddoch 'mod i'n disgwyl eich gweld chithau'n ildio i'r Gofyn Mawr rhyw ddiwrnod. Does ond eisiau ichi ei arddel—mae'r gwreiddyn yn ddiogel gennych chi. Mi fuaswn i'n falch dros ben petai un o'm haelodau yn Salem wedi gwneud beth wnaethoch chi y dyddiau diwethaf yma.'

'Mae yna un peth y gallech chi ei wneud, Mr Jones,' meddai Saro, heb gymryd arni glywed y gweinidog. 'Mi hwylusai bethau petai Seimon yn arwyddo pwt o ewyllys, yn gadael ei dipyn pres i'r eneth yma. Dim ond y hi sydd yna i'w cael nhw, mae'n wir, ond mi ddwedodd bancar y Dref wrthyf i rywdro ei bod yn golygu llawer mwy o drafferth a chost, hyd yn oed i berthnasau agos, os na fydd yna ewyllys.'

'Digon gwir,' cytunodd Ezra Jones, 'ac er mai un o'r gorchwylion casaf gen i ydi sôn wrth glaf am iddo wneud ei ewyllys, mi wnaf fy ngorau.'

Camodd y ddau ymlaen i ganol y llawr a chododd Mali oddi ar ei gliniau i wneud lle iddynt.

'Dyma Mali,' ebe Saro.

'Sut ydych chi, 'ngeneth i?' Estynnodd y gweinidog ei law iddi. Mwmiodd Mali rywbeth yn ôl. Roedd hi'n cofio mai dyma'r dyn oedd wedi cofnodi'r holl hanes amdani hi a Saro'n gadael y baban yn Rhoslan. Os oedd o'n cofio hynny, chymerodd o ddim arno. 'Dyma'r tro cyntaf inni gyfarfod, yntê? Mi aethoch chi o'r ardal cyn i mi sefydlu yma.'

'Ffordd hyn, os gwelwch yn dda, Syr.' Ni chlywsai Mali mo'r hen wraig mor foesgar â hyn wrth neb o'r blaen.

Ysbïodd yr eneth trwy gil y drws ar yr olygfa yn y siambr.

Gwelodd y gweinidog yn mynd at y gwely ac yn cydio yn llaw'r claf, ac fe'i clywodd yn gofyn,

'Sut ydych chi heddiw, Seimon Meredur?'

'Fel y gwelwch chi fi,' meddai Seimon yn yr hen ddull sarrug a gofiai Mali mor dda.

'Mae treialon fel hyn yn cael eu hanfon weithiau i'n tywys ni i'r goleuni,' awgrymodd y gweinidog. 'Hoffech chi imi ddarllen a gweddïo gyda chi? Falle y caech chi beth cysur o hynny.'

'Na chawn,' llefodd Seimon yn wyllt. 'Mi ddwedais wrthych chi o'r blaen, lawer gwaith, nad oeddwn i'n credu dim mewn ffwlbri o'r fath.'

'Popeth yn dda, frawd, ond cofiwch y bydd yna dderbyniad ichi pryd bynnag y bodlonwch chi i ofyn amdano. Oes yna ryw gymwynas arall y medra i ei gwneud â chi?'

'Dim ond gadael llonydd imi,' cyfarthodd Seimon. 'Rwy'n disgwyl rhywun pwysicach na chi yma'n union, ac mae arna i eisiau'r lle yn rhydd i hwnnw.'

'Mi af y munud yma,' addawodd Ezra Jones yn dawel. 'Ond mi welais lawer yn cael esmwythyd i'w meddwl trwy sgrifennu rhyw bapur bach yn gwneud trefn ar eu heiddo. Does neb yn marw ddim cynt o hynny, wyddoch. Os dewiswch chi, mi wna i ewyllys fach i chithau. Does gennych chi neb ond eich chwaer i gael popeth, wrth gwrs, ond fe hwylusai bethau iddi hi.'

Neidiodd Seimon ar ei eistedd, gan weiddi, gyda mwy o nerth nag a ddangosodd trwy'r bore,

'Gadael fy eiddo i Mali'n wir! Am beth ydych chi'n cyboli, ddyn? Mi all pob ffŵl wybod nad ydi hi ddim o'r un gwaed â fi. Na. Mi ddaeth yr amser imi feddwl am wraig a phlant fy hun, i etifeddu'r stad ar fy ôl. Ond does yma neb imi y ffordd hyn. Mi gaiff fy nhad ddewis gwraig imi.'

Daliai ati i frygawthan yn wyllt, ond roedd y gweinidog wedi cilio o'r stafell erbyn hyn, a Saro i'w ganlyn, er ei bod hi'n dal i gadw golwg ar Seimon hefyd rhag iddo osio codi. Rhedodd Mali o'u ffordd, ac i dywallt y dŵr budr o'r bwced. Roeddynt ar garreg y drws pan ddaeth hi'n ôl, ac fe glywai Saro'n ymddiheuro.

'Roeddwn i'n disgwyl ei fod o wedi tawelu, ac y buasai o'n fwy boneddigaidd gyda chi'r tro yma, ac yntau'n sâl.'

'Dim pwys yn y byd am hynny,' cysurodd y gweinidog hi. 'Mi wyddwn cyn heddiw am Seimon druan a'i afiechyd meddyliol. Hynny oedd i gyfrif am y rhan olaf o'i wylltineb o. Mi fydda i'n fy meio fy hun yn aml am fod mor aneffeithiol mewn argyfwng fel hyn. Fedrais i erioed fod yn hyf ac yn wrol gyda dynion fel Seimon, ac mi brofodd hynny'n rhwystr imi ar hyd fy oes. Mi fydda i'n ofni weithiau mai fy mai i ydi o eu bod nhw'n cadw mor bell.' Yna gwelodd Mali. 'Wel, bore da nawr, Mali, ac i chithau, Saro Owen. Cofiwch anfon i lawr acw os bydd unrhyw beth alla i ei wneud.'

Safodd Saro am funud yn edrych ar ei ôl.

'Dyn da ydi hwnna,' meddai, 'serch ei fod o braidd yn swil a diniwed.'

'Mae Dafydd yn sôn am fynd yn weinidog,' ebe Mali.

'Ydi o?' Ni chymerai Saro lawer o ddiddordeb yn Dafydd a'i obeithion. 'Ble caiff o arian i dalu am ei Ysgol? Tyrd, iti daclu tipyn eto ar y siambr, tra bydda i'n ceisio tawelu Seimon.'

Cafodd yr hen wraig gryn drafferth gydag ef y bore hwnnw, nid am ei fod yn mynnu codi, ond oherwydd ei gwynfan parhaus.

'Ble mae O? . . . Pam na ddaw O, a minnau'n barod ers meitin? . . . Mi ddwedais wrth y siopwr yn y Dref mai dillad gŵr bonheddig oedd arna i eisiau, ac mi delais yn hallt amdanyn nhw hefyd.'

Diolchai Mali nad oedd o'n cymryd sylw ohoni hi, a cheisiodd yrru ymlaen mor ddistaw ag y medrai, er mwyn gwneud ychydig o drefn ar y lle. Ni siaradai Seimon â Saro chwaith, o ran hynny, er ei bod hi uwch ei ben. Roedd ei lygaid gloywon eiddgar yn treiddio i'r pellteroedd yn rhywle. Oddeutu canol dydd, fe syrthiodd i gwsg anesmwyth, ac achubodd y ddwy eu cyfle i gymryd cinio.

PENNOD XI

'Os daw o gwbl, o hyn i ben teirawr y daw o,' meddai Saro.

'Pwy?' holodd Mali. 'O, ie! Y Syr! Rhyfedd na bai Ifan Ifans wedi dod ag ateb.'

'Mi fyddai'n rhy hwyr arno fo'n cyrraedd adre neithiwr i feddwl am ddod cyn belled ag yma wedyn. Does dim o anian adar y nos ym mhobl Tŷ-draw, fel y gwyddost ti. Ac wyt ti ddim yn cofio fod Ffair Bleser y Dref heddiw, a hwythau'n arfer mynd iddi yn wastad?'

Roedd Mali wedi gollwng y Ffair yn gyfan gwbl tros gof ers bore ddoe. Nid y bwriadai fynd iddi, p'un bynnag. Dim ond unwaith yn ei hoes y bu ynddi, a daeth pang i'w chalon wrth gofio am y tro hwnnw, chwe blynedd yn ôl. Fe fyddai'r Meistr Ifanc yn siŵr o fod yno heddiw, a falle'n mynd â rhyw eneth arall i ddangos iddi y rhyfeddodau. Yna fe'i ceryddodd ei hun. Nid un felly oedd o, waeth beth ddwedai neb. Dim ond tosturio wrthi hi wnaeth o oherwydd ei hunigrwydd y diwrnod hwnnw, ac anghofio amdani wedyn, fel gyda Dafydd.

'Gymerson nhw'r mochyn hefyd?' gofynnodd gan wenu, wedi cyrraedd yn ôl i Dŷ-draw unwaith eto.

'Do, mae'n siŵr. Rhaid iddyn nhw gyfiawnhau eu hunain i'w gilydd am fynd, wyddost, a pha well ffordd na'r mochyn.'

'Mae yna rywun yn dod,' rhybuddiodd Mali, am yr eildro y diwrnod hwnnw.

Cododd Saro'n gynhyrfus i fynd i'r drws.

'Os mai'r Syr sydd yna, gofala nad yngani di mo f'enw i yn ei glyw o,' gorchmynnodd.

Methai Mali â deall ystyr y gwaharddiad, ond croesawai'r cyfle i wneud rhywbeth, pa mor fychan bynnag, i blesio Saro. Clywodd honno'n dweud o dan ei hanadl,

'Ie'n wir. Dyna pwy sydd yma.'

Aeth Mali i giledrych, gan benderfynu cyrcydu wrth y tân pan ddeuai'r bonheddwr i mewn, a'i osgoi felly. Ond difethodd Saro'r cynllun hwnnw trwy gydio'n dynn yn ei braich a gwrthod ei gollwng. Fe welai hen ŵr sigledig yn dod i fyny'r llwybr trwy'r cae, gan bwyso ar ei ffon ar un ochr ac ar fraich ei yriedydd yr ochr arall. Er gwaethaf ei gryndod, roedd golwg urddasol, braidd yn drahaus arno, gyda'i drwyn mawr Rhufeinig, ei wallt gwyn llaes, a'i lygaid llym treiddgar.

Wedi cyrraedd y darn gwastad o flaen y tŷ a gweld y ddwy yn sefyll yno, fe ollyngodd fraich y gwas, gan wneud arwydd ar hwnnw i aros lle'r oedd, a daeth yn ei flaen atynt ar ei ben ei hun, gan godi'i het yn foesgar, a dweud,

'Fe ddaeth neges imi neithiwr fod ar un o'r tenantiaid awydd fy ngweld. Seimon . . . y . . . y . . .?'

'Meredur,' cyflenwodd Saro.

'Diolch,' ebe'r hen ŵr. 'Ie, Seimon Meredur. Roeddwn i eisoes wedi penderfynu galw heibio i'm tenantiaid bob un cyn troi'n ôl. Rhyw fath o ffarwél i'r hen ardal, a waeth imi ddechrau gyda Seimon Meredur mwy na rhywun arall. Ble mae o?'

Methai Mali â phenderfynu beth oedd yn wahanol yng Nghymraeg y Syr rhagor hwnnw a glywai hi bob dydd. Roedd y geiriau yr un fath o'u gosod yn eich meddwl un ac un, ac eto roedd eu sŵn gyda'i gilydd yn hollol wahanol, bron fel petai'r Sgweiar yn siarad y Saesneg y chwysai Dafydd druan gymaint trosto.

Mewn ateb i ymholiad y Sgweiar, gwnaeth Saro arwydd â'i llaw i mewn i'r tŷ. Rhyfeddai Mali mor dawedog oedd hi, a hithau fel arfer mor rhugl ei thafod. Falle fod pobl fawr yn cael yr un effaith ar yr hen wraig ag a gaffai pawb dieithr, boed fawr boed fach, arni hi.

Craffai Syr Meurig o'i gwmpas ar y muriau dilewyrch, i fyny, i lawr, ac yn union ar ei gyfer. Wrth gamu tros y trothwy i'r gegin, dywedodd wrth Saro,

'Mi aildoaf i'r tŷ, ond rhaid ichi ei wyngalchu o eich hunain.'

Moesymgrymodd Saro a dweud, 'Diolch yn fawr, Syr,' yr un ffunud â phetai hi'n denant Ty'n-yr-Ogof. Yna arweiniodd rhag blaen i'r siambr heb roi cyfle arall iddo fo sefyll.

'Dyma Syr Meurig wedi cyrraedd, Seimon.'

Gwingodd Seimon yn wannaidd i'w eistedd a brysiodd Saro i'w helpu, gan blygu'r gobennydd mawr yn ddwbl y tu ôl i'w gefn. Bwtffalai yntau gyda dillad y gwely.

'Tynn y gwrthban yma'n is,' sibrydodd, 'er mwyn iddo fo weld fy nillad i.'

Gwnaeth Saro hynny, a throdd Seimon ei hun gongl ei gôt o'r neilltu nes bod ei gadwyn aur yn y golwg. Yna estynnodd ei law i'r ymwelydd.

'Mi fuoch yn hir, 'nhad,' meddai, gyda phwyslais trwm ar y gair olaf.

Bu agos i Mali neidio o'i chroen wrth glywed Seimon—crwydro neu beidio—yn meiddio cyfarch y Sgweiar fel yna.

'Mi ddeuthum i edrych amdanoch chi yn gyntaf o'r tenantiaid, Meredur,' meddai'r gŵr bonheddig. Roedd yn amlwg na ddaliasai ar eiriau Seimon i gyd. 'Mae'n flin gennyf weld mai yn eich gwely yr ydych. Rhaid ichi frysio i ddod o gwmpas eto, oherwydd roeddwn yn sôn, wrth ddod i mewn, yr anfonwn y gweithwyr yma i aildoi'r tŷ, er mwyn i hen denant fel y chi fod yn glyd a diddos.'

'Nid eisiau ichi doi imi sydd arna i,' gwaeddodd Seimon, yn cynhyrfu eto, 'ond eisiau ichi adfer imi fy lle priodol mewn bywyd, trwy fy nghydnabod i.'

'Eich cydnabod?' Roedd tôn y Syr yn oeraidd a dryslyd.

'Ie, fy nghydnabod i fel eich mab,' llefodd Seimon. 'Hyd yn oed os gwnaethoch chi lwyddo trwy dwyll i gael gan un arall briodi fy mam, wna hynny mo'ch cyfrifoldeb tuag ataf i ronyn yn llai. Er mai dim ond morwyn yn y Plas oedd fy mam, mae eich gwaed chi yn fy ngwythiennau i ac yn nes atoch chi o lawer na'r cyfyrder pell sy'n cael ei enwi'n etifedd ichi.'

'Beth oedd enw eich mam?' gofynnodd y Sgweiar yn gynhyrfus. Mor gynhyrfus, yn wir, nes i Mali gredu am funud fod sail i'r hyn a ddywedai ei brawd.

'Ann Roberts oedd ei henw hi, cyn i chi ei gwthio hi ar fy . . . ar Tomos Meredur.' Trodd Seimon ei lygaid mawr yn fuddugoliaethus ar Syr Meurig.

Os disgwyliai i'r ateb gythryblu'r gŵr bonheddig, fe'i siomwyd. Yn hytrach, ei dawelu wnaeth o. Edrychodd o'i gwmpas a llusgo hen focs yn nes at y gwely.

'Mi eisteddaf am funud, os caniatewch,' meddai'n dawel. 'Nid wyf mor ifanc ag y bûm. Yn awr, gedwch inni geisio mynd i waelod hyn. Ni wn, gyfaill, p'un ai'ch afiechyd sy'n gyfrifol, ynteu a gamarweiniwyd chi rywdro, ond gallaf eich sicrhau nad oes dim ar fy nghydwybod i ynglŷn â'r un Ann Roberts. Yn wir, does gen i ddim cof o gwbl am forwyn o'r enw yna.'

'Roeddwn i'n ofni mai gwadu wnaech chi,' meddai Seimon yn chwerw, 'ond os nad oedd gennych chi ryw feddwl ohoni, sut mai fy mam gafodd ffrog sidan Ladi Llwyd gennych chi?'

'Chofiaf i ddim byd am roi ffrog i'ch mam, ond cyn ymadael â'r Plas fe rennais ddillad fy ngwraig, a llawer o ffrogiau yn eu plith, rhwng y morynion. Ai dyna roddodd y fath syniad yn eich pen?'

'Nage, nage,' dolefai Seimon, 'nid hynna'n unig, ond cant a mil o bethau na wnes i sylwi arnyn nhw ar y pryd, ond mi cofiais i nhw ymhen amser a'u deall nhw wedyn.'

'Dywedwch wrthyf beth oedd rhai ohonynt, a hwyrach y gallaf eu hegluro.' Erbyn hyn siaradai Syr Meurig â thôn un yn ceisio boddio mympwy plentyn.

'Mi glywais lawer gwaith fod rhai yn yr ardal yn ddig am i'm mam a'i gŵr gael Ty'n-yr-Ogof yma ar eu traws nhw, a hwythau wedi gofyn amdano fo o'u blaen. Beth oedd hynny ond gwobr am ddistawrwydd, a thâl i weithiwr tlawd am gymryd cyfrifoldeb oddi ar eich ysgwyddau chi?'

'Ni chofiaf i ddim am hynny,' oedd yr ateb, 'ond gwelaf imi weithredu yn ôl fy arfer bryd hynny. Os byddai gwas neu forwyn i'r Plas yn priodi, byddai'r cynnig cyntaf ar unrhyw dyddyn ddigwyddai fod yn rhydd yn mynd iddynt hwy.'

'Ac mae gen i gof plentyn am hen wraig o'r ardal yn deud wrth fy mam, "Mae'r plentyn yma sydd gen ti, Ann, yr un ddelw â Syr Meurig yn ei oed o. Trueni na bai ganddo fo aer i ddod ar ei ôl," a fy mam yn adrodd yr hanes wedyn wrth 'nhad ac yn chwerthin, "Petai pobl yr ardal yma'n gwybod beth wyddom ni, mi gaen nhw gryn syndod," a 'nhad . . . y . . . ei gŵr yn ateb, "Rwyf i wedi darfod ag o am byth am hynna, er ei fod wedi ymddwyn yn ddigon anrhydeddus tuag atom ni, ond pa ddiolch iddo fo, o ran hynny?" ac meddai fy mam, "Wel, ein dyletswydd ni ydi cau'n cegau ar ôl addo, a magu'r bachgen yma orau allwn ni." Dyna! Wadwch chi hynna, Syr Meurig Llwyd?'

Doedd dim arwydd o wendid ar Seimon yn awr, ac fe syfrdanwyd Mali o'i glywed yn siarad fel rhyferthwy—Seimon, na cheid byth un gair tros ben ganddo!

Yn lle ateb, gofynnodd y bonheddwr gwestiwn ei hun. 'Faint sydd ers pan briododd eich tad a'ch mam?'

'Wyth mlynedd a deugain i ddoe.' Fe allasai pen Seimon fod mor glir â dŵr codi, gan mor brydlon ei ateb. 'Ac roeddwn innau'n saith a deugain a chwarter, bum wythnos yn ôl.'

'Gallasai hynny fod yn hawdd,' meddai'r llall. 'Rwy'n sicr y gŵyr eich gwreigdda yma,' gan gyfeirio'n foesgar at Saro, 'am ddigon o enghreifftiau cyffelyb, mewn priodasau parchus iawn. Am ba hyd fu eich mam yn gweini yn y Plas?'

'Rhyw chwe blynedd, am wn i.' Roedd yr hen sarugrwydd yn ôl yn llais Seimon.

Ymddangosai'r bonheddwr fel petai'n brysur yn ystyried rhywbeth. Yna dywedodd yn ochelgar,

'Gallaf feddwl am un digwyddiad, rai misoedd cyn eich geni chi, y gallasai eich mam, a hithau yn y Plas ar y pryd, fod wedi cael trywydd arno; ond nid oedd a wnelo â hi o gwbl, nac â neb oedd yn y Plas yn ei hamser hi, nac â neb fu yn y gymdogaeth wedi hynny chwaith. Dywedai'r unig un a feddai hawl i'm galw i gyfrif ynglŷn â'r amgylchiad hwnnw, na chymerai hi mo'r byd â byw yn y wlad wedi unwaith brofi bywyd Llundain. Ar ben hynny gallaf eich sicrhau hefyd, ger bron Duw os mynnwch, na fedd neb byw yr hawl i'm galw i'n dad iddynt, cyfreithlon nac anghyfreithlon. Tybed nad yw hyn yn ddigon pendant ichi?'

'Ac rwyf i'n debyg ichi hefyd. Allwch chi ddim gwadu hynny, beth bynnag, yn enwedig yn y dillad yma. Mi fydda i'n dringo weithiau trwy'r ffenest i'r stafell fawr yn y Plas, lle mae'r darluniau, ac yn edrych ar eich llun chi yno mewn dillad fel hyn, a chadwyn aur a modrwy, ac mi allasai fod yn llun ohonof i fy hun. Ydych chi ddim yn fy ngweld i'r un ffunud â'r darlun hwnnw?'

Daliodd Mali rywbeth erfyniol yn llais ei brawd, a thosturiodd wrtho am yr eildro y diwrnod hwnnw wrth edrych ar y gwahaniaeth rhyngddo fo a Syr Meurig, a eisteddai yr un mor urddasol ar ei focs brau â phetai ei sedd yn gadair oreuredig. Nid gwahaniaeth oed mohono. Byddai'n anodd i ddieithryn benderfynu p'un o'r ddau oedd yr hynaf. Roedd yna rywbeth mwy na gwahaniaeth pryd a gwedd hefyd.

Cododd y Sgweiar ar ei draed.

'Wel, Seimon Meredur, gwelaf eich bod mewn gwendid mawr ac mae'n ofidus gennyf orfod eich brifo. Ond, a barnu oddi wrth eich golwg, ni chredaf fod dafn o waed Llwydiaid y Glyn wedi rhedeg yng ngwythiennau yr un o'ch teulu chi erioed. Os ydych mewn eisiau, fe roddaf arian ichi â chroeso; ond ni allaf ganiatáu i chi, na neb arall, feddwl fod fy ngwaed i wedi cymysgu â'r eiddoch chi.'

Chwifiodd Seimon ei freichiau o gwmpas yn wyllt.

'Fynna i ddim cardod o'r hyn sydd eiddo gwirioneddol i mi fy hun. Mi'ch pryna i chi allan rhyw ddiwrnod, tros imi fyw ar bridd a cherrig. A fi fydd Sgweiar y Glyn, a'm plant i fydd yr etifeddion, ac mi fynna i 'nghladdu, pan ddaw'r amser, ym meddrod y Llwydiaid ym mynwent y Glyn.'

Roedd Syr Meurig wedi troi ar ei sawdl cyn bod Seimon wedi gorffen bygwth, ac wedi mynd allan i'r gegin. Syrthiodd y claf yn ôl ar ei obennydd, yn chwys diferol. Roedd wedi llwyr ymlâdd, a'i anadl wedi mynd, ond roedd yn ddiogel rhag codi, ac wedi edrych munud arno fe'i gadawodd Saro ef a dilyn yn araf ar ôl y gŵr dieithr. Roedd Mali wedi dianc i'r gegin o'i flaen ac yn ceisio'i chuddio'i hun, yn ôl ei bwriad cyntaf, trwy benlinio wrth y tân. Ond ofer fu hynny iddi, oblegid pan ddaeth Saro o'r siambr, beth a welodd ond yr yswain yn croesi at yr eneth.

'Mae'n ddrwg gennyf am gyflwr eich tad, 'merch i, ond ni allaf ganiatáu iddo ledaenu'r stori yna. Byddai rhai'n falch o'i chredu, yn hytrach na derbyn mai gorffwyll oedd o. Cymerwch y rhain gennyf at gael rhywbeth i'w gryfhau. Fe ddichon mai'r gwendid sy'n codi i'w ben.'

Roedd Mali ar fin gwrthod y dyrnaid aur a estynnai iddi, pan ddywedodd Saro o'r tu ôl iddo,

'Diolch yn fawr ichi, Syr. Mi fydd yn ddigon da inni wrthyn nhw. Wedi cymryd rhyw un peth yn ei ben y mae Seimon druan, fel na all o weld dim byd arall.'

'Ie,' cytunodd yntau. 'Math ar wallgofrwydd ydyw, ond ni fynnwn er dim i'r wlad gael camargraff trwyddo. Oni bai fy mod yn gweld mor wan ydyw, fe bwyswn arnoch i'w symud i Gae'r Ynn.'

'Does neb ond y fi wedi deall beth sydd ganddo, Syr, ac mi wyddwn i'n iawn mai camgymryd yr oedd o. Mi ellwch fod yn hollol dawel na soniaf i, na'r eneth yma, un gair wrth neb, na dynwared ei gybôl.'

'Da iawn. Da iawn,' cymeradwyodd yntau. 'Prynhawn da ichi eich dwy, ac anfonwch i'r Plas os bydd rhywbeth y gallwn ni ei wneud.'

Safodd y ddwy yn y drws, gan wylio'r gwas yn camu i'w gyfarfod a rhoi ei fraich iddo, yna trodd y ddau i lawr tros ael y llechwedd.

'Yr un o hyd,' ymsoniodd Saro, 'yn ddigon caredig, ond cyn uched â Lwsiffer lle bo'i dras o yn y cwestiwn.'

Trodd i'r siambr, a chodi pen Seimon i roi llymaid iddo. Gorweddai ef yn ddistaw a'i lygaid ynghau. Daeth Saro yn ei hôl ac eistedd eto wrth y tân. Roedd Mali wedi bod wrthi'n pendroni ers meitin, a'i meddwl yn effro iawn ohoni hi.

'Mi allai Seimon fod yn deud y gwir, o ran hynny,' meddai toc, gan gofio am ei phrofiad ei hun.

'Nac ydi,' meddai Saro'n ffyrnig. 'Mi wn i gymaint â hynny.'

'Ond roedd hi'n rhyfedd i fy mam ddeud felly ynghylch cau ceg,' dadleuodd Mali.

'Mi eglurodd y Syr hynny'n iawn. Ond chofiodd o ddim am ryw eneth o Sir Fôn oedd unwaith yn forwyn yn ei dŷ o yn Llundain, cyn mynd wedyn i Blas-y-Glyn i weini. Mi glywais i rywdro fod dy fam a hithau'n gryn ffrindiau, ac mae'n eitha tebyg gen i fod honno wedi ailadrodd popeth wyddai hi am ryw si ynghylch y Syr yn Llundain. Wyddai hi mo'r cwbl, neu mi fuasai wedi'i ddeud o i gyd. Yn naturiol, mi sibrydodd dy fam amdano fo wrth dy dad, a dyna iti'r stori glywodd Seimon —yn gyfan ond yr enwau.'

'Felly mi *gafodd* y Syr blentyn tua'r adeg honno,' rhyfeddai Mali, 'ond nad Seimon oedd o.'

'Do. Ond roedd hynny cyn i'th dad a'th fam di briodi, ac mi clywaist o yn cystal â deud nad oedd y plentyn hwnnw'n fyw nawr.'

'Saro,' oedd y cwestiwn nesaf, 'pam oeddech chi'n anfodlon iddo fo wybod eich enw, ac yn gadael iddo fo feddwl mai gwraig Seimon oeddech chi?'

'Am y plesiai fi iddo fo feddwl 'mod i'n ddigon ifanc i fod yn wraig i Seimon,' gwamalodd Saro.

'Mi ddywed ei weision a'i forynion wrtho fo,' bygythiodd y llall.

'Na wnân nhw. Chafodd o erioed y ddawn o fedru holi a bod yn rhydd gyda'i weision. Mi ddwedais wrthyt ei fod o mor falch â Lwsiffer, on'do? Heblaw am un tro yn ei hanes, ac mi fynnai o ddadwneud hwnnw pe medrai, hyd yn oed pan oedd o ddyfnaf mewn cariad.'

'Yn y Wern y gwêl o chi nesa. Mi ddwedodd y byddai'n galw gyda phob un o'i denantiaid cyn mynd i ffwrdd.'

'Dwyf i ddim yn denant iddo fo. Mae'r Wern yn eiddo i 'nheulu i ers cyhyd o amser ag y mae'r Glyn gan ei deulu yntau.' Craffodd Saro ar Mali. 'Rwyt ti wedi deffro'n arw. Beth sy'n dy gorddi di?'

'Rydych chithau'n crio, Saro, byth ers i'r Sgweiar fynd. Beth sydd?'

'Mi cofiodd fi,' gorfoleddodd Saro, 'ac yntau'n arfer anghofio pawb a phopeth, unwaith y byddai o wedi gorffen â nhw, a'u taflu nhw o'r neilltu, ond roedd o'n dal i 'nghofio i.'

'Nac oedd, Saro, doedd o ddim. Wnaeth o mo'ch adnabod chi,' cywirodd Mali hi.

'Dwyt ti'n deall dim,' meddai Saro, yn dal i sychu'i llygaid. Ond roedd Mali o'r diwedd wedi gorddiwes pelydr y bu'n ymlid ar ei ôl ers meitin, a'r chwedl a glywsai bum mlynedd ynghynt wedi dod yn glir iddi.

'Saro! Syr Meurig oedd eich cariad chi yn Llundain erstalwm!'

'Pa waeth am hynny'n awr?' meddai Saro'n ffyrnig. 'Mae hi'n hen, hen stori erbyn hyn.'

'Pam na ddwedsoch chi wrtho fo? Mi fuasai'n falch o'ch gweld chi eto.'

'Gadael iddo fo 'ngweld i'n hen ac yn hyll fel hyn, ac yntau'n fy nghofio i pan oeddwn i'n harddach na'r un ferch arall oedd o'n ei nabod!' ymfflamychodd yr hen wraig. 'Na, dim peryg, a gofala dithau na sonni di air. Mae'n rhaid ei fod o'n meddwl rhywbeth ohonof i, iddo fy nghofio i fel'na; ond unwaith y gwelai o fi fel hyn, fel rwyf i heddiw, mi wasgarai'r cyfan fel niwl o flaen gwynt. Dyna sut un ydi o, wyddost . . . Roeddwn i am dawelu'i feddwl o, os gallwn i. Roeddwn i'n deall yn iawn y boen fyddai hi iddo fo petai o'n meddwl fod unrhyw un yn ei gysylltu fo â Seimon druan. Ei falchder oedd ei wendid a'i gryfder o. Fu dim un gair o sôn amdano fo gyda'r morynion erioed. Nid am ei fod o'n rhy dda, ond am ei fod o'n rhy falch. Mi wyddwn i'n rheiol fod ganddo fo gywilydd ohonof innau hefyd, ond roeddwn i mewn cyfle i wybod ers fy mhlentyndod sut un oedd o ac felly doedd gen i ddim lle i'w feio fo, a minnau wedi mynd iddi â'm llygaid yn agored. Fi oedd ar fai, nid y fo.'

Cododd yn sionc, fel petai am ysgwyd y cyfan i ffwrdd.

'Mae hi'n bryd inni feddwl am baratoi at y nos, er bod yn amheus gen i gawn ni lawer o orffwys heno. Dos di i olwg pethau tu allan, ac mi geisiaf innau wneud Seimon mor gysurus ag sydd bosib.'

Gwir oedd ofnau Saro mai ychydig o lonydd a gaent y noson honno. Er iddynt geisio tynnu dillad uchaf Seimon, gwrthodai'n deg â gadael iddynt wneud hynny. Roedd o am fynd i'r Glyn mewn munud, meddai, i edrych eto ar y darlun hwnnw. Roedd yn sicr ei fod o yr un ffunud ag ef.

'Wyt ti ddim yn fy ngweld i'n debyg, Saro?' erfyniai, gan edrych arni â llygaid taer.

'Wyt, Seimon bach. Mi fyddai'n fy nharo i bob amser mor debyg oedd y Sgweiar a thithau.'

Gwenodd, a gorwedd yn dawel am ennyd. Yna fe geisiodd godi, ond roedd yn rhy wan. Ymrôdd i siarad eto.

'Mi wn i 'mod i'n deud y gwir, serch iddo fo wadu.' Ymbiliai â'i lygaid am eu cadarnhad. 'Rwyf i'n debyg, on'd wyf i? A pham y dwedai fy mam hynny?' Caeodd ei ddyrnau a daeth ei leferydd yn gryfach am ysbaid. 'Fy eiddo i fydd y stad rhyw ddiwrnod, er ei waethaf o. Mi weithia i fy nwylo'n bytiau cyn ildio. Ond mae'r arian mor hir yn tyfu,' dolefodd wedyn. 'Wnei di helpu, Mali?' gan apelio at ei chwaer am y tro cyntaf y noson honno.

Gwnaeth Saro arwyddion egnïol arni i'w ateb. Gwlychodd hithau ei gwefusau â'i thafod, ddigon i fedru mwmial,

'Gwnaf.'

'Falle y buasai hi wedi bod yn well petawn i wedi egluro iti erstalwm. Doeddet ti ddim yn deall fy mhwrpas i pan oeddet ti yma o'r blaen. A doeddwn innau ddim wedi'i weld o cyn gliried y pryd hynny chwaith, nac wedi dechrau mynd i Blas-y-Glyn i edrych y lluniau.'

Distawrwydd am dipyn wedyn, ac fe dybient ei fod yn cysgu, nes iddo ddweud, heb agor ei lygaid,

'Mi drodd pethau'n chwithig wedi i Mali fynd i ffwrdd. Roedd o'n faich rhy drwm i mi ar ben fy hun.'

Rhwng ysbeidiau o hanner cysgu ac o ymladd y treuliodd o'r oriau hyd doriad gwawr, a'i anadl yn llawer gwannach na'r noson cynt. Roedd Mali'n dechrau meddwl ei bod yn bryd iddi hi edrych hynt yr anifeiliaid, ac ymorol hynny o frecwast y byddai ei angen; ond fel yr oedd hi ar gychwyn, fe drawodd rhywbeth yn ddisymwth yn erbyn y ffenest. Yna bu distawrwydd, nes i Mali ddod tros ei braw a throi eto i gychwyn o'r siambr. Ond daeth y sŵn wedyn, a pharhau'n hwy y tro yma. Ysbaid arall o ddistawrwydd, yna'r sŵn drachefn, fel llestr alcan yn rhygnu ar garreg. Chlywsai Mali erioed ei debyg, a chroesodd braidd yn ofnus at y ffenest i weld beth oedd yn ei achosi. Ar yr un funud, daeth Saro i mewn o'r gegin lle bu'n mofyn llestraid o ddŵr cynnes. Trodd Mali tuag ati a dweud,

'Dim ond robin goch bach oedd yna wedi'r cyfan. Peth rhyfedd! Welais i'r un erioed o'r blaen yn pigo'r ffenest fel yna.' Yn rhy ddiweddar, sylwodd fod Saro'n gwneud mosiynau arni i dewi.

'Robin goch,' meddai llais bloesg o'r gwely. 'A! Wel! Dyna'r Sgweiar yn deud y gwir felly yntê?'

'Neno'r annwyl, Seimon,' ymresymodd Saro mewn llais siriol iawn, 'dyw hen aderyn bach fel'na yn profi dim byd.'

'Mi gofia i fel doe y bore y daeth o am 'nhad,' ebe Seimon. 'Mi fyddai o'n deud yn wastad na fu i'r un o'i deulu o, o ochr ei dad, farw heb i robin ei rybuddio. Ac mi wyddoch chi hynny, Saro, cystal â minnau.'

Nid oedd gan Saro ddim i'w ddweud. Rhyfeddai Mali at y Seimon dieithr hwn. Roedd yn gwbl yn ei bwyll, ond yn llawer llareiddiach na'i arfer.

'Dyma fi wedi ymlid breuddwydion am y darn gorau o'm hoes,' meddai toc.

Seimon yn ymlid breuddwydion!

Yna gwelai ddau ddeigryn gloyw yn treiglo i lawr ei ruddiau. Roedd yn ymbalfalu â'i fysedd ers meitin, ond ni feddyliodd Mali ddim o hynny. Saro fel arfer a ddeallodd gyntaf.

'Eisiau ei thynnu hi sydd, Seimon?' gofynnodd, gan gymryd y fodrwy oddi am ei fys.

'Ie, i Mali,' ac estynnodd hi iddi ei hun, gan godi'i lygaid at ei hwyneb. 'Siawns na elli di gael ei gwerth amdani yn rhywle. Dyw hi ddim yn gweddu i mi. Tynn y gadwyn a'r oriawr iddi hefyd,' meddai wrth Saro.

Gwnaeth hithau hynny. Wedi munud o orffwys, siaradodd Seimon wedyn.

'Y dyn yna fu yma'r bore . . . Mi soniodd am wneud papur yn gadael yr eiddo i Mali . . . Gofynnwch iddo fo'i wneud o'n awr . . . yn syth, yn syth . . . heb golli amser.' Rhoddodd bwyslais ar y geiriau olaf.

'Mae'n well iti fynd i godi Ezra Jones,' archodd Saro. 'Mi wyddost y tŷ—o fewn un i siop Lowri. Cura'r drws nes cei di ateb, a gofyn iddo fo ddod ar unwaith, a phapur a phensel efo fo. Rhed.'

Ufuddhaodd Mali, ac roedd yn ôl yn Nhy'n-yr-Ogof cyn pen yr awr.

'Ddwedodd o byth air,' sibrydodd Saro. 'Gobeithio na fydd Jones yn hir.'

'Mi addawodd fod yma ymhen hanner awr ar f'ôl i.'

A phrofodd y gŵr parchedig gystal â'i air. Ysgydwodd ei ben wrth olwg Seimon.

'Beth oedd o am imi ei sgrifennu, tybed?'

Agorodd Seimon ei lygaid, heb i neb ddisgwyl hynny.

'Popeth i Mali, fel y dwedsoch chi ddoe,' meddai.

'Fedrwch chi gael tyst arall?' gofynnodd y gweinidog yn ddistaw.

'Rhed eto, Mali, i mofyn Ifan Ifans, neu unrhyw un y cei di afael arno'n gynta,' gorchmynnodd Saro eto.

Erbyn i'r eneth gyrraedd yn ôl y tro hwn, roedd Ezra Jones yn sefyll wrth ben y gwely a golwg bryderus ar ei wyneb, papur ysgrifenedig yn un llaw ac ysgrifbin yn y llaw arall.

'Gawsoch chi afael ar rywun?' gofynnodd.

'Mi fydd yma gyda hyn,' atebodd Mali.

Er maint ei chynnwrf, roedd wedi cofio rhybuddion Saro i beidio â dweud llawer o'i hanes, ac wedi rhedeg yn ôl yn syth er mwyn osgoi cael ei chwestiyna yn Nhŷ-draw.

'Dyma ni'n barod nawr,' ebe'r gweinidog, cyn gynted ag y rhoddodd Ifan Ifans ei droed tu mewn i'r drws. 'Fedrwch chi roi croes ar gyfer eich enw fan hyn, Seimon Meredur?'

Estynnodd Seimon ei law, a chydag Ezra Jones yn dal y papur iddo a Saro'n ceisio cynnal ei fraich, dododd ei groes grynedig ar y papur.

'Chithau'n awr, Saro Owen, fel tyst.'

Ysgrifennodd Saro ei henw'n fras, fel y gwnâi hi. Ni fu ond y dim rhyngddo â chrwydro tros ymyl y papur.

'A chithau, Ifan Ifans.'

'Croes, os gwelwch yn dda, Mr Jones,' a rhoddodd Ifan ei farc, di-lun ei wala, gogyfer â'r enw a dorrodd y gweinidog.

'Ceisiwch yfed hwn, Seimon bach,' ymbiliodd Saro.

Yn lle ufuddhau, amneidiodd ei llaw draw oddi wrtho, ac meddai'n glir a hyglyw,

'Mi soniais rywdro am fy nghladdu yn y Glyn, ond petai modd, i fynwent Llanïor yr hoffwn i fynd. Yno y mae 'ngwreiddiau i, wedi'r cwbl.'

Bu fyw hyd ganol dydd, ond ni siaradodd wedyn, nac agor ei lygaid i edrych arnynt. Pellhaodd yn raddol, nes i ysbryd Seimon Meredur ddianc o'r carchar a'i hysigodd cyhyd.

Ni chafodd ei gladdu yn Llanïor. Petai heb fyw mor bell o'r byd, fe fuasai'n gwybod fod y fynwent honno ar gau ers blynyddoedd i gladdedigaethau. Cafodd orffwys ym meddrod dienw ei dad a'i fam, wrth gapel Salem; ac fe addawodd Mali iddi'i hun, os oedd gan Seimon yn wir rywbeth i'w adael iddi, mai'r gofyn cyntaf ar yr arian fyddai carreg ar y bedd. Yr unig bethau y teimlai hi'n sicr eu bod yn eiddo iddi oedd yr oriawr a'i chadwyn, a'r fodrwy. Ni roddai fawr werth arnynt, chwaith. Fe arfaethai roi'r ddau flaenaf i Dafydd ryw ddiwrnod, ond ni welai un diben i'r fodrwy. Ac am y dillad y meddyliai ei brawd gymaint ohonynt, ac y bu farw ynddynt, perswadiodd Saro hi mai eu gadael amdano fyddai orau.

'Pa waeth os dywed pobl ei fod o'n wastraff?' dadleuai'r hen wraig. 'Mae gan Seimon ddigon o gybydd-dod wrth gefn i wneud iawn am hynny, ac roedd ganddo fo gymaint o feddwl o'r hen ddillad.'

Llosgodd y ddwy ohonynt beth wmbredd o lanast o'r tŷ, ond ni fynnent gyffwrdd â'r bocs bach cloëdig, y tybient fod Seimon yn cadw'i arian ynddo. Roeddynt yn disgwyl Ezra Jones yno ar ôl yr angladd i edrych trwyddo fo gyda hwy. Ymddangosai'r tŷ yn wag iawn ar ôl clirio'r llanast ohono, ac nid oedd yr ychydig weddill a adawyd o fawr werth.

Fe awgrymodd Ifan Tŷ-draw y buasai o'n ddiolchgar am ddillad Seimon, er eu saled. Mynnai Saro ei fod yn siomedig iawn i'r rhai gorau fynd gyda'u perchennog. Cafodd Sioned hefyd yr ychydig lieiniau tŷ oedd yno. Bocsys, da i ddim ond coed tân, oedd mwyafrif y dodrefn. Roedd yr ychydig bethau derw oedd yno yn amser Mali wedi cael eu hamharu trwy i ddefnynnau o'r to syrthio'n gyson arnynt tros y blynyddoedd, a'u breuo. Cynghorodd Saro hi i'w gwerthu am a gâi amdanynt, gan mai gwaethygu'n ofer wnaen nhw o'u cadw. Rhybuddiodd hi ar yr un pryd y byddai'n ffodus i gael chweugain am y cwbl. Rhwng popeth, ni roddai Mali ormod pwys ar y darn papur a'i groes grynedig. Ei barn hi oedd fod Seimon, ar ôl ei gynilo mawr, wedi gwario'r cyfan ar y dillad a'r addurniadau.

Angladd bychan gafodd o, wrth safon angladdau'r fro. Fe edrychid ar fynychu claddedigaethau fel un o brif ddyletswyddau cymdeithas dda; ac yn wir ni esgeuluswyd y ddyletswydd honno yn achos Seimon chwaith. Ond ni ddaeth mwy nag un o unrhyw deulu, ac ni thorrodd neb tros ffiniau'r darn gogleddol o'r plwyf. Talodd Mali am de i bawb yn ysgoldy Salem, er y gwyddai y buasai Seimon yn gwingo petai o'n gweld bwyta ac yfed te ar ei gost o. Fe'i cysurai'i hun y gallai hi dalu o'r ugain punt a drosglwyddodd Saro trosti i Fanc y Dref, ar eu ffordd adre o Gaerarbra, bum mlynedd ynghynt.

Prif sgwrs y dydd oedd crintachrwydd Seimon, a'i salwch rhyfedd. Mynegai ambell i un yma ac acw ei siom am i'r Sgweiar droi'n ôl mor ddisymwth, ac yntau unwaith wedi trefnu i aros trwy'r haf ac ymweld â'i denantiaid i gyd. Pe gwyddai Syr Meurig, o ganlyniad i hyn fe aeth aml i araith huawdl yn wastraff, ar y pwnc o atgyweiriadau a gwelliannau i dai a thiroedd.

Tra oedd pawb yn yr ysgoldy gyda'r bwyd, llithrodd Mali a Saro at y bedd. Nid oeddynt wedi dechrau ei gau eto, a dim ond y dyrnaid llwch i'r llwch oedd ar gaead yr arch. Gallai Mali ddarllen y geiriau oedd arni.

SEIMON MEREDUR
Bu farw Mawrth 19, 1871
yn 47 oed

Teimlai'n fwy cwestiynol nag arfer. Os tynged oedd hi, fel y dywedai Saro, pam y fath wahaniaeth? Os na allai Seimon help wrth ei grintachrwydd a'r chwilen a'i meddiannai, pa hawl ei feio fo amdanyn nhw? Roedd saith a deugain yn gryn oed, mae'n wir, ac eto fe haerai'r gweision fod y Meistr Ifanc flwyddyn yn hŷn na hynny, ac fe edrychai o hyd fel hogyn mawr, tra bod Syr Meurig wedi tybio am Seimon fod Saro, oedd yn hŷn na'i fam o, yn wraig iddo fo.

PENNOD XII

Wrth droi'n ôl i Blas-yr-Allt, teimlai Mali fel petai wedi bod oddi yno ddeng mis ac nid deng niwrnod. Dyfalai tybed beth oedd wedi digwydd yn ystod ei habsenoldeb. Nid oedd yno unrhyw newydd neilltuol, fodd bynnag—tri thorllwyth o foch, hanner dwsin yn rhagor o loi yn disgwyl am eu bwydo a rhai eraill yn barod i'r farchnad, y caeau wrth y tŷ yn dryfrith o ŵyn, y gweision yn disgwyl am dywydd i droi at geirch, un forwyn wedi ymadael a'r llall yn sôn am wneud.

'Weithia i ddim rhagor yn y fan yma, peth siŵr ydi o, am dair a chweugain y flwyddyn, bwyd sâl, a thafod drwg.'

Dafydd oedd yr unig un i ddangos llawenydd o weld Mali.

'O! mi fuost ti'n hir,' cwynodd wrthi. 'Bob bore wrth godi, roeddwn i'n gobeithio y byddet ti yma cyn nos. Does dim byd yr un fath pan wyt ti i ffwrdd, ac mae'r bwyd yn ofnadwy.' Gwenodd hithau wrth feddwl am y golled i Dafydd am y celc a gadwai hi iddo. 'Mae pawb yn waeth eu tymer hefyd, hyd yn oed y Meistr Ifanc.'

Roedd hyn yn newydd rhy dda i Mali allu ei dderbyn.

'Ti sy'n gweld mwy arnyn nhw pan wyf i ddim yma. Rwyt ti fwy efo fi nag efo nhw, adeg arall.'

'Nage'n wir, nid dyna'r rheswm,' taerai'r bachgen. 'Y ti oedd i ffwrdd a phopeth yn mynd o chwith, er nad oedden nhw'n gwybod mai dyna oedd arnyn nhw chwaith. A Mali! Mi ges lyfr bach gan y gweinidog, yn rhoi'r gair Cymraeg a Saesneg am bopeth, ac rwyf i wedi dysgu tair tudalen ohono fo'n barod.'

Edrych yn sur arni wnaeth Ann Huws. Ni fynnai hi gydnabod, iddi'i hun nac i neb arall, fod yn dda ganddi gael Mali'n ôl.

'Mae hi'n amser dy gyflog di, on'd ydi? Mi fuost i ffwrdd yn hir iawn, ac ar amser prysur hefyd. Fedri di ddim disgwyl imi dalu iti a thithau ddim yma, ond chadwa i ddim ond swllt oddi arnat ti am y tro.'

Daeth pwl anghynefin o wrthryfel tros Mali, a gwnaeth yr hyn y bu Saro'n erfyn yn ofer arni ei wneud ers tair blynedd.

'O'r gorau, Meistres,' ebe hi, 'ond os ydych am imi gyflogi ymlaen, mae'n rhaid imi gael teirpunt o gyflog. Mi fydd yn is na chyflog pen-forwyn wedyn.'

'Nid y ti ydi'r ben-forwyn,' meddai Ann Huws.

Roedd y fflach o wrthryfel wedi llosgi allan eisoes ym Mali ac ni cheisiodd ddannod ei bod yn gwneud gwaith pen-forwyn fwy na thri chwarter ei hamser. Wedi dechrau sôn, fodd bynnag, fe ddaliodd at ei theirpunt, ac nid oedd gan y Feistres ddewis ond ildio iddi. Petai hi'n gwybod nad oedd gan y forwyn y bwriad lleiaf o hawlio codiad nes iddi hi gadw'r swllt oddi arni, fe fuasai wedi brathu'i thafod yn ddau cyn y câi gostio punt y flwyddyn iddi wrth geisio arbed swllt.

Rhyfeddai Mali wedyn ati'i hun. Roedd wedi gwrthod gofyn am godiad y blynyddoedd o'r blaen, pryd y buasai punt ychwanegol wedi gwneud byd o wahaniaeth iddi, petai ond i geisio taclusrwydd i Dafydd. Eleni, dyma hi wedi'i mynnu, a hithau uwchben ei digon hebddi. Dyna'r wyth bunt a gafodd gan y Sgweiar, a dyna ddau gant a hanner Seimon. Oherwydd pan agorwyd y bocs haearn, cafwyd ynddo lyfr Banc yn dangos fod Seimon Meredur yn berchen ar gymaint â hynny o gyfoeth—a deg punt o arian glân yng ngwaelod y bocs heblaw hynny, digon a gweddill i dalu holl gostau'r claddu.

Ni wnaeth y swm gymaint o argraff ar Saro ag ar Mali.

'Y creadur dwl,' ebe hi, 'i aberthu cysuron a ffrindiau a phopeth, serch hel rhyw fymryn fel'na o arian. Petai o wedi cybydda dwy fil a hanner, fuaswn i ddim yn gweld cymaint o fai arno fo. Ond i ddychmygu y gallai o byth brynu stad y Glyn! Mi fuasai'n well o lawer iddo fo fod wedi'u cael nhw yn ei gylla a'i ben ac ar ei gefn. Mi allasai fod yn fyw heddiw, felly. Rwyf i'n credu cymaint â neb mewn tipyn o arian, ond dwyf i ddim yn mynd i'm lladd fy hun er ei fwyn, a fedr neb ei grafu o mewn lle fel hyn.'

Er iddi siarad felly, gorfododd yr hen wraig Mali i fynd gyda hi ac Ezra Jones i'r Dref, i drosglwyddo pob dimai o'r arian at y cyfrif o ugain punt oedd eisoes yn ei henw hi.

'Mae'n wahanol arnat ti, rhagor Seimon,' dadleuai Saro. 'Mi ddylet ti fod yn cael bwyd iawn am dy waith yn y fan acw, a digon o gyflog i dalu pob costau eraill. Dy fai di dy hun ydi o, os nad wyt ti. Felly, cadw'r rhain wrth gefn. Mi fydd yn ddigon hawdd iti eu cael nhw o'r Banc os bydd angen. Raid iti ond gofyn amdanyn nhw. Mi fyddaf i'n codi arian o dro i dro o hyd.'

Crybwyllodd Mali fod arni eisiau carreg fedd.

'Ie,' cymeradwyodd Saro. 'Peth yn ei le fyddai hynny. Rwy'n siŵr y gwnaiff Mr Jones yma edrych ati pan ddaw'r amser, ac mi gei dithau dalu amdani. Mae hi'n rhy fuan eto, rhaid i'r tir gael soddi a chaledu tipyn i ddechrau.'

Ni chymerodd neb arall arnynt, yn feistr na gwas, i Mali fod oddi yno o gwbl. Os gwyddai rhywun iddi gladdu'i brawd yn y cyfamser, ni welsant yn dda sôn am hynny. Gyda'r eithriad o Dafydd, wrth gwrs. Roedd ef yn llawn chwilfrydedd ac yn holi a stilio hanes yr angladd, gan ei gymharu â'i gof o ddyddiau cynhebrwng ei dad a'i fam.

Pe gofynnid i Mali beth a ddigwyddodd yn ystod y saith mlynedd nesaf, ei hateb fyddai: 'Dim byd'. Nid oedd pryd hau a medi, a gwyrth y tymhorau—gwanwyn yn dilyn gaeaf, ac yn treiglo trwy haf i hydref a'i ffrwytho a'i ddadfeilio—yn cyfrif yn ei golwg, oherwydd dyna ddigwydd a fu erioed, ac ni wyddai neb pa bryd yr ymdoddai'r haf i'r hydref a'r hydref i'r gaeaf. Roedd pethau'n debyg y tu mewn i furiau Plas-yr-Allt—y tymhorau'n ymdoddi i'w gilydd, ond yr arwyddion o hynny yn rhy gyfrin i Mali sylwi arnynt.

Roedd Tim Huws wedi gorffen troi'n 'Ŵr Plas-yr-Allt' ers blwyddyn neu ddwy, cyn iddi hi sylweddoli na chlywid byth mo'r enw 'y Meistr Ifanc' arno gan neb bellach.

Bechan a melen a chrebachlyd fyddai'r Feistres bob amser, fel afal ym mis Mawrth wedi goroesi'i lyfnder a'i felyster, ac felly ni sylwodd neb ei bod wedi lleihau a melynu mwy eto ers blwyddyn. Ni fu erioed yn un am gymowta, ond yn ystod y flwyddyn hon fe roesai'r gorau i'r esgus o fynd i gapel a ffair, a neb rywfodd wedi sylwi llawer ar hynny chwaith.

Yna, un diwrnod, dywedodd wrth ei gŵr,

'Timothy, mi fuasai'n dda gen i petaech chi'n fy nghymryd i'r Dref heddiw. Rwyf awydd galw efo'r Doctor. Mae diffyg treuliad neu rywbeth arna i.'

'Gwnaf, neno'r dyn, Ann fach,' meddai yntau'n ysgafn. 'Wedi bwyta gormod o geirch yr ydych chi, mae'n siŵr, ac mi wnaiff codi allan y byd o les ichi.'

Ar ôl hynny, bu gofyn arni fynd i'r Dref droeon i'w dangos ei hun i'r meddyg. Cwynai fod y siwrneion yn ei blino, ac awgrymodd Tim iddi ofyn i'r Doctor alw, o achos, wedi'r cwbl, nid oedd ef lawer elwach o'r teithiau hyn i'r Dref. Mynnai Ann droi'n ôl gydag iddi gwblhau ei neges, a thystiai na allai feddwl am gyffwrdd ag un bripsyn o fwyd y Dref, fel na fyddai eu harhosiad yno ond rhyw awr i gyd, os na fyddai raid iddynt aros wrth y meddyg.

Gwrthododd Ann yr awgrym yn bendant. 'Mi af tra medra i. Alla i byth fforddio i'r Doctor yna ddod yma a chodi'i grocbris am bob siwrnai.'

Roedd hi'n mynd yn fwy rhinclyd a dreng yn barhaus—ond roedd y cymeriad hwnnw ganddi'n barod, a'r newid mor raddol fel na chymerodd neb atynt o hynny. Anaml y byddai yno'n awr unrhyw forwyn arall ond Mali; ac ar dro fe glywid Ann Huws yn tafodi hyd yn oed y Meistr ei hun, a hynny yng ngŵydd y gwasanaethyddion. Y tro cyntaf i Mali ei chlywed, cafodd ysgytiad, gan na chlywsai neb mo hynny o'r blaen, pa mor ddreng bynnag y digwyddai'r Feistres fod. Fe wridodd y forwyn o'i chorun i'w sawdl a brysio o'r fan cyn gynted fyth ag y gallai. Taflodd olwg ar Tim wrth basio, ond dim ond chwerthin yn ôl ei arfer wnâi ef, a dweud,

'Twt, twt, Ann fach. Pa ots am rywbeth fel'na?'

Ni sylweddolai Mali mo'r newid ynddi hi ei hun chwaith. Dim ond deg ar hugain oed oedd hi, ond fe edrychai gryn bymtheng mlynedd yn hŷn. Roedd ei magiad caled, a'r gweithio trwm ers ei phlentyndod, wedi gadael eu hôl ar ei hwyneb a'i chorff a'i hosgo, ond heb amharu eto ar ei nerth, ac felly nid oedd hi'n ymwybodol fod gwahaniaeth ynddi hi ei hun rhagor ddeng mlynedd yn ôl. 'Yr hen Fali' fyddai hi bob amser gan y gweision, a chan y morynion hefyd y tu ôl i'w chefn, ond rywfodd ni feddyliai hi ddim o hynny. Ni ddaethai erioed i feddwl Dafydd nad oedd hi'n hen, ac felly doedd dim disgwyl iddo fo weld gwahaniaeth ynddi.

Roedd hi'n haws canfod y cyfnewidiadau yn Dafydd. Roedd o wedi tyfu'n llencyn tal, main, a phryderai Mali'n aml wrth ei weld mor denau a gwelw. Nid oedd ganddo archwaeth y gweision at fwyd, ac roedd hi'n mynd yn anos o hyd, oherwydd manylder ychwanegol y Feistres, i gelcio tamaid iddo fo. Fe'i rhoddid i droi a chanlyn y wedd yn awr, a byddai Huw'n cwyno'n groch o achos yr hyn a alwai ef ei ddilunwch. Er bod Mali'n gwneud ei gorau iddo gyda dillad, roedd o'n tyfu mor gyflym fel ei fod bob amser yn garpiog a thyllog. Yn achlysurol, fe daflai Ann Huws ambell ddilledyn ar ôl ei gŵr iddo fo, ond gan nad oedd hi'n credu mewn gadael i hyd yn oed Tim droi dillad heibio cyn pryd, fyddai'r llencyn ddim llawer gwell ei raen o'u cael nhw, ac roeddynt gymaint yn rhy fawr iddo ag yr oedd ei rai'i hun yn rhy fach. Cwynai Dafydd yn aml ei fod â chywilydd mynd i'r capel nac unman, a chydymdeimlai Mali â fo. Addawai iddi'i hun y codai arian o'r Banc pan gâi ddiwrnod yn rhydd i fynd i'r Dref, ond roedd hi mor brysur fel na ddeuai'r cyfle hwnnw heb ei gynnwys. Roedd hithau'n casáu'r syniad o fynd i'r Banc a wynebu'r dynion gwych ffroenuchel a weinyddai y tu ôl i'w gownter, ac felly roedd yn hawdd ganddi oedi'r daith. Methodd ag ymatal rhag dweud wrth Dafydd,

'Mi ddylet ofyn am rywfaint o gyflog, Dafydd bach, ac wedyn mi allet brynu dilledyn i ti dy hun weithiau. Does dim rheswm fel hyn.'

'Ond maen nhw wedi 'nghadw i ers pan oeddwn i'n chwech oed,' dadleuodd yntau. 'Mi fyddai Meistres o'i chof pe soniwn i.'

'Chefaist ti erioed fwy na dy fwyd ganddyn nhw, ac roeddet ti'n gwneud gwerth hwnnw o waith, er mai dim ond peth bach oeddet ti.' Ceisiai ei berswadio i wneud yr hyn na fuasai hi byth wedi meiddio'i wneud yn ei oed, nac am flynyddoedd wedyn.

'I'r Meistr y buasai hawsa gen i ofyn, ond fynnwn i er dim iddo fo 'ngweld i'n ddigywilydd.'

Y diwedd fu i Dafydd achub ei gyfle, a gofyn i Tim Huws.

'Meistr, mi wn eich bod chi wedi gwneud yn dda iawn â mi, yn fy nghadw o'r Wyrcws, ond rwyf i bron yn ddeunaw oed erbyn hyn ac eisiau dillad, a rhywbeth am fy nhraed, ac mi fûm yn meddwl gymaint haws fyddai hi pe cawn i fymryn bach o gyflog. Fyddai arna i ddim eisiau llawer.'

'Ond rwyt ti'n cael dy ddillad a'th esgidiau gennym ni'n barod,' meddai Timothy.

'Ambell i bilyn fyddwch chi'n ei daflu heibio, Meistr, ond ddim digon i 'nghadw i'n daclus.'

'Mae'n rhaid dy fod yn cael rhywbeth heblaw hynny, neu sut wnaethost ti ar hyd y blynyddoedd?'

'Mae Mali'n talu am glocsiau a siacedi lliain a sanau a chrysau imi,' eglurodd Dafydd, heb un meddwl am ddannod.

'Mali! Yr argien fawr! Mae ar honno ddigon o'u heisiau ei hun, a barnu wrth ei golwg. Rhaid iti gael rhyw bres felly.' Chwiliodd yn ei boced. 'Hwde, dyma iti sofren ac mi gei un bob blwyddyn o hyn allan, ond gofala na ddaw o ddim i glustiau Huw, neu mi ddwed o wrth y Feistres nad wyt ti'n werth mohoni.'

Oherwydd yr oedd i Tim hefyd ei falchder. Fynnai o ddim rhybuddio Dafydd rhag gadael i'r Feistres glywed, ond gobeithiai y byddai'r llencyn yn ddigon cyflym i gymryd yr awgrym. Trueni am y bunt hefyd! Roedd wedi ei chadw at ei siwrnai nesaf i'r Dref, ac roedd mor anodd cael arian gan Ann y dyddiau hyn, a diain annwyl! roedd gofyn i ddyn dynnu ychydig o fwyniant o rywle i allu byw efo gwraig mor gecrus. Petai lwc i'r bachgen yna fod wedi oedi gofyn nes bod y siwrnai i'r Dref wedi mynd heibio! Roedd hi'n gebyst o anodd ei wrthod a'r sofren yn ei boced.

Aeth Dafydd, yn llawen iawn, â'i sofren i'w dangos i Mali. Cydlawenhaodd hithau. 'Mi elli gael côt a throwsus am hon, mae'n siŵr. Falle na fydd hi'n ddigon iti gael gwasgod hefyd, ond mi ddweda i iti beth . . . Mi rof i ddigon yn ei phen hi iti gael siwt gyfan gan Shaci'r Teiliwr. Wn i ddim faint fydd ei angen ati, ond hola di y tro nesa yr ei di i'r pentre.'

'Rwyt ti'n werth y byd, Mali,' tystiodd Dafydd, gan wasgu ei braich. 'Mi addawodd Meistr y gwnâi o roi un fel hyn imi bob blwyddyn, ond imi beidio â chymryd arnaf wrth y lleill yma.' Yna cymylodd ei lawenydd. 'Ond chofith o byth, heb imi sôn wrtho fo bob tro, ac mae'n gas gen i fegera. Ac os bydd raid imi eu gwario nhw ar ddillad bob blwyddyn, fydda i ddim nes at gael prynu llyfrau, a minnau eisiau cynifer ohonyn nhw.' Swniai'n anobeithiol iawn erbyn hyn. 'Af i byth yn bregethwr, er bod Mr Morgan yn deud y codai Seiat Capel Bethel fi, petai'n bosib imi allu mynd.'

'Pam nad ei di 'te, 'ngwas i?'

'Fydd gen i byth fodd i dalu am Ysgol a llyfrau, allan o bunt y flwyddyn.'

Yna dywedodd Mali beth mor feiddgar nes ei bod yn methu â chredu mai hi oedd yn llefaru.

'Mi allet fynd i'r Gweithiau fel rhai o'r bechgyn eraill yma. Mae arian da i'w gael yno.'

Edrychodd Dafydd yn geryddgar arni.

'Tro anniolchgar fyddai o arna i i fynd i weithio i le arall gydag imi ddod yn werth rhywbeth, a hwythau yma wedi 'nghadw i pan oeddwn i'n dda i ddim.'

Roedd delw Ann Huws a'r hwsmon yn argraffedig ar ei dôn a'i eiriau.

Dyna pryd y daeth y syniad i ben Mali gyntaf, ond bwriodd ef o'r neilltu y tro hwnnw. Ailymwelodd â hi mewn rhai wythnosau, ac fe roddodd bob cefnogaeth iddo y tro hwnnw.

Llusgai Dafydd o gwmpas yn ddi-ynni iawn y gwanwyn hwnnw. Fe weithiai'n ddigon dyfal, er nad oedd yn cyflawni agos cymaint ag a ddisgwyliai Huw ganddo, ac erbyn nos byddai'n rhy flinedig i siarad, heb sôn am astudio.

'Dydi bywyd ddim gwerth ei fyw fel hyn,' cwynfannai. 'Dim ond gwaith a gwely o un dydd i'r llall.'

'Effaith y gwanwyn sydd arnat ti,' cysurai Mali ef. 'Mae hwnnw'n gwneud i bawb deimlo'n lluddedig.'

Daeth diwrnod cneifio. Er cymaint ei blys am yr achlysur pan oedd yn Nhy'n-yr-Ogof gynt, ar ôl ei blwyddyn gyntaf yn y Plas nid oedd Mali byth yn mynd ar gyfyl y gegin ar ddiwrnod felly, heblaw i baratoi'r lle cyn i'r dynion ddod i mewn ac i glirio ar eu holau wedi iddynt orffen bwyta. Fe weithiai gymaint â llawer tair gyda'i gilydd, ond o'r golwg y mynnai fod ar adeg pryd bwyd. Gan mai yn y cefn yr oedd y gwaith caletaf a phwysicaf, nid oedd neb yn gwarafun ei dewis iddi. Deuai cymdogesau yno i gario'r bwyd ac i weini wrth y byrddau. Gallai Mali glywed adlais o'r miri tra byddai hi'n brysur yn codi'r pwdin ar y platiau ac yn eu hestyn i'r merched rhwng y ddau gwrs.

Ar ddiwrnod felly, fe fyddai yna gig ffres yn lle cig hallt yn y cawl. Llawenhâi Mali o'i weld, gan fod Dafydd fel arfer yn cael bwyta hwnnw. Roedd y merched dieithr yn y gegin yn taclu'r byrddau, a Dafydd wedi rhedeg â basgedaid o fawn iddi hi cyn mynd at ei ginio gyda'r dynion, pan ddaeth Ann Huws i mewn.

'Mae'r cneifio yma'n beth costus iawn,' grwgnachodd, heb annerch neb yn neilltuol. Fe ddaeth i Mali fflach prin o'i chof am Seimon, a gwenodd. 'Dda gen i ddim twr o bobl ddiarth fel hyn ar draws tŷ. Gobeithio na ferwaist ti ddim gormod o dymplenni, Mali, iddyn nhw fynd yn ofer, o achos cofia eu bod nhw'n llenwi'r dynion yn gynt na phwdin reis. Mae hynny i'w ddeud drostyn nhw.'

Fe grwydrai'n ddiamcan o gwmpas y briws, ac edrychodd Mali arni mewn syndod o'i gweld mor wahanol iddi'i hun. Safodd uwchben y crochan cawl, a llwy yn ei llaw.

'Mae fy stumog i wedi mynd,' meddai, 'ond mi ddwedodd y Doctor y gallwn i sipian tipyn o gig ffres, a pheidio â'i lyncu o.' Ac ufuddhaodd i'w gyngor, gan roi'r cig yn ôl yn y crochan wedyn.

Ni chafodd hyn ddim effaith ar Mali ei hun, gan ei bod yn rhy brysur yn gwylio wyneb Dafydd, ac yn rhy llawn o siom na fyddai ef, beth bynnag, un tipyn elwach o'r cinio cneifio eleni. Wrth olchi llestri gyda'i gilydd wedyn, dywedodd un o'r merched,

'Dim rhyfedd gen i fod yr hogyn yna sydd gennych yn edrych mor ddrwg. Fwytaodd o yr un tamaid i'w ginio heddiw. Roeddwn i â'm llygaid arno fo trwy'r amser. Mi gei di weld, Mali, yr aiff yntau'r un ffordd â'i dad a'i fam. Rhyw bethau gwanllyd fydden nhw fel teulu.'

Y noson honno ar ôl swper, sisialodd Mali yng nghlust Dafydd, 'Paid â mynd i'r gwely am funud. Mae arna i eisiau siarad â thi.'

Wedi i bawb glirio, gofynnodd iddo, 'Faint gostiai hi iti fynd yn bregethwr, Dafydd?'

'Llawer iawn. Mi fuasai'n rhaid imi fynd i'r Ysgol am gryn flwyddyn i ddechrau, gan na wnes i ddim mynd i un yn blentyn, a phasio i'r Coleg wedyn, ac aros yno am dair blynedd.'

'Ie, ond faint gostiai hynny?'

'Fyddai hi ddim mor ddrud erbyn cyrraedd y Coleg, yn enwedig os pasiwn i'n weddol. Mi gawn fy lle'n rhatach felly, ac mae'n debyg y cawn i rywfaint hefyd am bregethu'r Sul.'

'Ond faint debygi di fyddai arnat ei eisiau o arian?' pwysodd Mali.

'Waeth imi heb â sôn, o achos fydd o byth gen i. O, wel,' wrth weld Mali'n hwylio ati i ofyn yr un cwestiwn eto, 'wnawn i o ar hanner can punt, tybed?—a byw'n gynnil.'

'Fyddai wiw iti gynilo ar dy fwyd. Mae gofyn i fachgen ar ei brifiant fel ti gael tamaid iawn beth bynnag, a dillad cynnes amdanat,' trefnai Mali. 'Mi rof i fenthyg pres iti fynd yn bregethwr, felly hwylia ati gynted y gelli di. Un peth sy'n siŵr—wnei di byth yr un gwas fferm.'

'Y ti, Mali! Sut fedri di? A beth ddwedai Meistr a Meistres am imi adael nawr, wedi iddyn nhw fy magu i pan oeddwn yn fychan?'

'Mae gen i ychydig o arian ar ôl fy mrawd, a waeth imi eu defnyddio nhw gyda thi na'u cadw'n segur. Ac am Meistr a Meistres, pob parch iddyn nhw, ond mi greda i iddyn nhw dderbyn yn ôl yn barod lawn gwerth yr hyn gostiaist ti iddyn nhw. Ac mae gofyn i bawb fyw ei fywyd ei hun—os nad oes rhywbeth sy'n rhwystro hynny,' ychwanegodd Mali wedi ail-ystyried munud.

'Beth wyt ti'n ei feddwl—sy'n rhwystro hynny?' gofynnodd Dafydd.

'Wn i ddim,' atebodd hi. Gwyddai iddi weld rhyw drimwedd arno funud ynghynt, ond methodd â'i ddatrys nes cyrraedd ei gwely'r noson honno. Fe dybiai yno mai Tlodi, Ffyddlondeb, a Chariad oedd yr ateb i gwestiwn Dafydd—ond ymhle wedyn y deuai chwilen Seimon i mewn, a'r Feistres, a Huw? Ynteu ai Saro oedd yn iawn—mai tynged oedd y cyfan? Aeth i gysgu, ac erbyn y bore roedd wedi anghofio'i hatebion ei hun.

Wedi dyddiau o ddadlau, trodd Dafydd mor frwdfrydig â hithau tros y syniad.

'Mi fuasai'n well gen i fynd yn weinidog na chael bod yn berchen ar Blas-yr-Allt yma hyd yn oed,' meddai, ac fe ddeallai Mali werth y datganiad yna am y gwyddai y mawr bris a osodai Dafydd ar fod yn ddisgynnydd i uchelwyr y Plas.

Rhybuddiodd ef, 'Paid â sôn wrth neb nes y caf i drefnu ynglŷn â'r arian. Mi af o'i chwmpas hi cyn gynted fyth ag y ca i fymryn o drefn ar y glanhau yma.'

Yr wythnos wedyn, hawliodd ddeuddydd o wyliau gan y Feistres. Roedd hi mor llawn o'i chynlluniau fel na wnaeth o fawr o argraff arni fod protest a chwynfan Ann yn is eu cywair ac yn fwy undonog nag arfer.

'Wn i ddim sut y gwna i fy hunan. Wn i ddim sut y gwna i,' oedd ei byrdwn.

Ond ni ddisgwyliai'r forwyn fodlonrwydd iddi fynd, am nas cafodd erioed.

Cychwynnodd fore trannoeth gydag iddi osod brecwast y dynion yn barod. Edrychai Saro rywbeth yn debyg i arfer. Yn y tŷ'r oedd hi, a dywedodd wrth Mali na fyddai'n casglu llysiau nawr, ar wahân i'r rhai oedd yn tyfu o fewn golwg i'w bwthyn uncorn. Roedd gaeaf Saro hefyd yn prysur ddirwyn i'w derfyn, ond ni ddeallai Mali arwyddion y tymhorau yma eto.

Ni chafodd y gwrthwynebiad a ofnai gan yr hen wraig.

'Am wn i na fyddai o'n burion defnydd iti'i wneud o'th arian, yn enwedig ag yntau'n addo eu talu nhw'n ôl. Mi fydd arnat eu heisiau i'r eneth fach yn y pen draw.'

'Y . . . y . . . wn i ddim,' cagiodd Mali. Roedd y syniad yn un hollol annisgwyl, a hithau bron iawn wedi anghofio am fodolaeth y plentyn. 'Mae byd iawn arni hi, mae'n siŵr,' ymesgusododd wrthi'i hun, ac wrth yr hen wraig. 'Ar y bachgen yma y mae hi galetaf.'

'Wyddost ti ddim beth all ddigwydd efo hithau,' ebe Saro, 'ac mi ddylet chwilio'i hynt hi cyn bo hir, i wneud yn siŵr fod popeth yn dda gyda hi. A chofia, pan fyddi di'n rhannu dy weddill, mai hi yw dy blentyn di wedi'r cyfan.' Yna trodd Saro'n ddisymwth ar hyd llwybr arall. 'Mae'r Syr wedi marw, wyddost, yn rhywle tros y môr.'

'Ydi. Mi ddwedsoch hynny y tro'r blaen yr oeddwn i yma.'

'Do, dywed?' synnodd Saro. 'Ddaeth o byth ar gyfyl y Glyn wedyn.'

Edrychodd Mali arni'n bryderus. Gobeithio nad âi Saro eto i grwydro. Roedd hi wedi crybwyll wrthi am farw'r Syr bob tro y gwelsai hi ers tair neu bedair blynedd bellach. Ond fe chwalwyd ei hofnau pan aeth yr hen wraig ati, mor glir ag erioed, i'w dysgu sut i fynd i'r Dref drannoeth, a beth oedd raid iddi'i wneud wedi cyrraedd yno.

'Cerdded at Fwlch-y-Beudy i gyfarfod cariwr y Glyn, fel y gwnaethom ni erstalwm, fydd orau iti. Mi wyddost erbyn hyn ble mae'r Banc; a dim ond iti ddeud pwy wyt ti, a dangos dy lyfr iddyn nhw, mi fydd popeth yn iawn. Cwyd hanner can punt o'th gyfrif—mi fydd hynny'n hen ddigon i'r hogyn ar y dechrau yma, ac os ydi o'n werth ei halen, mi all fynd ymhell arnyn nhw. Dywed dy fod am agor cyfrif yn enw Dafydd Llywelyn. Mi ddown gyda thi petawn i'n medru, ond mae taith bell wedi mynd yn drech na mi erbyn hyn.'

PENNOD XIII

Pryderai Mali lawer ar ei thaith drannoeth sut y gwnâi yn y Banc, ond aeth pethau rhagddynt yn hwylus iawn. Roedd ar i fyny yn dychwelyd i Blas-yr-Allt y noson honno, i ddweud wrth Dafydd nad oedd raid iddo ond mynd i'r Dref, ac arwyddo'i enw, i gael digon o arian i dalu am ei Ysgol.

'Rhaid iddo fo bicio i weld y gweinidog ryw ben fory, i ddeud wrtho ei fod o'n fodlon i Bethel ei godi i bregethu,' cynlluniai ynddi'i hun, heb fawr amcan sut seremoni oedd y codi yma chwaith.

Gwelai gerbyd dieithr yn y buarth, a rhedodd Dafydd i gyfarfod â hi, yn llawn o'i newydd.

'Mae Meistres wedi'i tharo'n sâl y bore yma. Mi gafodd wasgfa yn syth ar ôl brecwast, ac mae'r Doctor newydd gyrraedd.'

Brysiodd Mali ar unwaith i'r tŷ. Roedd gwraig y Gaer Ucha yno, ar ganol paratoi swper i'r dynion.

'O! dyma ti wedi cyrraedd,' ebe honno, â gollyngdod yn ei llais. 'Mi alla i fynd adre felly, i weld sut olwg sydd ar bethau yn fan'cw.'

'Beth sydd ar Meistres?' holodd Mali.

'Rhywbeth digon drwg, mae gen i ofn. Roeddwn i wedi sylwi arni'n torri ers blwyddyn neu well, a hen liw drwg arni, on'd oedd?'

'Sylwais i ddim,' meddai Mali.

'Naddo, debyg, wrth dy fod ti efo hi o hyd. O'r annwyl, rydw i wedi blino! Sut ar y ddaear wyt ti'n dod i ben yma, dywed? Ond mi fydd yn haws iti gael morynion atat o hyn ymlaen, os ceidw hi ei gwely.'

Cipiodd Mali i dynnu'i dillad uchaf, ac yna dechreuodd arni o ddifrif. Roedd y gwaith wedi cronni er gwaethaf gorau Elin Jones y Gaer, a cheisiodd Mali glirio mymryn ohono cyn i'r dynion ddod ar draws am eu swper. Clywai'r Meistr yn danfon rhywun allan trwy ddrws mawr y ffrynt. Yn fuan iawn, daeth yn ei ôl trwy'r drws cefn.

'O! wyt ti yna, Mali? Mi gymera i swper gyda'r dynion

heno, i arbed ei gario i'r parlwr bach, rhag ofn y bydd yn dda gan y Feistres dy gael di i wneud rhywbeth iddi hi.'

'Sut mae hi?' gofynnodd Mali. Prin fod y ddau wedi siarad gymaint â hyn â'i gilydd ers iddi ailgyflogi yn y Plas, ddeuddeng mlynedd yn ôl, a theimlai hi fwy na heb yn swil.

'Gwantan iawn, ond yn well na'r bore. O'r argien fawr, mi ges fraw! Arferais i erioed â phobl sâl.' Sychodd y chwys oddi ar ei dalcen. 'Mi gawsom ni ddiwrnod ofnadwy yma . . . Mae'n well iti fynd i'w golwg. Mae hi wedi holi lawer gwaith os oeddet ti wedi cyrraedd. Ei chadw ar laeth a dŵr nes y daw o heibio drennydd ydi cyngor y Doctor.'

Aeth Mali i fyny ar ei hunion. Brawychwyd hi gan y newid a wnaethai prin ddeuddydd yn ei meistres. Ni sylweddolai nad gwaith deuddydd, ond yn hytrach dwy flynedd, a welai, ond ei bod hi'n ddall iddo cyn hyn. Enw arferol y gweision ar Ann Huws oedd 'yr hen wreigan', gan droi'n 'hen groen' neu 'hen drwyn' ar dro. Wrth gynefino â fo, nid edrychai Mali ar hyn fel dim ond dull o siarad. Yn awr, gwelodd fod y Feistres yn hen wraig mewn gwirionedd, agos cyn hyned â Saro—o ran golwg, beth bynnag. Ychydig iawn oedd ganddi i'w ddweud heno. Wnaeth hi ddim hyd yn oed drin Mali am fod i ffwrdd yn hir. Ni chymerai laeth a dŵr chwaith. Doedd arni hi eisiau dim ond llonydd, meddai hi.

Rhywbeth yn debyg oedd pethau drannoeth a thrennydd pan ddaeth y Doctor, ond dywedodd ef y câi Meistres Huws godi unrhyw ddiwrnod y teimlai o'r galon i hynny. Addawodd alw i'w gweld eto ymhen yr wythnos. Wedi iddo fynd, galwodd Ann ar Mali.

'Rhaid iti fy helpu i wisgo amdana i. Mi geisiais wneud fy hun y bore yma ond mi fethais yn deg, a wiw imi adael i bethau gymryd eu siawns, heb fod o gwmpas fy hun.'

Cerddodd ym mraich Mali i'r parlwr bach, ond ni symudodd o'r gadair fawr yn y gongl ger y tân; a'r noson honno bu raid i Tim Huws ei chario yn ei freichiau i'r llofft. Wedi hynny, fe'i cariai hi i lawr bob dydd, ac eisteddai hithau yno yn llonydd, a'i llygaid ynghau y rhan amlaf.

Un diwrnod daeth Tim â siôl fawr wen, wlanog, iddi, yn anrheg o'r Dref. Amcanai roddi boddhad iddi, ond er ei fraw, gwelai ddagrau'n llifo i lawr ei gruddiau. Nid arferai Ann byth wisgo na defnyddio dim newydd. Byddai'n ofynnol iddo fwrw prentisiaeth hir mewn drôr neu gist, ac i bopeth arall oedd â'r un pwrpas iddo fod wedi llwyr dreulio, cyn y gwelai'r peth newydd olau dydd. Ond y tro yma, canodd y gloch am Mali, a gorchmynnodd iddi dwymo'r siôl wen ysgafn, iddi. Yna gwisgodd hi am ei phen a'i hysgwyddau, er bod ganddi lawnder eisoes o hen sioliau yn aros eu tro i weld golau dydd. A dyna'r cof cliriaf ohoni a fu gan Mali byth—ei gweld yn swp bychan sybachog, yn pwyso'i phen yn ôl ar gefn y gadair fawr, a'i hwyneb tywyll, gyda gwawr felen ei hafiechyd yn ei arliwio, wedi'i fframio yn nhynerwch y gwlân gwyn.

Ychydig o ddiddordeb a gymerai yn helyntion y tŷ na'r fferm, er y dywedai bob bore fod yn rhaid iddi godi i edrych ar eu hôl. Rhoddodd y cymdogion hanes dwy hogen i Tim Huws. 'Rhai iawn am rwtshian. Mi wnân o dan Mali, iddi hithau gael mwy o amser i weini ar y Feistres acw,' a chyflogodd yntau hwy.

Fe wnaent y tro'n iawn gan Mali. Roeddynt gymaint yng nghyfrinach ei gilydd gyda'u helyntion caru, fel na thalent lawer o sylw iddi hi. Roeddynt hefyd yn ufudd a pharod gyda'u gwaith, ac yn ymddangos yn fodlon ar eu lle. Amheuai Mali fod eu cyflog gan Tim yn fwy na'r un a gâi hi, ond nid oedd yn werth ganddi holi dim yn ei gylch.

Gwnâi Tim bopeth a allai er cysur ei wraig, ond teimlai allan o'i elfen yn y parlwr bach. Ni fedrodd erioed oddef salwch—gwnâi ef yn swil ac anghysurus. Adroddai holl hanes y fferm wrthi, er mwyn cael rhywbeth i'w ddweud, ond y cyfan a gâi mewn atebiad fyddai 'Felly' neu 'Ie, dyna fo'n iawn'. Yn raddol, mentrodd sôn wrthi am bethau y cawsai'i flingo am gymaint â meddwl amdanynt ychydig yn ôl. Hyd yn oed pan soniai am fwriadau felly, ni ddywedai hi ond 'Ie?' ymofyngar.

Oherwydd hyn, ni chododd yr anawsterau a ofnid gan Mali a Dafydd ynglŷn ag i'r olaf droi ei gefn ar y fferm. Ni ddywedodd Tim Huws ond,

'I'r Ysgol, ai e? Wel, mae Morgan y gweinidog wedi deud wrthyf i lawer gwaith ysgolor bach mor dda wnaet ti, pe caet ti siawns arni.'

Dichon fod gan Elis Morgan fwriad yn ei fynwes pan soniai

fel hyn wrtho, ond nid un i weld awgrymiadau, os nad oeddynt yn cyfodi fel mynyddoedd o'i flaen, oedd gŵr Plas-yr-Allt. Ni holodd ymhle y câi Dafydd arian i dalu am ei Ysgol. Ni ddaeth hynny i'w feddwl o gwbl; ond petai Dafydd wedi mynd ato a chrio'n hidl ei fod eisiau mynd i'r Ysgol, ond heb fodd i dalu, fe roesai arian iddo ar unwaith os oedden nhw ganddo ac os nad oedd eu rhoi yn golygu gormod o anghyfleustra iddo fo'i hun. Perswadiodd Mali y llanc i ofyn am un ffafr ganddo.

'Os cei di gymaint o wyliau ag wyt ti'n ei ddeud, i ble'r ei di? Mi fuasai'n gallach o lawer iddyn nhw eich cadw at eich gwersi yn ddi-fwlch ar ôl dechrau, er mwyn ichi gael pen arni gymaint â hynny'n gynt. Ond dyna! Nid y fi sydd i siarad! Gofyn di i'r Meistr a gei di ddod yma tros dy wyliau, a rhoi dy waith am dy fwyd.'

'Wel, â chroeso!' meddai Tim Huws. 'Paid ti â meddwl am fynd i unman arall.'

'Mae Meistr wedi bod yn dda wrthyf i erioed,' canmolai Dafydd. 'Mi hoffwn allu talu'n ôl iddo fo ryw ddiwrnod.'

Ar y dechrau, arhosai'r Meistr fwy o gwmpas cartref oherwydd afiechyd ei wraig, ond fel y rhedai'r amser yn hir, fe lithrodd yntau'n ôl i'w hen arfer, er y gofalai am fod wrth law nos a bore i'w chario i fyny ac i lawr. Siaradai rhai o'r ffermwyr ymysg ei gilydd, ei fod yn cydio mwy yn y prynu a'r gwerthu oddi ar Huw, a bod ganddo fwy o arian yn ei boced nag a fyddai ganddo pan oedd y Feistres o gwmpas ei phethau.

Nid oedd Mali erioed wedi arfer â gweini ar neb sâl. Saro gariodd y baich trymaf adeg afiechyd Seimon, ond roedd llai o waith gydag Ann Huws na chydag ef, ac fe wnâi Mali ei gorau. Yn raddol daeth i weld fod hyd yn oed eistedd yn y gadair fawr yn ormod treth ar ei Meistres, ac un noson fe'i gorfododd ei hun i fynd at Tim Huws a dweud wrtho,

'Os ydi Meistres yn benderfynol o ddod i lawr, tybed allech chi gludo'r soffa o'r gegin orau i'r parlwr, er mwyn iddi gael gorwedd yn lle eistedd?'

Cytunodd yntau yn ewyllysgar, fel y gwnâi am bopeth a awgrymid er cysur Ann. Unwaith, buasai symud dodrefnyn o'r gegin a addolai wedi bod yn achlysur i storm fawr; ond yn awr, y cyfan a ddywedodd y Feistres oedd,

'Ydi, mae'n fwy cysurus yn siŵr.'

O hynny ymlaen, gorwedd ar y soffa y bu, a'r siôl wen tros ei phen a'i hysgwyddau o hyd.

Roedd Huw yn anfoddog iawn yr wythnosau hyn. Gwelai fod ei feistr yn araf, dawel, yn tynnu'r afwynau oddi arno ef ac i'w ddwylo'i hun. Mynnai alw yn y parlwr bach ryw ben o bob dydd, pan wyddai ei fod yn siŵr o gefn Tim, a cheisiai weithio yn ôl ei arfer gyda'r Feistres.

'Mi fynnodd O gael gwerthu'r cwlin ŵyn ei hun ddoe, Meistres, a chafodd O ond tri a chwech y pen. Mi fuaswn i'n siŵr o fod wedi'u gwneud nhw'n goronau.'

Neu,

'Mae'r cynhaea'n gyrru'n arw, Meistres, a ninnau'n brin o ddwylo wrth fod Meistr wedi mynd i'r Dref heddiw, a'r Dafydd felltith yna'n moedro'i ben o gwmpas tŷ'r gweinidog beunydd a byth. Dyna hwnnw'n sôn am godi'i adenydd nawr, wedi i chi'i fagu o a'i gadw o o'r Wyrcws.'

Eithr ni thynnai yntau fawr ohoni ond yr 'Ie?' arferol, ac mewn ateb i'w gŵyn ddiwethaf, 'Wel, does dim i'w wneud'. Roedd hyn yn ei ffyrnigo, a chan ei fod yn fwy ansicr o'i safle gyda'r Meistr y dyddiau hyn, fe fwriai'i lid ar Mali. Taflai ensyniadau o gwmpas y bwrdd bwyd, fel y gwnâi flynyddoedd yn ôl: Pe gwyddai eraill hanes rhai pobl fel y gwyddai ef, fe fyddai'n bur ryfedd ganddyn nhw eu gweld yn actio'r feistres yn awr.

A thrachefn:

'Mae Meistres druan yn wael iawn, ac mae'n debyg fod rhai pobl wrth eu bodd yn meddwl am gael ei lle. Gobeithio y gwellith hi, er hynny. Mi fyddai yma le digon di-garictor hebddi. Dydi pawb ddim yn anghofio pethau am eu bod nhw ymhell yn ôl. O na, dydi deuddeng mlynedd ddim yn ddigon i bawb anghofio pwy ddylai fod yn y carchar pe caen nhw eu haeddiant.'

Noddfa Mali oedd distawrwydd, a chadw o'i olwg hyd y medrai.

Un prynhawn, canodd Ann Huws y gloch fach pan oedd Huw yn yr ystafell gyda hi. Roedd o newydd fwrw trwy'i druth, a hithau'n fwy llesg nag arfer i wrando arno.

'Llymaid bach o'r dŵr a'r llaeth yna, Mali,' ebe hi, pan

redodd y forwyn mewn atebiad i'w galwad. 'Mi gaf i dy weld di rywbryd eto, Huw.'

Cynddeiriogodd hyn yr hwsmon.

'Ie, dydw i'n werth dim gennych chi'n awr. Thâl neb ond Meistr a hon, gyda'i phlant siawns na ŵyr neb beth ddigwyddodd iddyn nhw. Y syndod ydi fod ei bath hi yn cael eu goddef â'u traed yn rhydd.'

Trodd Ann ei phen draw.

'Taw, Huw, da ti,' meddai.

Aeth yntau ymhellach ohoni wedyn.

'Ie, wrandewch chithau ddim nes ei bod yn rhy ddiweddar. Beth sy'n cyfrif am eich afiechyd chi tybed? Does neb ond y hi yn cael cyffwrdd â gwneud tamaid o fwyd ichi. Gofynnwch iddi beth mae hi'n ei roi ynddo fo, er mwyn cael eich lle chi a bod yma'n feistres ei hun. Petawn i ond yn deud yr hyn wn i wrth y Doctor, a phlismon y Dref, mi fyddai hon yn y carchar tros ei phen am eich gwenwyno chi.'

'O Meistres!' llefodd Mali, yn crynu fel deilen. 'Naddo, naddo, naddo yn wir!' Roedd y braw a ddaethai arni pan glywsai'r sibrydion ddarfod iddi wneud i ffwrdd â'i geneth fach, wedi dychwelyd yn ei nerth. Dywedai pawb fod afiechyd Ann Huws yn un rhyfedd iawn. Falle mai'r peth nesaf a ddywedent fyddai mai hi a'i hachosodd.

'Pwy sydd yma'n cadw'r fath stŵr?' arthiodd llais garw o'r drws. Y Doctor! Suddodd calon Mali. Fe glywai ef yn awr yr hyn oedd gan Huw i'w ddweud, a falle yr âi yntau i'w hamau. Eithr croesi ymlaen at Huw wnaeth ef a chydio'n egr yn ei fraich.

'Wn i ddim pwy wyt ti, ar wahân i dy fod yn ffŵl mwya'r greadigaeth i gynhyrfu gwraig sâl fel hyn. Allan â thi, a gofala na roddi di mo'th droed tu mewn i'r stafell yma eto, ti a'th lysnafedd gwenwynllyd! Mae'r ferch yma,' gan bwyntio at Mali, 'wedi gwneud yn wych iawn, ac mi alla i benderfynu trosof fy hun achos afiechyd Meistres Huws, heb ddim help gan dy siort di.'

A hebryngodd yr hwsmon yn bur ddiseremoni i'r drws. Fe aeth yntau, fel ci wedi torri'i gynffon, a dyna'r tro olaf iddo boenydio Mali ynglŷn â hynny. O hynny ymlaen, fe drodd i mewn i'w hunan sarrug, swrth, wrth y bwrdd bwyd, ac ymhobman arall y digwyddai hi arno.

Plygodd y meddyg uwch ben y wraig glaf a chydiodd yn ei harddwrn, gan gyfrif curiadau ei chalon.

'Mae'r ynfytyn yna wedi eich cynhyrfu,' meddai.

Cododd hithau ei llygaid ato.

'Oedd rhywbeth yn yr hyn ddwedodd o, Doctor?'

'Nac oedd ddim. Mi rof i 'ngair ichi am hynny. Ond mi fûm i flys awgrymu ichi lawer gwaith y priodoldeb o gael nyrs, i wneud dim ond gofalu amdanoch chi. Mi baratoai honno eich bwyd a phopeth, ac fe fyddech yn esmwyth eich meddwl felly.'

Amneidiodd Ann ei chydsyniad.

'Pryd daw hi?' meddai.

'Tyrd ffordd hyn,' sibrydodd y Doctor wrth basio Mali. Y tu allan i'r drws, tynnodd hi ymlaen i ben draw'r neuadd, o glyw'r parlwr bach a'r briws.

'Beth oedd arnat ti, y ffolog fach, yn dychryn fel'na?'

'Mae gen i ofn . . . carchar,' tagodd Mali.

'Chei di ddim carchar—ynglŷn â'r busnes yma, beth bynnag. Fe ddeallai unrhyw feddyg ar unwaith beth yw ei hafiechyd.'

'Ond falle y meddylien nhw mai fi a'i hachosodd o,' ebe hithau, heb fynnu ei chysuro.

'Amhosib.' Edrychodd y meddyg arni fel pe bai'n dadlau rhyngddo ac ef ei hun. Yna gofynnodd, yn sydyn a difrifol, 'Fedri di gadw cyfrinach? Does dim golwg dafotrydd iawn arnat ti. Dywed i mi,' a phlygodd ati, gan ostwng ei lais eto, 'glywaist ti sôn am ganser rywdro?'

'O.' Syrthiodd Mali'n ôl gam neu ddau. 'Dyna sydd arni hi? Druan, druan â hi!' Clywsai lawer gwaith gan y cwmni wrth y bwrdd, ar brydau bwyd, ddisgrifiadau ar y mwyaf byw am arteithiau'r clwyf arswydus hwnnw.

'Ie,' oedd yr ateb, 'ond nid math mor boenus â rhai ohonyn nhw. Dyna ti! Bydd yn esmwyth bellach, a gofala na sonni di air wrth yr un copa walltog o'r lleill. Mi anfona i y wraig yna y soniais i amdani, fory. Mae hi'n gwneud gwaith fel hyn imi'n aml, ac mae hi bron wedi mynd yma erbyn hyn fod angen rhywun i wneud pethau na fedri di yn dy fyw.'

Ar ei ffordd adref, fe'i ceryddai'r meddyg ei hun.

'Dyma fi wedi agor gormod ar fy ngheg eto heddiw, trwy ddeud wrth y forwyn yna beth sydd ar ei Meistres hi. Ond rywfodd mae'n arw gen i dros y greadures, bob tro yr af i yno, ac mae gweld rhyw daclau yn ceisio dychryn un anllythrennog fel yna bob amser yn codi 'ngwrychyn i.'

Cyrhaeddodd y weinyddes drannoeth—gwraig ganol oed, wedi arfer â salwch ar hyd ei hoes. O hynny i'r diwedd, ni fu a wnelo Mali ag Ann Huws, ar wahân i lanhau ei stafelloedd a golchi ei dillad. Roedd hynny'n dda iddi, o achos cafwyd prysurdeb y cynaeafau yn ei lawn anterth am weddill yr amser a adawyd i Ann. Dim ond unwaith y siaradodd Mali â'i Meistres wedi'r prynhawn hwnnw y taflodd Huw ei gylchau.

Roedd y weinyddes wedi dweud yn y bore fod y claf yn well y diwrnod hwnnw nag ers tro; a phan ddigwyddodd Mali ddanfon neges at y drws, fe drodd Ann Huws ei phen, ac meddai'n hyglyw,

'Rwyf i eisiau gair â Mali, os ewch chi allan am funud, Margied Roberts.'

Fe aeth honno.

'Tyrd yn dy flaen, Mali,' gwahoddodd Ann. 'Dwyf i ddim am iti gredu mai o achos yr hyn ddywedodd Huw yr ydw i'n cadw Margied yma. Mi ofnais am funud y pnawn hwnnw, ond mi ddeuthum i weld yn amgenach wedi ystyried tipyn. Mae'n rhaid imi ei chadw hi i'r diwedd bellach, am ei bod hi'n gallu gwneud llawer o bethau imi nad oes disgwyl i un fel y ti eu medru.'

'Popeth yn iawn, Meistres.' Roedd clywed Ann yn ymostwng i'w hegluro'i hun iddi hi fel hyn yn gwneud Mali'n swil. 'Mae'n dda gen i nad ydych chi'n credu mo stori Huw.'

'Mi fuost yn eneth dda iawn i mi ar hyd y blynyddoedd.' Methai Mali gredu'i chlustiau. Dyma'r unig air o ganmoliaeth a glywodd hi erioed oddi ar y gwefusau hyn, iddi hi nac i neb arall. 'Mi fûm yn ddrwgdybus ohonot ti am hir ar ôl iti ddod yn ôl wedi geni'r plentyn. Roeddwn i'n amau dy fod yn meddwl mynd tu cefn imi wedyn, ond rwyf wedi gorfod cyfaddef ers blynyddoedd bellach fod rhaid mai Timothy ei hun oedd yn gyfrifol, yn hytrach na thi.'

'Na, Meistres, peidiwch â chredu hynny.'

Er ei syndod, gwelodd Mali fod Ann yn gwenu.

'Ie, dyna ti. Dyna pam y byddwn i'n methu dy ddeall di—dy weld yn cadw arno fo bob amser. Ond ar ôl mynd yn sâl, mi ddeuthum i weld nad wyt ti ond yr un fath yn union â minnau. On'd oeddwn innau'n achub ei gam, a naill ai'n cau fy llygaid i'w feiau, neu'n cuddio arno trwy'r blynyddoedd—rhag Huw a phawb, a rhagof fy hun hefyd. Ac mi wnawn eto pe medrwn i.'

Ni wyddai Mali beth oedd iddi i'w ddweud, ac felly tawodd.

'Wnei di geisio edrych ar ei ôl o, wedi i mi fynd?' gofynnodd Ann wedyn.

'Y fi?' ebe Mali, â'i hwyneb yn fflam. 'I edrych ar ôl y Meistr?'

'Nid ei briodi o rydw i'n ei feddwl,' eglurodd Ann Huws yn ddi-dderbyn-wyneb, 'er am wn i nad hynny fuasai'r peth gorau allai ddigwydd iddo fo. Ond waeth heb â sôn am hynny. Edrychai o byth arnat ti felly, mwy nag y gwnaethai arnaf innau erstalwm, oni bai imi gael yr arian. Roedd pobl yn tybio 'mod i'n dwp, ddim yn gweld hynny, ond mi gwyddwn i o'n well nag y gwydden nhw, a chymryd fy siawns wnes i, ac mi fûm yn hapusach na phetawn i hebddo fo. Ynganodd o erioed air cas wrthyf i. Os dwedodd o ambell gelwydd, er fy nghysur i y byddai'r rheini yn y pen draw. Cadw golwg arno fo a olygwn i ti ei wneud, a bod wrth law os bydd arno angen ffrind rywdro. Mi wn y daw o i drybini wedi i mi fynd. Mi cedwais i o rhag hynny tra medrais i. Wn i am neb fyddai'n barod i wneud hynny ar f'ôl i, os na wnei di.'

'Mi garwn i wneud fy ngorau i Meistr bob amser,' tystiodd Mali, 'ond all morwyn ddim gwneud llawer.'

'Does wybod am hynny. Ond cofia un peth,' rhybuddiodd Ann. 'Paid â disgwyl llawer o ddiolch ganddo. Mae o wedi anghofio'r cyfan ddioddefaist ti er ei fwyn, erstalwm iti.'

'Fydd hynny ddim o bwys gen i,' meddai Mali.

'Mi greda i di,' meddai'r Feistres, gan estyn ei llaw mewn ffarwél. 'Dos yn awr i mofyn Margied, iddi fy hwylio i'r gwely.'

Bu Ann Huws fyw am dair wythnos ar ôl hyn, er na ddaeth i lawr i'r parlwr bach wedyn. Yna, ddiwrnod Ysgub Fedi'r Plas, bu farw, a thaflwyd hwy i fwy prysurdeb hyd yn oed na chyda'r cynhaeaf. Ni allai Mali yn ei byw beidio â gweld y dyddiau hynny yn debyg i'r tridiau o flaen cneifio—y glanhau a'r paratoi a'r rhuthro. Tyrrodd y cymdogesau yno i helpu. Roedd yn well ganddynt ddod i weithio i Tim nag i Ann.

Wylai'r Meistr fel baban, ond gwellhaodd ddigon i fynd i'r Dref i gael ei fesur am ddillad duon. Roedd am rai gwell nag a gâi gan Shac y Teiliwr, meddai ef, er mwyn dangos parch i'r wraig orau a gafodd neb erioed. Cafodd Shac weithio côt ddu i bob un o'r gweision, a gwniadwraig y Llan wneud ffrog ddu i bob un o'r tair morwyn.

Synnai Mali at faint angladd Ann Huws, o'i gymharu ag un Seimon. Ni chafodd hi fawr olwg arno chwaith, gan faint ei phrysurdeb yn y cefn. Nid oedd bwyd diwrnod cneifio yn ddim wrth hyn. Eithr os nad oedd yn gweld, roedd yn clywed—y twrw traed ar hyd y buarth, a'r lleisiau dieithr o bob cyfeiriad.

Dywedodd un o'r cymdogesau, wrth gario platiau cyn gyflymed ag y gallai Mali eu llenwi,

'Mi fuasai'n bur rhyfedd gan yr hen Ann druan weld y bwyd sy'n mynd heddiw.'

A chlywai Mali ambell ddarn o sgwrs o'r buarth.

'Roedd hi cyn felyned â sofren, medden nhw i mi.'

'Lliw ei heilun wedi mynd arni,' awgrymodd rhywun, ac yna crechwen fawr.

Ymhen ysbaid wedyn, safodd rhywrai eraill o flaen ffenest y briws.

'Mi fydd yma gyfnewidiadau mawr, gewch chi weld.'

'Bydd, mi fydd. Y fo gaiff yr eiddo, debyg gen i?'

'Ie'n siŵr. I'w rhannu rhwng y cŵn a'r brain.'

Ar hyn galwyd pawb o gylch y drws mawr at gychwyn yr angladd. Gwasgwyd Mali ym mhen draw'r neuadd, lle na welai ddim o'r prif alarwyr ac na chlywai ond adlais o'r darllen a'r weddi. Cafodd gip ar yr arch tros bennau'r dorf. Y gweision oedd yn ei chodi ar eu hysgwyddau, i'w chario tua'r Llan. 'Mi fydd yn faich digon ysgafn iddyn nhw,' meddyliodd Mali wrth eu gwylio.

Yna gwelodd Jennings y Person yn dringo ar un o'r cadeiriau y gorffwysai'r arch arnynt, ac yn adrodd mor hyglyw nes eu bod yn clywed hyd yn oed yn y gongl y gwthiwyd Mali iddi.

'Cyfodwch fi fy mhedwar ffrind,
O'm tŷ i'r bedd rwy'n gorfod mynd;
Ac ni ddychwelaf byth yn ôl,
Ond chwi a ddeuwch ar fy nghôl.

Mewn coffor cul y caf i fod
Heb allu symud llaw na thro'd,
Fy nghorff yn fwyd i bryfed byw,
A'm henaid bach lle mynno Duw.'

Disgynnodd Mr Jennings oddi ar y gadair a cherdded ar ôl yr arch, a'r dorf yn llifo i'w ddilyn o bob cyfeiriad gan ganu'r geiriau a adroddodd ef, nes gwacáu y neuadd, y buarth a'r ardd, heblaw am y rhai oedd yn paratoi y pryd nesaf i'r galarwyr.

Felly y ffarweliodd Ann Huws â Phlas-yr-Allt.

Trannoeth, cychwynnodd Dafydd i'r Ysgol Ragbaratoawl yng Nghefngwyn, a dechreuodd cyfnod newydd yn ei hanes ef a'r rhai a adawodd ar ei ôl.

PENNOD XIV

Un o'r cwestiynau a flinai fwyaf ar bobl oedd—beth fyddai hanes Huw bellach? Gwyddai pawb nad oedd dim cariad rhyngddo ef a'r un oedd erbyn hyn yn feistr corn yn y Plas. Y farn gyffredinol oedd mai troi Huw i ffwrdd fyddai gorchwyl cyntaf Timothy Huws yn ei awdurdod newydd. Yn wir, rhedodd y stori fel tân gwyllt cyn pen wythnos wedi'r claddu, ei fod wedi dweud wrth Huw mai gorau po gyntaf iddo chwilio am le arall, gan na chadwai ef mohono ddiwrnod yn hwy na Chalan Mai.

Bu'r hwsmon yn ddrwg iawn ei hwyl am wythnosau wedyn, a dywedai'r gweision eraill mai'i waith yn y marchnadoedd a'r ffeiriau oedd cerdded y stryd gan gynnig ei wasanaeth i hwn ac arall. Caniatâi Timothy iddo fynychu'r rhain er mwyn rhoi pob chwarae teg iddo daro ar le newydd, ond ni châi brynu na gwerthu yr un anifail. Cadwai'r Meistr yr hawl hwnnw yn gyfan gwbl yn ei law ei hun. Aflwyddiannus fu ymdrechion Huw i gael lle fel hwsmon yn unman, ac nid ymostyngai yntau i dderbyn unrhyw swydd arall. Yr oedd wedi mynd i oed, ac yn cael y gair o fod wedi arfer gwneud fel y mynnai ym Mhlas-yr-Allt, trwy ffalsio i'r Feistres. Dywedid hefyd ei fod yn annymunol o drahaus gyda'r gweision, ac ofnai llawer ffermwr ef oherwydd hynny. A'r Gweithiau yn tynnu gyda'u cyflogau mawr, nid oedd y bechgyn mor hawdd eu trin ag y buont, ac roedd yn ofynnol edrych ati gyda gweithiwr da, os oeddid am ei gadw.

Yna taenwyd si arall, mwy annisgwyl na'r cyntaf, a llawer llai cymeradwy. Roedd Huw wedi ailgyflogi i aros yn ei le! Ni chredai neb hyn ar y dechrau, ond daethpwyd yn raddol i ofni, ac yna i weld, ei fod yn wir. Diarhebai pawb at ffolineb Timothy Huws—ychydig iawn a'i galwai yn 'Tim' yn awr, heb sôn am yn 'Feistr Ifanc'—yn ailgyflogi, ac yntau wedi cael cystal cyfle i gael gwared â'i elyn. Nid oedd neb yn fwy siomedig na gwasanaethyddion y Plas, ac fe ddywedent hynny heb flew ar eu tafod—i gyd ond Mali, ac eto nid oedd siomiant yr un ohonynt i'w gymharu â'i hun hi.

Tystiai Moses, yr ail wagnar, ei fod ef yn y daflod pan ddaeth y Meistr i mewn i'r côr ar ryw neges neu'i gilydd. Roedd Moses ar gychwyn i lawr pan glywodd Huw yn dod i mewn wedyn, ac arhosodd i wrando. Tyngai'r wagnar ymhellach i Huw dorri i grio tros y lle, ac ymbil am 'un cyfle eto, Meistr annwyl', a'i fod yn y diwedd wedi mynd ar ei liniau o flaen Timothy, a'r côr heb ei garthu y bore hwnnw hefyd.

'Ffyddlondeb i Meistres druan oedd gen i o'r blaen, Syr,' dolefodd, 'ond nawr fydd gen i neb ond y chi, ac mi allaf i gymryd mwy o'r baich oddi ar eich ysgwyddau na neb arall. Dydych chi ond ifanc eto, ac mae'n iawn ichi gael tipyn o fwyniant.'

Byddai'n ofynnol fel rheol i gadw'n weddol agos at y crwth halen wrth wrando ar straeon Moses, a barnai rhai mai dyna'r lle gorau i wrando ar hon eto. Haerai eraill fod Moi yn crapio ati yn bur agos y tro yma. Sut bynnag, ni ellid gwadu fod Huw wedi'i ailsefydlu yn ei swydd, er bod cryn lawer wedi ei dorri ar ei grib, a'i fod yn torlusgo cymaint yn awr o flaen Timothy ag a wnaethai erioed o flaen ei wraig. Fe'i clywid ef ar dro hyd yn oed yn ei Syrio. Gan mai dyna oedd un o'r darnau anoddaf i'w lyncu yn stori'r llencyn, pam na allai'r gweddill ohoni hefyd fod yr un mor wir, oedd dadl y rhai a dderbyniai ffydd Moses.

Canmolai pawb fod Plas-yr-Allt yn llawer gwell lle i aros ynddo nag y bu erioed o'r blaen. Roedd drws agored i ymwelwyr yn awr, a digonedd o fwyd i bawb o fewn ei furiau. Yn wir, arswydai Mali weithiau wrth feddwl beth a ddywedsai Ann Huws am y difethdod a fyddai yno lawer tro, a cheisiai atal ychydig arno, ond ni wnâi hynny ond troi ei gofal yn destun gwawd i'r lleill.

'Mae'r hen Falen yn meddwl fod ganddi hi siawns am Meistr nawr, wedi cael yr hen wreigan o'r ffordd.'

'Ydi, myn diain, ac mae hi bron iawn â mynd yn gymaint o gribin ag a fu hithau erioed.'

Felly y gorfodid hi i gau ei llygaid ar lawer o bethau.

Teimlai'n fwy swil yn awr gyda Timothy Huws na phan oedd Ann yn wael. Deuai fwy ar ei draws hefyd nag ar unrhyw gyfnod yn ystod ei harhosiad yn y Plas. Roedd yn rhaid iddi fynd ato ef ynglŷn â phob trefniadau, a thrwyddi hi y cyflwynai yntau unrhyw gais neu awgrym a fyddai ganddo ynglŷn â'r tŷ. Roedd yn llawer mwy rhydd ei ddull na phan oedd ei wraig yn fyw. Dodai'i law ar ei braich weithiau wrth siarad â hi; a galwai hi ar dro yn 'Mali fach', mewn llais a ddygai'n fyw i'w chof yr adeilad tywyll yng nghae sioe Ffair Bleser y Dref. Gwir y dywedai 'Jân fach' a 'Mawd fach' wrth y ddwy forwyn arall hefyd, ond dychmygai Mali nad oedd yr un dinc yn ei lais wrth eu cyfarch hwy.

Soniai Timothy lawer am 'Ann druan' ac am y golled a gawsai. Roedd yn hynod ofalus hefyd i gofio am y ruban du ar ei het ac ar ei fraich, ac nid âi ddiwrnod oddi cartref heb wisgo'i siwt ddu.

Dywedai Moses mai er mwyn i'r merched i gyd wybod ei fod yn ŵr gweddw y gwnâi ef hynny, eithr ni wrandawai neb lawer ar Moses. Parhâi'r Meistr i brynu a gwerthu'r cwbl ei hun er pan fu farw Ann, a Huw'n canmol ei fargen bob tro. Golygai hyn fwy o ffyddlondeb nag erioed i'r ffeiriau a'r marchnadoedd. Gallai ef hefyd, gyda'i geffylau cyflym, gyrraedd ffeiriau oedd yn rhy bell i amaethwyr eraill yr ardal. Cyn hir, eithriad fyddai iddo dreulio diwrnod cyfan o gwmpas cartref; a phan ddigwyddai hynny, byddai'n sicr o farchogaeth i lawr i dŷ Mallt gyda'r nos. Cyn marw ei wraig, nid edrychid ar Timothy fel llymeitiwr, ond yn awr daeth yn beth cyffredin clywed arogl brag ar ei anadl. Chwarddai'r mwyafrif, gan ddweud, 'Dyna brofi cymaint o feistres oedd hi arno fo.'

Ond pryderai Mali. Clywai'r geiriau, 'Mae o'n siŵr o ddod i ryw drybini wedi i mi fynd,' yn atseinio yn ei chlustiau.

Daeth Dafydd yno i fwrw'r Nadolig, a llawenhâi Mali yn y llawnder bryd hynny, gan nad oedd bellach angen celcio tamaid amheuthun iddo. Edrychai'n denau a llwyd o hyd, ond roedd lawer yn fwy llon ei ysbryd, ac yn llawn o'i lyfrau a'i wersi.

'Dwyf i ddim gymaint â hynny ar ôl, Mali, er bod y lleill i gyd wedi cael rhywfaint o Ysgol . . . On'd ydi hi'n llawer brafiach yma heb yr hen Feistres, dywed?'

'Falle'i bod yn ddiogelach efo hi, serch hynny,' ebe Mali.

Chwarddodd yntau.

'Ers pryd wyt ti wedi troi i geisio siarad fel oracl?' meddai.

Daeth yn ben-tymor ar Mali unwaith eto. Penderfynodd ynddi'i hun na chofiai'r Meistr ddim am hynny. Penderfynodd hefyd nad atgoffai hi mohono. Ond un noson, ar ôl swper, galwodd amdani i'r parlwr bach. Roedd golwg bwysicach arno nag a welsai hi erioed o'r blaen. Eisteddai wrth fiwrô derw Ann, a llyfr mawr yn agored o'i flaen.

'Mi welaf, Mali,' ebe ef, 'ei bod yn amser i ti gael dy gyflog.'

'Mi wnaiff rywbryd y tro,' mwmiodd hithau.

'Na, mae gofyn gwneud popeth mewn trefn. Mi ges i fraw pan welais mai dim ond teirpunt oedd dy gyflog di. Roeddwn i'n disgwyl iddo fod yn llawer ychwaneg erbyn hyn.'

'Mae o'n gymaint ag y gofynnais i amdano,' meddai hithau wedyn.

'Fynnwn i i neb a fu mor ffeind wrth Ann, druan, ag a fuost ti, orfod gwneud ar ryw bitw felly o gyflog. Roedd byw efo Ann yn werth hynny ynddo'i hun, heb sôn am y gwaith a wnaet.'

Amheuai Mali yn barod ei fod wedi yfed. Yn awr roedd yn sicr o hynny, neu ni fuasai byth yn siarad fel hyn. Parchus iawn a fyddai o'r Feistres bob amser yn ystod ei bywyd, a'r un fath wedi'i chladdu, os na ddigwyddai iddo fod wedi cael tropyn gormod.

'Decpunt fydd dy gyflog di o hyn allan, a dyna oedd o am y flwyddyn ddiwethaf yma hefyd,' meddai wedyn, ac estynnodd hwy iddi.

Ymddangosai hyn i Mali yn swm aruthrol i'w ennill mewn blwyddyn, a gwnaeth fwy o argraff arni o lawer na'r ddau gant a hanner a etifeddodd ar ôl ei brawd. Meddyliai'n gymysglyd y byddai'n rhaid iddi fynd i'r Banc yn y Dref eto, i gadw rhai o'r sofrod melynion o'r neilltu. Dyna Dafydd wedi cael côt ar ôl y Feistres, a hithau wedi prynu stoc o ddillad isaf iddo at gychwyn i ffwrdd, fel na fyddai arno fo angen cymaint eleni.

Cododd Timothy Huws a safodd wrth ei hochr. Clywodd arogl diod yn drwm arno o'r fan honno, ac roedd ei barabl yn dewach na phan siaradai gydag iddi hi ddod i mewn.

'Mi fuost yn hen ffrind dda i mi, Mali, ac rwyf innau am dalu'n ôl. Dwyf i ddim yn anghofio amdanat wrth feddwl am y cyfnewidiadau y byddaf yn eu gwneud yn y Plas yma, cyn bo hir iawn. Fe fydd pobl yn fy meio, mi wn, ond rwy'n bur unig, on'd wyf i, Mali fach? Heb gâr na phriod, fel y dywed yr adnod honno, dim ond ambell hen ffrind cywir fel ti. Wyt ti'n dy gofio dy hun yn y ffrog sidan honno, dywed?'

Gwasgai ei braich, ac roedd fel petai ar fin wylo dagrau cŵn. Dihangodd Mali, a'i hwyneb yn goch a'i chalon yn curo. Roedd y Meistr wedi yfed tipyn, mae'n wir, ond beth a olygai wrth siarad fel yna? Tybed? . . . Oedd hi'n bosib ei bod hi ac Ann Huws wedi'i gamddarllen o, a'i fod, wedi'r cwbl, yn meddwl rhywbeth o'r eneth a'i bradychodd ei hun er ei fwyn?

Y noson honno, wedi dringo i'r llofft, tynnodd ei dillad o'r gist, nes dadorchuddio haen drwchus o bapur llwyd. Oddi tan hwnnw roedd y ffrog liw'r gwin. Tynnodd hi allan, am y tro cyntaf ers tair blynedd ar ddeg. I lygaid Mali, nid edrychai ronyn gwaeth na phan wisgodd hi i anturiaeth fawr y Ffair erstalwm.

Chwaraeai â'r syniad o'i gwisgo unwaith eto.

'Fyddai neb ond y Meistr ronyn callach pe gwnawn i,' meddai. 'Mae gen i ychydig o hamdden ar bnawn Sul yn awr, er pan mae Jân a Mawd yma.'

Aeth i gysgu heb lwyr ildio i'r demtasiwn. Fore trannoeth, wrth hwylio brecwast, dyna lanwai ei meddwl. Beth ddywedai'r Meistr Ifanc pe gwelai hi yn y ffrog liw'r gwin unwaith eto? Dyna Ann Huws wedi methu ynglŷn ag un peth, beth bynnag. Fe ddywedodd hi na chofiai ef ddim am yr amser hwnnw pan gelodd Mali arno, er ei gysur ef a'i hanfantais ei hun. Eithr dyma fo'n awr wedi cofio'r ffrog sidan heb ei gymell gan neb.

Chwalwyd y myfyrdodau hyn pan ganfu hi fachgennyn yn cerdded o gylch y buarth, gan holi am Mali Meredur. Gwyddai ar ei wyneb a'i osgo ei fod yn frawd ieuengach i hwnnw a fu yno ar neges gyffelyb, wyth mlynedd yn ôl.

Llythyr oedd gan hwn eto, ac eglurodd,

'Mae Mam yn peri deud mai'n hwyr iawn neithiwr y cyrhaeddodd hwn. Oddi wrth rhyw bregethwr a gollodd y post y mae o.'

Dafydd, ar ei flwyddyn gyntaf yn yr Ysgol, oedd unig bregethwr y byd i Mali. Felly dychrynnodd rhag ofn ei fod ef yn sâl, neu â rhyw anghaffael arall arno, gan fod y fath frys am i'r llythyr gyrraedd. Ond ar ôl ei agor, gwelodd mai Ezra Jones oedd yr enw o dano. Ysgrifennwyd ef mewn llaw gron, eglur, a llwyddodd Mali i'w sillafu iddi'i hun yn weddol rwydd. Roedd gorfod gwrando trwy'r blynyddoedd ar Dafydd yn mynd tros ei wersi fin nos, wedi perffeithio cryn lawer ar ei darllen, rhagor yr oedd adeg y nodyn cyntaf hwnnw.

Dyma a'i hwynebai'n awr.

'Annwyl Chwaer,

Drwg gennyf eich hysbysu fod Saro Owen wedi ymadael â'r fuchedd hon, heddiw. A ddeuwch chwi trosodd am ychydig ddyddiau, i wneud y trefniadau gyda mi?

Yn gywir,
Ezra Jones.'

Er nad oedd Mali'n hyddysg yn iaith y capel, deallai ddigon arni i wybod fod Saro wedi marw. Gwelsai ddau angladd o'r blaen, heb gyfrif un ei thad pan oedd hi'n rhy ifanc i'w sylweddoli, ond dyma'r cyntaf iddi fod yn alarwr ynddo.

Sylweddolodd yn ddisymwth mai Saro oedd yr un a wnaeth fwyaf drosti o neb ar y ddaear. Fe'i beiai'i hun nad aeth hi yno'r diwrnod cynt, a hithau'n ben-tymor arni, yn lle oedi tan yr wythnos wedyn. Pa wybod na allasai fod wedi gweini rhyw gysur iddi felly? Pwy oedd gyda hi, tybed? Unwaith y bu hi yn y Wern ar ôl claddu Ann Huws, ac nid oedd wedi sylwi fod dim yn wahanol yn yr hen wraig y pryd hwnnw. Cofiai yn awr na ddaethai i'w danfon yn ôl ers troeon bellach. Y tro diwethaf, dywedasai Mali wrthi,

'Mi ddof i yma am ddeuddydd neu dri ar ôl pen-tymor, i roi tro ar y tŷ ichi. Mi fydd yn haws imi adael yn awr, a'r ddwy forwyn arall wedi bod acw yn ddigon hir i arfer â'r gwaith.'

Ateb Saro oedd,

'Waeth iti heb, 'merch i. Mi wna'r hen le bach y tro fel y mae o. Does yma ddim cymaint o ddeiliach ag a fyddai unwaith, ac ychydig o awydd sydd gen i at ryw chwalfa felly nawr. Mae lle glân yn oer iawn hefyd.'

Yna adroddodd, fel y gwnâi bob tro, am farw'r Syr. Pan oedd Mali'n ffarwelio, dywedodd wrthi,

'Gwyn fyd na allet ti dy ddiddyfnu dy hun o'r lle acw. Mae arna i ofn garw iti fynd o dan eu traed nhw. Un o'r rheini sy'n cymryd ydi'r Meistr acw, a thithau'n un o'r rhai a dynghedwyd i roi.'

A fyddai o bwys gan rywun ar y ddaear eto beth a ddigwyddai iddi hi? Dafydd, efallai, nes iddo yntau anghofio. Ymysgydwodd Mali. Rhaid iddi droi ati, yn lle pensynnu fel hyn. Rhoddodd frecwast i'r negesydd bach gyda'r dynion, a swllt iddo am ddod mor bell. Ceisiodd yntau ei wrthod.

'Mae Mam yn peri deud ei bod hi wedi cael tâl am ddanfon hwn, fel na raid i chi roi dim.'

'Cymer di hwnna hefyd,' cymhellodd Mali, a deimlai'n gyfoethog iawn gyda'i seithpunt codiad, 'a dywed wrth dy fam 'mod i'n ddiolchgar iddi am ei anfon mor fuan.'

Daeth Mawd heibio ar ei rhedeg.

'Mae Meistr newydd godi y munud yma. Os wyt ti eisiau'i weld, yn y parlwr bach y deui o hyd iddo fo.'

Traethodd Mali ei neges wrtho.

'Tybed ai'r hen wrach a welais i erstalwm oedd hi?' meddai Timothy. 'Mi gei fynd wrth gwrs, â chroeso, a chymer dy amser efo pethau. Rwyt ti'n teilyngu tipyn o newid erbyn hyn.'

'Diolch, Meistr,' ebe hithau. 'Rwy'n disgwyl y bydd popeth yn iawn yma tra bydda i i ffwrdd. Mae Mawd a Jân wedi arfer â'r gwaith erbyn hyn.'

'Ydyn, neno'r Tad,' cytunodd yntau yn galonnog. 'A phan gyrhaeddi di'n ôl, mi fydd gen i rywbeth i'w ddeud wrthyt. Rwyt ti wedi bod yn hen gefn da i mi, on'd wyt ti, Mali?'

'Mi wna i unrhyw beth a fedra i ichi, Meistr,' meddai Mali wrth droi ymaith, a'i meddwl yn gymysg o ofid am Saro a chwilfrydedd ynghylch beth allai fod gan y Meistr i'w ddweud wrthi. Bron nad ildiodd i'w dychmygu'i hun yn gwisgo'r ffrog liw'r gwin eto, ond ymladdodd ei gorau i alltudio'r darlun hwnnw o'i meddwl, rhag bod yn annheyrngar i'w gofid am Saro.

Fel y croesai'r ffriddoedd, diflannodd popeth ond y cof am yr hen wraig a'i charedigrwydd; a phan ddaeth i olwg y bwthyn bach, eisteddodd ar y glaswellt, ac am y tro cyntaf ers llawer blwyddyn torrodd i wylo'n hidl. Pan giliodd y pwl aeth yn ei blaen; ac fel y nesâi at y tŷ, fe gerddai, heb yn wybod iddi'i hun, ar flaenau ei thraed, fel petai ag ofn deffro'r sawl a gysgai yno. Disgwyliai gael y tŷ'n wag heblaw am Mol, ond erbyn cerdded i'r ochr arall fe welai'r drws yn agored, fel yr arferai fod pan fyddai Saro gartref, a Mol yn ei chawell o flaen y drws, yn ei phincio'i hun yn yr haul.

'Yn ara deg. Yn ara deg,' sgrechiai'r aderyn.

Daeth rhywun i'r drws. Tywynnodd fflach o heulwen gwanwyn nes dallu Mali, ac am un funud ryfedd, fe dybiodd mai Saro oedd yn brysio i'w chroesawu.

'Sut ydych chi, Mali fach? Mi arhosais amdanoch, gan feddwl y byddai'n dda gennych weld rhywun yma pan gyrhaeddech chi.'

Ezra Jones oedd yno, a theimlai Mali yn falch o'i bresenoldeb wrth gamu tros y trothwy am y tro cyntaf heb groeso Saro.

'Mi ges ddefnydd cwpanaid o de ichi gan y wraig acw,' meddai'r gweinidog, 'ac rwyf wedi ceisio gwneud tamaid yn barod erbyn y cyrhaeddech. Dwyf i ddim llawer o law efo rhywbeth felly chwaith,' ymddiheurai'n hanner chwareus.

Roedd Mali'n ddiolchgar o'i chalon am y cwpanaid; a thra yfai ef, adroddodd Ezra Jones wrthi sut y digwyddodd iddo feddwl am ymweld â'r Wern y diwrnod cynt.

'Roeddwn i'n hoff iawn o'r hen wraig,' eglurodd, 'ac yn ei hystyried yn un agos iawn i'w lle, serch y straeon digrif a adroddid amdani. Mi sylwais ei bod wedi torri'n arw yn ddiweddar, a theimlwn yn ddigon anesmwyth wrth feddwl amdani yn y lle unig yma, heb neb i wneud dim iddi, ac mi gymerais i alw yma'n amlach nag yr arferwn i. Bron nad anfonais i atoch chi i fynegi fy nheimlad, er mwyn ichi ddod yma i weld drosoch eich hun. Roedd pobl ffordd hyn mor rhyfedd gyda hi—rhyw hanner ei hofn arnyn nhw, ac eto, fynnen nhw mo'i gadael hi'n llonydd chwaith.'

'Mi fuasai'n dda gen i fod wedi dod,' meddai Mali.

'Wel, dyna hi!' ebe'r gweinidog. 'Wêl neb o'i flaen. Petawn innau wedi deall fod y diwedd mor agos, fuaswn i ddim wedi petruso cyn anfon. Pan gyrhaeddais i yma ddoe, mi gefais y drws ar agor a chawell Mol ar y bwrdd, fel y byddai'n aml. Mi gnociais, a cherdded i mewn wedyn rhag fy mlaen gan alw,

"Oes yma bobl?" Roedd Mol yn clebran yn ofnadwy, ac mi sefais funud neu ddau yn gwrando arni hi, heb sylwi fod ei meistres yn eistedd ar gadair wrth y bwrdd. Rhaid fod y cawell yn cysgodi rhyngof i a hi pan es i mewn gyntaf, a'r lle braidd yn dywyll ar y gorau. Roedd ei breichiau ar y bwrdd, a'i phen yn gorffwys arnyn nhw, yr un fath yn union â phetai hi'n cysgu; ond pan gyffyrddais â hi, mi welwn ar unwaith ei bod hi wedi marw.'

'Fu hi felly yn hir, tybed?' holodd Mali.

'Na, mae hynny'n amhosibl. Roedd gwas bach Ty'n-y-Celyn wedi digwydd galw am eli llygad ar ôl cinio, ac roedd hi wedi siarad yn siriol iawn efo fo. Yn ôl barn y meddyg, dwyawr fan bellaf oedd yna er pan fu hi farw. Fy hun, dwyf i ddim yn credu iddi gael un munud o salwch—roedd golwg mor naturiol ar ei hwyneb. "Mi fydd henaint yn siŵr ohono' i yn y man," fyddai ei gair o hyd.'

Gwahoddodd Ezra Jones hi'n daer i ddod i'w dŷ ef nes bod yr angladd trosodd, ond roedd ar Mali lawer mwy o ofn gwraig a phlant y gweinidog nag oedd arni o gorff marw ei hen ffrind, ac fe fynnodd aros yn y bwthyn. Cysgai ar y gwely bach yn y gegin y nos, a glanhâi'r tŷ y dydd, gan ysgwyd y bwndeli mor dringar, a'u gosod ar eu bachau mor ofalus, â phetai Saro yno'n gwylio uwch ei phen.

Galwai'r gweinidog i edrych amdani bob dydd.

'Waeth imi sôn wrthych chi am yr ewyllys ymlaen llaw na pheidio,' ebe ef. 'Y bancar yn y Dref a'i gwnaeth hi, ond roedd Saro wedi fy ngorchymyn i i'w cheisio ganddo fo, gynted fyth y digwyddai rhywbeth iddi hi. Eiddo Saro oedd y Wern, ac roedd ganddi dros gant a hanner yn y Banc, heblaw hynny. Fe adawodd ddecpunt i gapel Salem; ac ugain punt i'w rhannu, fel bo'r angen, rhwng y tlodion o fewn cylch dwy filltir i'r pentref; decpunt i minnau; a Mol, naill ai i chi neu i mi, yn ôl ein dewis, gyda decpunt arall i'r sawl a'i cymer hi; pumpunt i Mallt, tafarnwraig Llanala; a'r Wern a gweddill yr arian i gyd i chi. Fe ddwedai fod ganddi ddigon yn y tŷ i dalu holl gostau'r angladd, ac i dorri'i henw ar garreg fedd ei thad a'i mam.'

Unwaith eto bu Mali'n gwrando ar y llith gladdu, ond nid adroddai'r person yma benillion Mr Jennings, Llanala.

Roedd y cynhebrwng yn fwy o lawer nag un Seimon, er na chyrhaeddai at hanner maint un Ann Huws, Plas-yr-Allt, chwaith. Darparwyd bwyd yn yr ysgoldy eto heddiw, er y byddai Saro yn trin llawer ar yr arfer.

'Does arna i ddim eisiau i bobl wledda ar fy nghost i, a chwilota fy ffaeleddau yr un pryd,' meddai bob amser.

Eithr aeth Mali yn rhy wan i fynd yn erbyn arferiad gwlad. Gwyddai y'i gelwid hi'n gybyddlyd i gymryd eiddo Saro, ac i warafun talu am fwyd ar ddydd ei hangladd. Tueddai Ezra Jones yntau i'w swcro i ganlyn y lliaws ynglŷn â hyn. Ef oedd yr unig un a ddychwelodd i'r Wern gyda hi.

'Fe wnaf i bopeth yn fy ngallu ynglŷn â threfnu pethau,' addawodd, 'fel na raid i chi ond mynd i'r Dref unwaith, i arwyddo'r papurau terfynol. Ydych chi am osod y tŷ, Mali? Mae'n sicr y buasai llawer yn falch ohono.'

Nid oedd Mali wedi meddwl am hynny, ond tybiai yr hoffai allu cadw'r lle bach fel yr oedd, ac yna byddai'n barod iddi hi, petai arni angen cartref rywdro.

'Ond fyddai neb yn fodlon ei gymryd efo'r dodrefn yma ynddo,' meddai hi.

Yna soniodd y gweinidog am berthynas bell iddo fo, a oedd wedi pasio'i hamser gweini, ac awydd cartref iddi'i hun.

'Mi fyddai'r dodrefn yn iawn iddi hi, petaech chi'n cloi unrhyw beth na fynnech iddi hi ei ddefnyddio, yn y gist yma,' ebe ef. 'Y drwg yw, mai rhent bychan iawn y mae hi'n abl i'w dalu—deg swllt ar hugain—ac roeddwn i'n ofni na châi hi byth le wedi'i ddodrefnu am gyn lleied â hynny.'

Roedd Mali'n falch i drefnu felly, ar yr amod y byddai'r lle'n rhydd iddi hi, gydag y byddai arni ei angen.

'Mae Modryb Mari'n siŵr o edrych ar ôl pethau'n iawn,' addawodd y gweinidog. 'Mi fydd yna sglein heb ei fath ar y dodrefn yma cyn pen pythefnos.'

Dim ond ffawd Mol oedd ar ôl i'w benderfynu wedyn.

'Fe'i cymerwn i hi,' meddai Mali, 'ond mae acw gymaint o gerdded yn ôl a blaen rhwng pawb, fel bod gen i ofn yr âi hi'n gaclwm wyllt.'

'Fe'i cymerwn innau hi,' meddai'r gweinidog, 'ac yn wir mae'r wraig acw yn dwli arni, ond rwy'n fwy amharod i gynnig oherwydd yr arian sydd gyda hi.'

'Os ydych chi'n fodlon, cymerwch hi,' cymhellodd Mali. 'Châi hi ddim llonydd acw, mi fyddai'r gweision yn ei phen o hyd.'

'Wel, mi edrychwn ni ar ei hôl orau y gallwn ni,' addawodd yntau, 'pe na bai am ddim ond caredigrwydd Saro tuag atom.' Roedd ugain punt yn gyfoeth mawr yn ei dŷ ef, ac yn fwy nag a enillai am chwe mis o waith. 'Er mae arna i ofn ei bod hi'n dyhiro,' meddai wedyn. 'Mae golwg ddigon dilewych wedi mynd arni hi.'

'Siaradodd hi'r un gair heddiw,' pryderai Mali, 'a waeth imi heb â chynnig bwyd iddi hi.'

'Mi fyddai'n ofid pe digwyddai rhywbeth iddi gydag i ni ei chymryd hi. Oedd Saro ddim yn pwysleisio bob amser fod Mol yn hen iawn?'

'Yn hŷn o lawer na hi a minnau gyda'n gilydd, fyddai hi'n arfer ei ddeud,' meddai Mali. 'Ond rwy'n disgwyl y daw hi ati'i hun wrth gael tipyn o dawelwch a haul unwaith eto.'

Eithr yr oedd henaint wedi dal Mol, fel ei meistres—beth bynnag am hiraeth. Cyn pen deuddydd ar ôl symud i dŷ'r gweinidog, fe fu farw. Cerddodd ef yn un swydd i Blas-yr-Allt i adrodd yr hanes wrth Mali, ac i ddweud wrthi mai ei heiddo hi bellach oedd y decpunt. Ond roedd Mali mor benderfynol ag yntau. Ef oedd wedi cymryd Mol, boed ei dyddiau'n llawer neu ychydig, ac felly ef oedd piau'r arian, yn ôl gair Saro.

Eithr ni wyddai'r un o'r ddau mo hyn wrth drefnu cartref iddi y diwrnod hwnnw, ac mewn gobaith am adferiad Mol y ffarweliodd Mali â hi fore trannoeth, ac y trosglwyddodd allwedd y Wern i'r gweinidog, cyn cychwyn ar ei thaith hir dros y ffriddoedd yn ôl i Blas-yr-Allt.

PENNOD XV

Fel y nesâi at y Plas, teimlai Mali fod awyrgylch y lle yn wahanol i arfer. Roedd ei meddwl wedi bod yn brysur ar hyd y ffordd yno yn dyfalu ynglŷn â'r hyn fyddai gan Timothy Huws i'w ddweud wrthi pan gyrhaeddai'n ôl. Yn awr ysgytiwyd hynny i gyd ymaith, ac eto ni allai hi ddeall pam chwaith.

Clywai sŵn chwerthin mawr o'r gegin, a chyflymodd ei chamau gan benderfynu fod angen cadw llygad ar Jân a Mawd. Cwynai'r Feistres bob amser y cymerai genethod fel hyn yn hyf os rhoech y mymryn lleiaf o raff iddyn nhw, a chwarae teg i'r Feistres, dichon fod gwir yn yr hyn a ddywedai. Yna clywodd lais rhai o'r gweision yn y gegin hefyd, a sŵn llestri te. Y Nefoedd Fawr! Te, yr amser hyn o'r dydd! Ymhle oedd Huw arni, a chaniatáu fod y Meistr i ffwrdd? Teimlai'n ddigon swil o'u hwynebu, ac eto'n benderfynol o chwalu eu rhialtwch rywsut.

Pan gamodd tros y trothwy, cododd banllefau o chwerthin a churo dwylo.

'Paid ag edrych mor ddifrif, yr hen Falen. Tyrd i gael tipyn o hwyl.'

'Oes gan rywun ffon wen i'w rhoi iddi?' gofynnodd Huw o ben draw'r bwrdd.

'Ie, mi fydd yr hen Falen druan ar dorri'i chalon,' gwaeddodd un arall.

'Tyrd, Mali,' meddai Jân, oedd o galon garedig ac a drugarhâi wrth yr olwg syfrdan ar wyneb y ben-forwyn. 'Eistedd i lawr i gymryd paned, a phaid â sylwi ar eu gwiriondeb nhw.'

'Ie,' chwarddodd un o'r gweision, 'tyrd i yfed iechyd da i'r pâr ifanc.'

Crynhodd Mali hynny o ddewrder oedd ganddi.

'Mae'n rhaid imi ei wynebu o, beth bynnag ydi o,' meddai ynddi'i hun; ac yna'n uchel, 'Beth sydd arnoch chi i gyd?'

'Na'n wir, dyw hi ddim yn gwybod,' rhyfeddai Mawd. 'Roeddwn i'n meddwl falle iti gwrdd â rhywun fuasai wedi deud wrthyt ti, ond nad oeddet ti am gymryd arnat.'

'Dyma'r helynt, Mali,' eglurodd Jân. 'Gyda i ti gychwyn y bore o'r blaen, mi wisgodd Meistr amdano yn wych ofnadwy, ac wrth neidio ar gefn Broc, dyma fo'n gweiddi, "Gwyliwch eich hunain, y taclau. Mi fydda i'n dod â gwraig yn ôl yma efo fi nos drennydd." Ac mae o wedi bod cystal â'i air.'

'Llymaid o ddŵr i Mali,' cydganai'r llanciau.

Nid ymddangosai fod angen dim ar Mali. Yn wir, roedd ei chynnwrf wedi tawelu'n llwyr ar ôl i Jân ddweud yn blaen wrthi beth oedd wedi digwydd. Synnai ati'i hun na bai'n siomedig; ond rywfodd, tra breuddwydiai am wisgo'r ffrog liw'r gwin, fe wyddai ar yr un pryd yn nirgelion ei chalon mai ei thwyllo ei hun a wnâi. Teimlai erbyn hyn ei bod wedi gwybod trwy gydol yr wythnosau cynt fod hyn o'i blaen. Ceisiodd feddwl sut yr ymddygai Saro mewn argyfwng tebyg.

'Wel, yn wir,' meddai, 'erbyn meddwl, mi ddechreuodd Meistr ddeud rhywbeth wrthyf i y bore hwnnw, ond roeddwn i ar ormod brys am gychwyn, i wrando arno fo. Un o ble ydi'r Feistres newydd?'

'O Dre Siôr,' meddent yn unllais, 'ac mae hynny tros ugain milltir oddi yma.'

'Dim rhyfedd,' ebe Moses, 'na wnâi ffeiriau'r Dref a merched Llanala mo'r tro ganddo fo'n ddiweddar.'

'Ac mi aethon nhw dros nos i Gaerdydd, ar ôl priodi, ac yn hwyr neithiwr y cyrhaeddodd y ddau yma,' ychwanegodd Jân.

'Ie, gyda'r cerbyd a'r deupen ceffylau harddaf a welais i erioed,' ymhelaethodd Mawd. 'Cerbyd gŵr bonheddig, ac mae'r Meistr wedi'i brynu o i'r wraig newydd fynd o gwmpas.'

'Beth a ddwedai Ann?' gwatwarodd llais angladdol rywle o ganol y bwrdd.

Chwarddodd pawb yn aflywodraethus, ar wahân i Mali. Gwelai hi'r swp bach, bregus, ar y gadair yn y parlwr cefn, a'r siôl wen tros ei phen a'i hysgwyddau.

'Ac fe ddwedodd Meistr am inni gymryd heddiw yn wyliau —y byddai ef a'r wraig allan trwy'r dydd, yn y cerbyd newydd. Dyna pam y mae te ar y bwrdd am dri, Mali,' eglurodd Mawd, braidd yn faleisus.

'Mae yma farilaid o gwrw wedi cyrraedd o dŷ Mallt,' gorfoleddai Now, 'ac rydym i gyd i yfed iechyd da ohono fo pan gyrhaeddith y ddau adre heno. Hwrê i'r Feistres newydd, ddwedaf i.'

'Rhaid imi oddef hynny eto,' penderfynodd Mali. 'Mi chwardden nhw i gyd petawn i'n mynd i'r gwely.'

Cofiai'n hiraethus am dawelwch y Wern, heb orfod siarad ag odid neb, na chymryd arnoch ddim. Fe sgrifennai at Ezra Jones fory i ddweud nad oedd y tŷ ar gael i'w fodryb. Gallai fyw yno rywsut, tros iddi geisio casglu dail a gwreiddiau, fel y gwnâi Saro, ac fe fyddai'n esmwythach ganddi na dechrau eto mewn lle newydd.

Yn nerth y penderfyniad hwnnw, ymrôdd i'w gwaith. Bu'r dyddiau cynhyrfus diwethaf yn achlysur i'r genethod wneud popeth yn y ffordd agosaf, a gadael llawer heb ei wneud. Ofynnai hi ddim iddyn nhw wneud iawn am hynny heddiw, a'r Meistr wedi cyhoeddi gŵyl, ond doedd hynny'n ddim esgus tros iddi hi segura. Ffodd yr amser yn gyflym iddi yn ei phrysurdeb, ac fe'i goddiweddwyd hi'n annisgwyl gan gri un o'r gweision.

'Dyma nhw wedi cyrraedd. Welais i erioed gerbyd fel hwn o'r blaen. A'm sgubo i, on'd ydi o'r un ffunud â chwch ar olwynion?'

'Ffeton ydi o, y ffŵl,' meddai un arall, yn falch o'i ragor gwybodaeth.

Safodd Mali gyda'r lleill yn eu disgwyl i'r tŷ. Os na châi gyfle heno, fe ddywedai wrtho fory fod yn rhaid arni hi fynd i gadw trefn ar ei thŷ a'i dodrefn.

Dyma nhw i mewn i'r neuadd, trwy'r drws mawr hefyd—y wraig newydd yn hongian wrth ei fraich! Ni chymerai yr un o ferched Llanllŷr y byd am wneud hynny yng ngŵydd pobl. Roedd hi'n dlos hefyd! Gwallt melyn, llygaid glas, a bochau cochion! Ni welsai Mali erioed neb tebyg, ond yr esgus babanod ar stondin y Ffair erstalwm. Nid oedd hon ryw gymaint mwy na'r rheini chwaith. A'i dillad! Ffrog sidan las, yn ffriliau ac yn rubanau i gyd, a chôt fach sidan ddu trosti, yn cyrraedd at ei morddwyd. Collodd y wisg liw'r gwin ei gogoniant am funud, ac ymddangos, yn y cof amdani, yn sbrychlyd a diolwg.

'Ble mae'r cwrw yna, Huw?' galwodd y Meistr. 'Gobeithio nad yfaist ti mohono fo i gyd, yr hen walch.'

Syrthiodd ei lygaid ar Mali.

'Hylô, Mali! Wyt ti wedi cyrraedd yn d'ôl? Wel, dyma'r newydd ddaru mi ei addo iti. Beth wyt ti'n ei feddwl ohono?'

'Nad ydi o ddim yn wir i gyd,' sibrydodd Moses, wrth estyn godard yn llawn o gwrw i Mali.

'Gobeithio y byddwch chi'n hapus iawn, Meistr,' meddai hithau o'i chalon.

Yn y munud a gymerodd Timothy Huws i gerdded tuag ati o'r drws, gan edrych mor llawen ac mor falch o'i degan newydd, fe ruthrodd llawer o bethau trwy feddwl Mali. Wrth arfer ei weld bob dydd, nid oedd wedi sylweddoli nad oedd o ers blynyddoedd agos mor llawen ei wedd â phan gofiai hi ef gyntaf. Heddiw, gwelai'r gwahaniaeth. Dyma ffermwr ifanc cefnog, chwerthinog y Ffair Bleser, wedi camu i'w le eto, a disodli'r hwn a'i disodlodd yntau unwaith, sef gŵr a gweddw Ann Huws.

Yna'n sydyn gweddnewidiodd ei llygaid ef, a gwelai ddyn oedd yn ddigamsyniol yn ei ganol oed. Fe brofid hynny'n eglur ddigon gan y rhychau yn ei wyneb a'r brithni yn ei wallt; ac nid chwerthin ifanc mo'i chwerthin chwaith, ond cais hiraethus at hoen gwneud. Edrychai'i gorff yn drwm ac afrosgo yn ymyl ysgafnder ieuengaidd ei wraig. Yna diflannodd yr olwg honno arno hefyd, a gwelai ef fel y gwelai'r lleill ef—yn ddyn bodlon arno'i hun ac ar ei ffawd. Er hynny, seiniai'r geiriau yn ei chlustiau, 'Mi fyddi di'n gefn imi, on' byddi di, Mali?' a'r llais gwannach, pellach, 'Mi wn y daw o i drybini wedi i mi fynd. Wnei di gadw golwg arno fo, a bod wrth law os bydd arno angen ffrind rywdro?' A gwyddai Mali nad oedd hi'n rhydd i ddianc i dawelwch y Wern am ysbaid eto.

Cododd ei godard at ei gwefusau mewn ymgais i yfed y cwrw, ond roedd ei arogl yn ddigon iddi. Ni chafodd erioed gyfle i ddysgu'r arferiad o yfed. Nid oedd cyllid Ty'n-yr-Ogof yn caniatáu pechodau costus.

Trannoeth dywedodd Moses,

'Diolch iti am adael dy gwrw ar ôl, Mali. Y ti oedd yr unig un fu'n ddigon meddylgar i adael y cwbl, er imi gael llwnc go dda o sbâr Mawd a Jân hefyd. Ond wfft i'r Feistres newydd! Mi yfodd hi o i'r diferyn olaf, ac mi wyddwn arni y gallasai hi wneud â rhagor. Mi gymera i fy llw ei bod hi'n hen law ar godi'i bys bach.'

Ynghanol y miri, a bonllefau o 'Lwc Dda' a 'Hir Oes Hapus', fe drodd y Meistr a'i wraig am y parlwr bach. Jân aeth â'u swper iddynt, a chiliodd Mali i'w gwely cyn gynted ag y gallai.

Misoedd diddorol fu'r rhai dilynol gan bawb yn y Plas, ac eithrio Mali. Bu'r seiri—coed a maen—yn ôl a blaen trwy gydol y gwanwyn, ac fe'u dilynwyd hwy gan baentwyr a phapurwyr o'r Dref. Ar eu hôl hwythau drachefn daeth llwythi o ddodrefn ac o lestri, na wyddai'r morynion mo ddiben eu hanner nhw. Galwai'r cymdogion yn hanner swil yn y gegin, gan obeithio taro ar Timothy Huws a chael gwahoddiad ganddo i ddarn y wraig o'r tŷ. Ofer oedd disgwyl ei chyfarfod hi yn y gegin. Ni feddent yr wyneb i fynd at y drws mawr i guro, ac eto roeddynt bron neidio o'u crwyn gan faint eu hawydd am weld y rhyfeddodau oedd yn destun siarad yr holl wlad.

Ar un ystyr, ni wnâi presenoldeb y Feistres newydd lawer o wahaniaeth i Mali, er ei bod yn gorfod gweithio cyn galeted bob tipyn ag yn yr hen amser, pan nad oedd ond Ann a hithau i wneud y gwaith i gyd. Roedd mwy o drafferth gyda'r coginio. Ni wnâi bwyd y gegin y tro i'r parlwr bach bellach; ac â'r tŷ wedi'i ddodrefnu trwyddo, a'r parlyrau mawr ar fynd beunyddiol, golygai beth wmbredd yn fwy o lanhau.

Anaml y deuai Lili Huws i'r cefn. Os byddai ganddi neges i'r morynion, fe ganai'r gloch am iddynt hwy ddod ati hi. Yr unig adeg y gwelodd Mali y clychau ar fynd yn y Plas o'r blaen oedd yn ystod afiechyd yr hen Feistres, a bob tro y clywai hwy, fe dybiai am funud mai hi oedd yn galw.

Amlhâi tinciadau'r clychau fel y treiglai amser ymlaen. Wedi gosod y tŷ mewn trefn, roeddynt yn barod wedyn i groesawu ymwelwyr. Prin y cyfrifai Mrs Huws, Plas-yr-Allt, fod y merched fferm a lusgai Tim o'r gegin yn perthyn i'r dosbarth hwnnw. Cerddent i mewn yn wysg eu hochrau, gan edmygu popeth a welent, a phlymio,

'Mae hwnna'n siŵr o fod wedi costio ceiniog a dimai ichi, Timothy Huws?'

'Wel, a deud y gwir wrthych chi, Beti Williams, mi gostiodd gryn lawer. Chawsom ni fawr iawn o newid yn ôl o ugain punt, yn naddo, Lili?'

Fe ychwanegai sgwrs fel hyn at fwynhad Timothy o'i wychder newydd, ond achosai i Lili godi'i thrwyn a sôn mor ddiwybod oedd trigolion lle fel hyn. Yr ymwelwyr a ddeuai'n awr a fodlonai ei chalon hi. Roedd yna gwmwd am y bryn â'r Allt—yr ochr bellaf o Lanllŷr a Llanala—a frithid gan dai gweddol fawr, a'r rheini i gyd ym meddiant Saeson a Chymry Seisnigaidd. Ar ôl eu priodas, daethai Timothy a Lili, trwy'u ffeton a'u crandrwydd, i gydnabyddiaeth â'r bobl yma. Yn awr, rhwng mynd yn eu cerbyd i ymweld â'r cyfeillion newydd hyn, a'u croesawu hwythau'n ôl i'r Plas, fe gedwid y ddeuddyn yn brysur. Syrthiodd y prynu a'r gwerthu a'r hwsmona unwaith eto yn gyfan gwbl i ddwylo Huw.

Roedd y plasty mwyaf tros y bryn yn cadw cŵn hela, ac felly nid oedd dim a fodlonai Timothy ond prynu ceffyl o waed purach na'r un a fu ganddo hyd yma, er mwyn dilyn y cadno gyda'r boneddigion hyn. Ymhen ysbaid, nid oedd dim a fodlonai'i wraig chwaith ond cael un tebyg, a dysgu'i farchogaeth. Carlamu ar draws gwlad y byddent fwy na hanner eu hamser wedyn.

Roedd Mawd yn uchel iawn ei chlod i'r Feistres newydd, ond tueddai Jân i fod yn fwy gwyliadwrus ei chanmoliaeth.

'Rhaid ei bod hi wedi'i magu'n dda, cyn y gallai hi wneud popeth yr un fath â'r boneddigion,' meddai Mawd, 'ac nid pawb allasai fod wedi dodrefnu'r tŷ yma mor wych â hyn.'

'Mi allet ti a minnau wneud cystal â hi bob blewyn, petaem ni'n cael gwario arian fel dŵr ar ei gorn,' ebe Jân.

Yn ôl ei arfer, roedd Moses erbyn hyn wedi'i gymhwyso'i hun i ysgrifennu cofiant i Lili Huws petai angen un.

'Ei magu'n dda?' meddai wrth Mawd. 'Do, wrth gwrs. Roedd ei thad yn arfer glanhau simneiau pobl, nes iddo dagu'i gorn ei hun wrth lyncu'i gwrw'n rhy gyflym, a hynny rhag ofn i'r tafarnwr gofio nad oedd o ddim wedi talu amdano fo. A gwerthu fferins oedd hi, nes iddi bigo'r Meistr yma i fyny ar y stryd un diwrnod ffair. Fo dalodd am ei gwisg briodas hi, a dyna oedd eu gwaith tra buon nhw yng Nghaerdydd—prynu dilladau newydd iddi hi. Mae hi'n bisyn bach reit ddel hefyd, gwerth prynu dillad iddi, dim ond ichi ofalu rhoi côt o baent arni'n gynta.'

Wrth gwrs, Moses oedd hwn, a doedd neb yn rhoi gormod o goel ar ei straeon o, ac eto fe fyddai yna bron bob amser rhyw lygedyn o wirionedd yn yr hyn a ddywedai.

Ynglŷn â'r ceffylau drudfawr y penderfynodd Mali yn derfynol nad oedd yn hoffi'r Feistres newydd. Roedd un o urddasolion y cwmwd nesaf wedi galw heibio ar ei farch ac wedi aros amdanynt i fynd i'w ganlyn. Neidiodd Lili Huws a'r llencyn main i'w cyfrwyau yn ddidrafferth oddi ar y garreg farch, ond bu raid i Timothy roi dau neu dri chais ati.

'Ha! Ha!' chwarddodd hithau. 'Y *mae* golwg ddigri iawn arnoch chi, Tim. Rydych chi mor dew ac afrosgo. Ta, Ta. Mi ddwedwn ni wrthyn nhw y byddwch chithau'n dod pan lwyddwch chi i ddringo ar gefn Robin Ddu,' a charlamodd y ddau ymaith gan chwerthin yn braf.

Digwyddai Mali fod y tu ôl iddynt a sylwodd fod gwar Timothy Huws wedi cochi fel petai'r gwaed ar ffrydio ohono. Bu'n llwyddiannus ar y pedwerydd tro, a marchogaeth ymlaen ar ôl ei wraig a'i ffrind.

'Hy!' meddai llais yn ymyl, 'mi gaiff yntau bob yn dipyn flas o'r hyn roddodd o i Meistres druan.'

Trodd Mali, a gweld cip ar wyneb Huw yn sbio heibio i'r gornel. Fe ddaeth iddi un o'i fflachiadau anaml.

'Dydi Huw ddim wedi maddau i Meistr eto,' meddyliodd, 'er cymaint mae o'n ffalsio iddo fo.'

Cyn hir, dechreuodd Mrs Huws gwyno'i ffawd gyda'i morynion. Dywedai wrth wragedd y tai mawr fod y genethod, am a wyddai hi, yn eithaf gyda'r gwaith budr, ond yn werth dim cyn belled ag yr oedd ei chysuron hi yn y cwestiwn. Cydymdeimlai'r gwragedd hyn â hi, gan ei sicrhau na châi byth forynion at ei phwrpas heb eu ceisio o'r Dref. Y canlyniad fu chwyddo rhif morynion y Plas i bump, ond bod y ddwy forwyn newydd yn rhy goeth i'w cymysgu â chlwffiau lletchwith y gegin, ac felly cartrefent hwy ym mharlwr bach Ann Huws.

Hwynt-hwy oedd yn gyfrifol am agor y drws mawr i'r

ymwelwyr, ac am ofalu am ddau ginio'r Meistr a'r Feistres, ynghyd â'r te pump oedd yn rhan mor bwysig o fywyd Lili.

'Mi gâi'i hiechyd rywbeth yn debyg,' gwatwarai Moses, 'petai hi'n yfed ei the am bedwar, yr un fath â'r gweddill ohonom ni. Ac i beth maen nhw eisiau dau ginio, wn i ddim. Os nad ydi hi'n ceisio gwneud iawn am y ciniawau y bu raid iddi fyw hebddyn nhw 'slawer dydd, trwy fwyta dwbl yn awr.'

Cwynai Jân hefyd.

'Mae o'n llai o waith o'r hanner i dendio ar y moch nag ar yr hen ferched diarth yma, ac yn beth andros mwy cysurlon. Mi wyddoch ar y rheini a'u rhochian eu bod nhw'n falch o'ch gweld chi, ac yn ddiolchgar yn eu ffordd eu hunain am beth maen nhw'n ei gael. Ond am y lleill yma . . .'

Ceid mwy o rialtwch nag erioed o'r blaen ar ginio cneifio a swper cynhaeaf. Parhau i weithio o'r golwg wnâi Mali ar adegau felly, ond fe glywai lawer am yr hyn a ddigwyddai. Cafwyd hwyl nas anghofiwyd yn yr ardal am amser hir ar y cinio cyntaf dan yr oruchwyliaeth newydd. Roedd Lili Huws wedi gorchymyn fod mwstard i'w gynnig gyda'r cig eidion. Ychydig iawn o drigolion Llanala, ac eithrio'r rhai hyddysg yn eu Beiblau, a glywsai ei enw, heb sôn am ei weld, ac ni bu un llwchyn ohono yn y Plas erioed cyn dyfodiad Lili. O dan ei chyfarwyddyd hi, cymysgwyd ef mewn potiau bach gwydr, gloyw, a'i osod yma ac acw ar hyd y bwrdd.

Byddai Moses bob amser yn chwannog iawn i wybod popeth; a phan welodd y Meistr a'r Feistres ym mhen y bwrdd yn eu helpu eu hunain i'r hufen melyn tlws, a phawb arall yn rhy ddi-antur i'w fentro, fe achubodd ef ei gyfle pan nad oedd neb yn edrych arno a phlannodd ei lwy yn y gwydr ar ei gyfer. Daeth oddi yno a phen arni, a chipiodd Moses hi i'w geg heb i neb sylwi dim. Yna, pe cynigid peth iddo toc, fe allai siarad yn ddoeth amdano, fel un wedi'i flasu o'r blaen. Ond Ow! Ow! Ow! Fuasai waeth iddo fod wedi codi slecyn eirias o'r tân i'w safn. Rhuthrodd o'i sedd gan gampio'i ffordd tua'r drws, ac ni welwyd ef mwy yn ystod y cinio hwnnw. Ar y cyntaf, dychrynnodd pawb ei fod yn gwallgofi; ond yna adroddodd y llwy oedd wedi cwympo o'i law ar y lliain gwyn, ac ôl mwstard arni, ei stori wrthynt, a mawr fu'r chwerthin. Byth wedyn, y ffordd sicraf i yrru Moses yn gandryll fyddai gofyn iddo,

'Gymeri di lwyaid fach o fwstard, Mos?'

Yr unig gysur a gâi Mali o'r holl wychder oedd meddwl mor falch fyddai Dafydd o'i weld, wedi iddo gael ei orffen. Ac un diwrnod yn ystod ei wyliau haf, pan ddigwyddodd iddi gael cefn y morynion o'r Dref—a'i gwnâi'n chwys oer drosti wrth geisio siarad â nhw—fe aeth ag ef i olwg y parlyrau mawr. Camodd Dafydd ar ei union at y ffenest ac edrych draw tua'r môr.

'Bron na werthwn i f'enaid am gael byw yn y stafelloedd yma,' ebe ef. 'On'd ydi hi'n olygfa ogoneddus, mewn difri, Mali? Welais i mo'i thebyg o unrhyw dŷ y bûm i'n aros ynddo erioed.'

'Ydi'n wir,' ategodd Mali. Yn yr hen amser fe arferai hithau redeg yn aml i'r stafelloedd hyn i gael cip ar y môr; ond yn awr, penyd iddi oedd gorfod bod ynddyn nhw ac ni allai gofio am na môr na golygfa, gan ei hofn o'r merched diarth a deyrnasai yno. 'Ond ar y dodrefn yma y golygwn iti edrych. Mi fyddet yn arfer cwyno nad oedd y lle'n cael ei gadw cystal ag yn amser dy deulu di.'

Edrychodd Dafydd o'i gwmpas. Yna rhoddodd ebychiad o boen.

'Ydi hi'n bosib eu bod nhw wedi papuro dros y parwydydd derw?' ochneidiodd. 'Mae hyn yn waeth na'r pynnau ŷd, a'r gwyngalch.'

'Roedden nhw'n rhy dywyll gan y Feistres newydd,' amddiffynnodd Mali. 'Ond ar y dodrefn yr oeddwn i'n meddwl iti edrych. Ydi'r lle yn ddigon crand gen ti nawr?'

'Melfed coch, a siaffrwd o ddodrefn a'u coed heb sychu,' meddai yntau'n ddirmygus. 'Mi welais i aml i dŷ gweithiwr yn ganwaith harddach na hyn.'

Er siomiant Mali o fethu â boddhau Dafydd, yng ngwaelod isaf ei chalon—ymron o'r golwg—fe dywynnai llygedyn bach o fwynhad wrth wrando arno yn trin y dodrefn drudfawr a brynwyd gan y wraig newydd.

'Beth roddet ti yma, 'te?' gofynnodd, 'a thithau mor anodd dy blesio.'

'Hen ddodrefn Cymreig cadarn, rhai sy'n gweddu i hen dŷ rhamantus fel hwn. Mi allent fod wedi symud un o'r dreselydd mawr sy'n y gegin orau i'r fan yma. Mi fuasai'r stafell honno yn well o gael ei lle, ac mi roddai rywbeth i weithio ato wrth ddodrefnu hon.'

Penderfynodd Mali oedi diwrnod neu ddau cyn dweud wrtho fod llawer o gelfi'r gegin fawr wedi'u gwerthu, er mwyn gwneud lle i felfed coch a dodrefn ffasiwn newydd.

Teimlai hi lawer mwy allan o'i helfen yn y Plas yn awr, nag yn ystod teyrnasiad Ann. Er mor grintach a chaled fyddai honno, deallai Mali ei safbwynt ac roedd hynny'n gymorth i ym-ddal â hi. Roedd byd Lili Huws, o'r ochr arall, yn gwbl estron iddi, ac oherwydd hynny nid oedd yn ennill dim o'i chydymdeimlad. Daliai yn ei helfen gyda'r corddi a'r ceulo, y pobi, ac edrych ar ôl yr anifeiliaid, ond troesai diwrnod golchi yn fwrn arni. Y carlwm fyddai safon Ann Huws ynglŷn â'i dillad, a gwae'r neb a syrthiai islaw'r safon hwnnw. Eithr byddai'n olchi rhag ei flaen—dillad newid, dillad gwlâu, llieiniau a thyweli. Yn awr roedd yno tua theirgwaith yn rhagor o olchi, a llawer ohono yn betheuach mân, hollol di-alw amdanynt yn nhyb Mali; a pho leiaf defnyddiol oeddynt, mwyaf i gyd o drafferth a olygai i'w startsio a'u smwddio nes eu bod yn edrych cyn loywed â gwydr. Ac am ffedogau a chapiau a choleri gwynion y ddwy forwyn newydd—mi fu agos i'r rheini â gorffen Mali a Jân lawer i fore Llun. Newid seithwaith yr un mewn wythnos a dim dichon eu boddio yn y diwedd, serch i'w pethau fod yn llawer mwy golygus eu graen na phan daflwyd hwy i'w golchiad cyntaf yn y Plas!

Dafydd fu ei chysur pennaf yn ystod y blynyddoedd hyn eto. Ei ddisgwyl adref o'r Ysgol, ac wedyn o'r Coleg, a chael gwrando arno fin nos, wedi i bawb arall fynd i'w helynt, yn adrodd am wyrthiau'r Coleg a'r gwersi ac am ei hynt gasglu. Llawenhâi am ei lwyddiant a theimlai drosto yn ei anawsterau. Fe gythruddai'n ddirfawr pan adroddai ei hanes ar ambell daith gasglu.

'Y cnafon annuwiol,' meddai hi, mewn iaith oedd yn llawer iawn cryfach na'i harfer hi. 'Hyd yn oed os buon nhw'n ffraeo â'ch meistr chi acw, pam oedd raid iddyn nhw ddial arnat ti? Mi allen nhw fentro agor y capel, a rhoi tamaid o fwyd iti, a thithau wedi cael dy yrru i bregethu yno. Fedra i yn fy myw ddeall pam raid i neb ffraeo ynghylch ei gyfansoddiad, fel rwyt ti'n deud y gwna'r rhain. Os oes gan un ohonyn nhw well cyfansoddiad na'r llall, mi gaiff ddigon o siawns i brofi'i bwnc, trwy fyw'n hwy na fo.'

Daeth i wybod am deithi llawer o weinidogion Cymru, gan mai yn nhŷ'r gweinidog y lletyai Dafydd bron yn ddieithriad pan gadwai Sul yn rhywle. Fe gofiai Mali pa rai ohonynt fu'n garedig iawn wrtho; pa rai fu'n ddidramgwydd; ac yn bennaf oll, fe gofiai'r rhai a fu'n anghynnes wrtho.

Fe soniai'n gynnil wrthi weithiau am ferched ifainc a gyfarfyddai ar ei deithiau, a theimlai Mali aml i bang yr adeg honno, er iddi geisio'n gydwybodol ymladd rhagddynt.

'Paid ag edrych mor ddifrifol, Mali,' chwarddai yntau, gan daflu'i fraich tros ei hysgwyddau. 'Dwyf i ddim am ymhél â'r merched—nes cael eglwys, a thalu fy nyled i ti, beth bynnag.'

Gweithiai'n dda ar y fferm yn ystod ei wyliau. Edrychai'n llawer cryfach na chyn mynd i ffwrdd, ac roedd y bwyd da a geid ym Mhlas-yr-Allt yn awr yn llenwi'r pantiau ynddo bob gwyliau. Ychydig a welai ar y Meistr a'r Feistres, a llai fyth a soniai amdanynt. Rhyfeddai Mali at hyn weithiau, ond roedd yn rhy swil i ofyn yn blaen iddo beth oedd ei farn amdanynt.

Y dydd Llun cyn iddo ddychwelyd at ddechrau'r flwyddyn a drodd allan i fod yr olaf iddo yn y Coleg, cynigiodd ddod i gario dŵr iddi at y golchi. Y Meistr a Dafydd oedd y ddau wrthrych a gyflymai fwyaf ar ddealltwriaeth Mali, ac amheuodd ar unwaith fod gan yr olaf rywbeth ar ei feddwl yn awr. Gobeithiai y deuai ag ef allan cyn i Jân ddod i helpu gyda'r rhwbio. O'r diwedd, wedi cryn droi a throsi a chrafu gwddf, dechreuodd arni.

'Mali, wyt ti'n cofio deud wrthyf i rywdro fod y . . . y . . . y baban bach hwnnw, y . . . y . . . wel . . . y soniai Huw amdano fo, yn cael ei fagu gan weinidog a'i wraig, yn ymyl Caerarbra?'

Gwridodd Mali. Gwyddai na chymeradwyai urdd Dafydd ddigwyddiadau fel a fu yn ei hanes hi, a chan nad oedd o byth wedyn wedi sôn am y plentyn, roedd hi'n gobeithio ei fod wedi anghofio'r stori.

'Ydw, yn cofio,' ebe hi toc.

'Dywed imi, Mali,' gofynnodd iddi yn hanner distaw, 'ai ym mhentre Rhoslan yr oedd y gweinidog hwnnw'n byw?'

'Ie,' oedd yr ateb anfodlon.

'A beth oedd ei enw o?' holodd yn eiddgar.

'Rwy'n meddwl mai Llywarch,' meddai Mali'n araf. Buasai wedi hoffi gwrthod ateb, ond rywfodd ni allai wneud hynny gyda Dafydd bach.

Cydiodd yntau yn gynhyrfus yn ei braich.

'Wyddost ti 'mod i'n adnabod yr eneth? Mi amheuais i y tro cynta y gwelais i hi a chlywed ei stori, a dyna pam na soniais i erioed am y lle wrthyt ti. Ai ei gadael ar garreg y drws wnest ti?'

'Ie,' addefodd Mali'n druenus. 'Ond beth ar y ddaear barodd iti erioed feddwl mai hi oedd honno?'

'Wel, mi fyddwn i bob amser yn cofio am y gweinidog Annibynwyr hwnnw ger Caerarbra ac yn meddwl tybed p'un oedd o, a phan welais i Hilda am y tro cynta erioed, dyna fo'n fy nharo i'n syth fod yna rywbeth yn ei llygaid a'i gwallt yn f'atgoffa o'r . . . o'r . . . Meistr yma. Wedyn mi ges ei hanes—fel y gadawyd hi ar garreg y drws, yn faban o bythefnos i fis oed. Maen nhw'n credu—yn enwedig y hi—ei bod hi'n perthyn i deulu uchel iawn. Roedd y dillad amdani yn eithriadol o dda, yn ôl fel maen nhw'n sôn. Yna, ar ddamwain, mi welais ei chlust hi. Roeddwn i'n siŵr wedyn.'

Ni wyddai Mali beth i'w ddweud. Wedi ysbaid o ddistawrwydd aeth Dafydd ymlaen.

'Mi gladdwyd Mrs Llywarch ers rhai blynyddoedd, a gartre efo fo, a morwyn, y mae Hilda . . . Mae hi'n eneth dlos iawn.'

'Ydi hi?' gofynnodd Mali mewn syndod gwirioneddol. 'Rhaid nad ydi hi ddim byd tebyg i mi, 'te.'

'Mi fydda i yn hoffi meddwl ei bod hi, o ran ei hysbryd beth bynnag,' meddai Dafydd yn ddifrifol. 'Mi fuasai hynny'n well o'r hanner iddi na thebygu i'w thad.'

'Dafydd,' ceryddodd Mali'n chwyrn, ac mewn mwy fyth o syndod, 'a thithau'n arfer meddwl y byd o'r Meistr.'

'Mi wnawn unwaith, ond rwy'n meddwl llai na dim ohono erstalwm bellach. Dyna pam y bydda i'n ymroi ati gymaint gyda'r gwaith yma, rhag imi fod yn ei ddyled am fy lle. Mae hi rywfodd yn haws bod yn ddyledus i bobl y mae gennych chi feddwl ohonyn nhw.'

'Ond pam felly?' gofynnodd hithau yn boethlyd. 'Mi fu'n garedig iawn wrthyt ti erioed.'

'Dyna gredais innau am flynyddoedd, ond wedyn mi welais mai caredigrwydd ar yr wyneb oedd un Meistr, heb ddisgwyl iddo gostio dim byd iddo. Mi ges i ddigon o ddannod iddyn nhw fy nghadw i o'r Wyrcws, ond mae'n amheus gen i a fuasai'r Wyrcws fawr gwaeth imi na'r Plas—oni bai dy fod ti wedi digwydd bod yma. Roedd y Meistr yn gadael i ti roi dillad imi a gwisgo am fy nhraed, o dy fymryn cyflog di, heb holi dim. Roeddwn innau'n credu mai trwyddo fo y deilliai pob daioni imi ac mi fyddwn yn sôn wrthyt ti beunydd a byth mor fawr oedd fy nyled i iddo fo.'

'Dim ond diffyg meddwl oedd hynny,' amddiffynnai Mali ef rhagddi'i hun a rhag Dafydd.

'A dyna'r ffordd y gwnaeth o dy drin di ar hyd y blynyddoedd! Mi fydd fy ngwaed i'n berwi weithiau wrth glywed amdano fo'n llyfu ac yn moli'r ddol yna sydd ganddo fo nawr. Roedd yn llawer gwell gen i yr hen Feistres. Doedd hi, o leia, ddim yn cymryd arni fod yr hyn nad oedd hi. Rwyf i wedi clywed cryn lawer o hanes y ladi yma ar hyd a lled y wlad yn ddiweddar. Hanes nad oes gan y bobl ffordd hyn yr un syniad amdano.'

Roedd y sgwrs yn croesi'n draws i raen Mali ers meitin. Er mwyn ei thorri, dywedodd,

'Mae'n edrych i mi fel petait ti'n meddwl rhywbeth o'r eneth yma.'

Ei dro ef oedd gwrido yn awr.

'Fuasai gen ti wrthwynebiad i hynny?' gofynnodd yn swil.

Ni fedrai Mali ateb yn frwdfrydig, ond gwnaeth ei gorau.

'Os ydi hi'n eneth dda, ddymunol, mi geisiwn i fodloni. Ond mi fyddai gofyn iti fod lawer yn hŷn nag wyt ti er mwyn bod yn sicr o'th feddwl dy hun.'

Gwenodd Dafydd.

'Edrych arni o'm hochr i wyt ti fel'na, Mali, ond cofia mai Hilda sy'n perthyn i ti, nid y fi.'

'Ie yntê,' meddai Mali. 'Ond rywsut, wedi ymadael â hi ers cymaint o amser, alla i yn fy myw gofio fod a wnelo hi ddim byd â fi, tra 'mod i wedi gorfod bwcshio efo ti ar hyd y blynyddoedd.'

'Dwyf i ddim wedi sôn gair wrthi hi eto,' sicrhaodd Dafydd. 'Mae hi'n iau o lawer na fi, yn un peth. Dim ond dwy ar bymtheg oed ydi hi, a thalu i ti ydi'r peth cynta sydd raid imi ei wneud, pan gaf i arian.'

Meddyliodd Mali lawer am y sgwrs hon yn ystod y misoedd canlynol, a daeth yn raddol i ddygymod â'r amgylchiadau. Os oedd raid i Dafydd briodi rywdro, roedd yn well ganddi ei weld yn ŵr i ferch y Meistr Ifanc nag i neb arall. Tueddai o hyd i adael allan o'r cyfrif ei bod yn ferch iddi hithau hefyd.

PENNOD XVI

Y gwanwyn wedyn daeth Dafydd adref â newydd pwysig. Roedd wedi cael galwad oddi wrth eglwys y Waunhir, a honno'n eglwys dda iawn i fachgen ifanc oedd yn dechrau. Roeddynt yn cynnig punt yr wythnos o gyflog iddo.

'Ond roeddet ti'n sôn am aros dwy flynedd arall, i ennill rhyw lythrennau neu'i gilydd,' gwrthwynebai Mali.

'Mae'r prifathro yn fy swcro i wneud hynny, ond dyma alwad nawr, a beth petawn i'n methu â chodi un ymhen dwy flynedd? Heblaw hynny, alla i ddim teimlo'n dawel yn gwario rhagor o'th arian di. Mae'n amser imi ddechrau meddwl am eu talu nhw'n ôl.'

Wedi pythefnos o droi'r ffordd hyn ac o drosi'r ffordd acw, dywedodd Dafydd un bore,

'Mi sgrifennais i'r Waunhir heddiw, Mali, i ddeud 'mod i'n derbyn eu galwad nhw ac yn barod i ddechrau yno gynted i'r Coleg gau am yr haf.'

Y Waunhir fu'r fangre bwysicaf ar y blaned i Mali am weddill yr haf hwnnw. Fe geisiai ddychmygu sut le oedd yno, a sut bobl, a beth fyddai dyletswyddau Dafydd. Er hynny, gwrthododd yn deg ei wahoddiad i'w gyfarfod ordeinio.

'Na, dwyf i mo'r siort i gymysgu â phobl fawr, Dafydd bach, a wnawn i ddim ond peri anghysur i mi fy hun, a falle gywilydd i tithau.'

Roedd Mali hefyd yn perthyn yn ddigon agos i Seimon i sylweddoli y buasai gofyn iddi gael dillad newydd o'i chorun i'w sawdl at siwrnai felly, ac roedd dillad newydd yn costio pres. Er ei bod yn ddigon parod i wario ar Dafydd, doedd hi'n prynu dim byd ond yr angenrheidiau moelaf iddi hi ei hun trwy gydol y blynyddoedd.

Eithr nid oedd Plas-yr-Allt i fod heb gynrychiolwyr yn yr ordeinio. Clywodd Timothy Huws y newydd, ac roedd yn amgylchiad digon pwysig i beri iddo sylwi arno.

'Diaist i, was, rhaid i'r Feistres a minnau ddod i'r cyfarfod hwnna. Fydd o ddim yn beth clên fod neb o'th hen gartre di yno.' Ni feddyliodd am y posibilrwydd i Mali fynd. 'Hen dro hefyd ei fod o'n rhy bell inni gymryd y cerbyd.'

Eithr fe hoffai Lili daith ar y trên am newid, meddai hi, a chyda'r trên y cyraeddasant y Waunhir—ef yn ei siwt briodas, a hithau mewn gŵn o felfed gwyrdd, a'i chôt sidan orau. Fe wnaethant argraff arbennig ar aelodau'r eglwys. Arhosent gyda'r pen-blaenor, ac yn ei araith yng nghyfarfod y prynhawn, soniodd hwnnw mor falch yr oeddynt o weld Mr a Mrs Huws, y bonheddwr a'r foneddiges yr oedd eu hannwyl weinidog mor ddyledus iddynt am fagwraeth dda, yn ogystal ag am ei addysg a'i ddiwylliant. Cafwyd gair byr gan Mr Huws hefyd, yn dweud nad oedd ef yn gynefin â siarad yn gyhoeddus, ond gallai dystio fod y cyfarfod y prynhawn hwnnw yn ddigon o ad-daliad i Mrs Huws ac yntau am unrhyw wasanaeth y cawson nhw'r fraint o'i wneuthur i'r bachgen bach amddifad ddaeth i fyw i'w cartref ar ddiwrnod cynhebrwng ei fam.

'Y cyfarfod gorau fûm i ynddo fo erioed,' traethai Timothy wrth Mali ar ôl cyrraedd adref. Llawenhâi hithau, heb ystyried nad oedd profiad y Meistr o unrhyw fath o gyfar-fodydd yn un eang iawn.

Ni ddeuai Dafydd mor aml yn awr i Blas-yr-Allt. Aeth cyfnod y gwyliau hir heibio yn ei hanes, a doedd punt yr wythnos ddim yn gymaint o gyfoeth ag yr oedd wedi tybio gynt. Roedd o hefyd yn ceisio cynilo, yn gydwybodol iawn, i dalu'i ddyled i Mali. Ymhen tua blwyddyn ar ôl ei ordeinio, galwodd heibio iddi yn llawen. Roedd wedi cael Sul yn y Dref gan gyfaill iddo, a cherddodd i'r Plas fore Llun.

'Mi arhosi yma heno,' gwahoddodd Mali.

'Wn i ddim yn wir,' atebodd yntau. 'Mae'n gas gen i wneud mewn un ffordd, ac eto mi garwn aros hefyd.'

'Mae'r Meistr a hithau i ffwrdd tan yn hwyr heno,' antur-iodd Mali fel abwyd.

'Fe gaem lonydd i sgwrsio tipyn felly,' ildiodd yntau. 'Beth sydd gen ti i'w wneud heddiw, Mali? Mi ddof i'th helpu. Mi wn ei bod hi'n ofer disgwyl i ti eistedd i lawr i siarad.'

A'r ddau wrthi'n brysur yn tywallt y dŵr o'r padelli, ac yn clirio olion y golchi o'r briws, dywedodd wrthi, 'I ddechrau, mae arna i eisiau talu decpunt o 'nyled iti.'

Mynnai hithau iddo'u cymryd yn ôl at brynu llyfrau.

'Na,' meddai, 'fe gaiff hynny ddod eto. Mi ges amryw lyfrau pur dda gan Mr Llywarch, ac mi wnaf y tro ar y rheini am dipyn. Hoffet ti imi daro'r arian yma yn y Banc, wrth basio trwy'r Dref fory? Mi allen nhw yrru'r llyfr yn ôl iti trwy'r post. Mi gaet arbed siwrnai i'r Dref felly.'

'Na, dim diolch, Dafydd bach. Mi fydd yn rhaid imi fynd yno fy hun un o'r dyddiau nesa yma, ynglŷn â'r rhent y mae Ezra Jones wedi'i dalu am y Wern.'

Ni fynnai gyfaddef wrtho y byddai'n rhaid arni wario peth o'r decpunt ar glocsiau a dillad gwaith, gan na thalwyd mo'i chyflog ar ben-tymor eleni.

Roedd Dafydd yn fodlon iawn ar ei fyd—yr eglwys yn cynyddu ganddo, ac yntau wedi cael codiad ar ddiwedd ei flwyddyn gyntaf, trwy gael tri Sul rhydd yn y flwyddyn.

'Mi fydd yn golygu dwy neu dair punt yn rhagor imi,' meddai, 'ac mae hynny'n gryn hwb. Hefyd, mi awgrymodd un o'r blaenoriaid yn gyfrinachol wrthyf falle y byddai yna dri Sul arall i'w cael ymhen blwyddyn eto.'

Mwynhaodd Mali'r ychydig oriau hyn yn fawr. Cychwynnodd Dafydd yn fore trannoeth, er mwyn dal y trên i gyrraedd pen ei daith y noson honno. Nid oedd Timothy Huws a'i wraig wedi codi.

'Cystal gen i gael cychwyn heb eu gweld nhw. Ond mi fydd yn well i ti achub y blaen ar y lleill i ddeud 'mod i wedi bod yma.'

Buasai Mali wedi hoffi ei holi am Hilda, ond cadwai swildod hi rhag hynny, gan nad oedd o am sôn ohono'i hun. Rhaid ei fod yn parhau'n gyfeillgar â nhw, neu fuasai'r Mr Llywarch yma ddim wedi rhoi llyfrau iddo. Roedd rhyw ddyfalu fel hyn yn tynnu ei meddwl oddi wrth yr amheuon cas a'i blinai weithiau.

Ni fu golwg mor llewyrchus ar y Plas erioed, ac eto ofnai Mali ar brydiau fod pethau ymhell o'u lle. Ni chredai fod cyflog neb ar ôl, ac eithrio'i hun hi, ond fe wyddai mai gofyn amdano a wnaeth pawb, a'i gael ymhen ychydig ddyddiau wedyn. Gorfu i Mawd a Moses ofyn ddwywaith, ac ni fuont yn fyr o gyhoeddi hynny.

'Mae o wedi gwario'n cyflogau ni ar brynu watsh newydd i'w Lili,' grwgnachodd Mos.

Wrth ei glywed, fe fflachiodd ar draws meddwl Mali na fuasai'r un o'r gwasanaethyddion, pan ddaeth hi yno gyntaf, wedi cymryd y byd â siarad mor ysgafn am y Meistr Ifanc. Fuasai Ann Huws byth wedi bod yn hwyr gyda'r cyflogau chwaith. Hyd yn oed os oedden nhw'n fychain, fe'u telid nhw i'r diwrnod.

Esgus Timothy oedd fod rhaid arno fynd i'r Banc i godi'r arian, ond nid edrychai hynny'n iawn i Mali. Ble oedd yr arian a gâi am yr anifeiliaid a werthid? Fe glywsai ddigon o sôn yn amser Ann nad oedd hi byth yn codi arian o'r Banc, dim ond mynd â rhai yno'n gyson.

Sut bynnag, fe dalwyd cyflogau'r lleill yn eu tro, ond roedd Mali'n ystyfnig ynddi'i hun na soniai hi air am ei hun hi. Fe sylwai hefyd fod crefftwyr y pentref, a phlant Mallt, yn gorfod galw yno am eu harian yn awr. Fe'i cysurai'i hun nad oedd hyn i gyd ond diofalwch Timothy. On'd oedd pawb yn dweud fod cyfoeth Ann Huws bron yn ddihysbydd? Os felly, ni ddylai hyd yn oed ei fyw costus, a'i golledion trwm, fennu gormod ar amgylchiadau'r Meistr. Oblegid fe gâi golledion. Roedd Huw erbyn hyn naill ai'n anlwcus neu ynteu'n esgeulus. Fe gollwyd ugain o fustych tewion, y naill ar ôl y llall, am iddyn nhw gael eu troi'n rhy sydyn i borfa fras ar ôl gaeaf llwm, meddai'r doethion. Bu farw maharen o frid y defaid mawr, o lid yr ysgyfaint wedi i farrug ei gyffwrdd ac yntau'n dew. Dywedai'r wlad i Timothy Huws ei gludo fo'r holl ffordd o Loegr, a thalu deg punt ar hugain amdano fo. Torrodd un o'r meirch drudfawr ei goes, a bu raid ei saethu. Edrychai'r Meistr yn ddifrifol ddigon pan hysbysid ef o'r trychinebau hyn; ond cyn pen awr byddai'n chwerthin yn braf gyda'i wraig neu un o'r boneddigion a alwai yno mor aml. Ymresymai Mali na allai'r colledion olygu dim byd difrifol iddo, os gallai eu hanghofio mor fuan, ond ar yr un pryd, fe wfftiai calon ddarbodus chwaer Seimon rhag ei ddiofalwch.

Galwodd Dafydd heibio drachefn ddiwedd Mawrth. Nid oedd Timothy a'i wraig ar gael y tro hwn chwaith.

'Gorau oll,' ebe yntau, 'o achos mae gen i waith mawr siarad â thi, Mali.'

Gwyddai hithau ar ei olwg fod rhywbeth pwysig ar droed.

'Does gen i ddim arian iti'r tro yma,' ymddiheurodd Dafydd braidd yn gywilyddgar, 'ond mae gen i wahoddiad i'm priodas.'

Suddodd calon Mali.

'Roeddwn i'n meddwl iti ddeud, 'ngwas i, na phriodet ti am rai blynyddoedd.'

'Do, ac roeddwn i'n ei feddwl o hefyd. Ond ddeufis yn ôl mi gladdodd Hilda ei thad—Mr Llywarch, wyddost ti. Doedd ganddi hi ddim i'w wneud ond mynd i fyw at chwaer iddo fo, modryb iddi, ac eto ddim yn fodryb chwaith. Dydi'r ddwy ddim yn agos mewn un ffordd. Yn wir, maen nhw'n cyd-dynnu'n ddrwg iawn, ac mae Hilda druan yn sobor o anned-wydd. Rydyn ni wedi penderfynu mai priodi ar unwaith fydd orau inni. Mae dodrefn y tŷ i gyd ganddi hi, ac ychydig o arian heblaw hynny. Mae yna dŷ yn perthyn i'r capel, ac mi cawn ni o am lai o rent nag ydw i'n ei dalu am le i aros. Rhwng popeth, fydd hi fawr drutach i ddau ohonom ni fyw nag i un.'

Nid oedd dim i Mali i'w ddweud. Roedd y cyfan wedi'i drefnu ganddynt, ac nid oedd â'r galon i dynnu dim oddi wrth hapusrwydd Dafydd. Yn unig daliodd yn bendant nad âi i'w briodas.

'Mi wyddost nad ydw i'n arfer cymysgu â phobl,' meddai, 'a wnawn i ddim ond brêts petawn i'n dod yno.'

'Mi ddoi i edrych amdanom ni 'te, pan fydd y tŷ'n barod, on'doi di?' plediodd yntau.

'Falle y dof i rywdro,' atebodd hi, heb y bwriad lleiaf o gyflawni'i haddewid amhendant.

'Rwyt ti'n deall y bydd hi'n amhosib imi ddod â Hilda yma,' meddai Dafydd, gan wrido. 'Paid â sôn gair wrth neb 'mod i'n priodi, rhag ofn iddyn nhw ddod i hynny fel y daethon nhw i'r cwrdd ordeinio.'

Ac yntau ar ymadael, rhedodd Mali i'r llofft a daeth i lawr â phecyn bach yn ei llaw.

'Dyma iti anrheg briodas,' meddai, 'oriawr aur a chadwyn, ac rwy'n credu eu bod yn rhai da.'

Roedd Dafydd mor falch â phlentyn, a gofidiai hithau nad oedd wedi cofio am drysorau Seimon i'w rhoi iddo yn gynt.

'Mae'n ddrwg gen i fod heb dalu dim iti y tro yma,' meddai wrth ymadael, 'ond mae'n rhaid imi gael pob dimai gynilais i at y priodi yma'n awr. Mi fydd yn haws imi dalu ar ôl inni setlo i lawr. Dda gen i mo'r syniad o'u talu o arian Hilda, neu mi allwn eu rhoi nhw iti yn eu crynswth felly.'

'Cymer ofal na sonni di am y fath wiriondeb,' rhybuddiodd Mali. 'Mi alla i wneud hebddyn nhw'n iawn ar hyn o bryd, a falle na fydd arna i byth eu heisiau nhw gen ti.'

Trodd Dafydd yn ddisymwth a'i chusanu.

'Wn i ddim beth fuasai wedi dod ohono' i oni bai amdanat ti, Mali. Mi fuost cystal â'r un fam i mi, ac rwy'n falch mai merch i ti, er na ŵyr hi mo hynny, fydd fy ngwraig i.'

Roedd calon Mali'n dyner iawn tuag ato wrth ei wylio'n mynd o'r golwg.

'Gobeithio fod yr eneth yna'n ddigon da iddo fo,' meddai ynddi'i hun.

Helynt cyflogau oedd yn llenwi'r Plas y dyddiau hyn. Digwyddai pen-tymor y mwyafrif syrthio ar fisoedd cyntaf y flwyddyn, a dyna oedd ganddyn nhw i gyd—fel y bu raid iddyn nhw, bob un, ofyn ddwy neu dair gwaith eleni, cyn cael yr un ddimai o gyflog.

'Gest ti d'un di, Mali?'

'Do,' atebodd hithau.

'Mi gofiai Meistr amdani hi, er mwyn yr hen amser,' crechwenai Huw. Anaml y dywedai ddim byd annymunol wrthi'n awr, dim ond edrych yn sarrug, ond dihangai ambell air oedd yn profi mai'r un oedd ef o hyd.

Cyrhaeddodd y newydd am briodas Dafydd i'r Plas, yn ei dro.

'Tybed pwy ydi'r wraig ifanc?' meddai'r Meistr. 'Rhaid iddo ddod â hi yma inni ei gweld, a rhaid i ninnau yrru iawn o bresant iddyn nhw, Lili.'

Y tro nesaf i Mali weld Dafydd, holodd a gyrhaeddodd yr anrheg.

'Naddo, diolch am hynny. Mae rhywrai yn fan'cw wedi bod yn plastro wrth Hilda pobl mor ardderchog a'm magodd i, a golwg mor fonheddig oedd arnyn nhw adeg yr ordeinio, nes ei bod hi'n sâl o eisiau dod yma efo fi.'

Roedd ei fyd ef yn dirwyn ymlaen yn gampus, yr eglwys yn dal i gynyddu, ac yntau erbyn hyn wedi cael ei chwe Sul rhydd y flwyddyn. Oedd, roedd Hilda ac yntau yn hapus iawn. Wrth gwrs, doedd hi erioed wedi arfer â gwaith tŷ, ac felly'n naturiol roedd hi'n ei deimlo'n gaethiwed, ond allen nhw ddim fforddio cadw morwyn ar hyn o bryd. Roedd o'n disgwyl cael codiad bach arall ymhen blwyddyn neu ddwy eto. Daeth â decpunt i Mali.

'Ond elli di eu hepgor nhw, 'ngwas i?' gofynnodd hi.

'Gallaf yn rhwydd. Rwy'n gwneud yn dda iawn o'm Suliau gan 'mod i wedi cymryd i gerdded i bob man, os nad ydi o'n afresymol o bell, ac rwy'n cadw arian y rheini i gyd i ti.'

Ni fynnai aros dros nos y tro yma gan ei bod erbyn hyn yn bosib iddo gyrraedd adref gyda thrên hwyrach o'r Dref.

'Mi ddaliaf i hwnnw, ond imi beidio ag ymdroi,' meddai. 'Mi alwaf eto ddeufis i heddiw. Mae gen i Sul yn y cyffiniau bryd hynny. Er nad ydyn nhw'n talu cystal imi â rhai nes ata i, eto rwy'n falch ohonyn nhw petai ond er mwyn cael golwg arnat ti.'

Daeth hi â'r almanac iddo i'w farcio, er mwyn iddi fod yn siŵr pryd i'w ddisgwyl. Ond bedwar diwrnod cyn y dyddiad a groesodd, digwyddodd chwyldro ym mywyd Mali.

Fe fu'n ddigon anffodus un bore i orfod glanhau'r gegin orau, oedd yn cael ei galw bellach yn ystafell fwyta, tra oedd dwy forwyn y ffrynt yno'n taclu'r cwpwrdd llestri. Roeddynt wedi newid lawer gwaith er y ddwy gyntaf ddaeth yno, a phrin y gwyddai Mali eu henwau o dro i dro, gan mor fursenllyd ac annymunol eu hymddygiad tuag at forynion y briws, ac ati hi yn enwedig. Roedd y ddwy yma'n medru Cymraeg ac yn ei siarad y bore hwnnw—peth na fyddent byth yn ymostwng i'w wneud os na fyddent eisiau pryfocio'r gweddill anllythrennog.

'Mae arna i flys yn fy nghalon adael y fan yma i'w grogi,' meddai un ohonynt. 'Dim ond rhyw lelod hanner pen o'ch cwmpas o hyd.'

'O'r annwyl, ie,' cytunodd y llall. 'Mi fydd yn dda gen innau weld y cip diwethaf ar yr hen le. Yr unig hwyl sydd yma ydi gwrando ar Meistr a Meistres yn ffraeo.'

Rhwbiai Mali cyn galeted ag y medrai, ond yn ei byw ni allai beidio â gwrando. Roedd stori'r ffraeo yn gymharol newydd iddi. Ymdrôi Timothy Huws a'i wraig gyn lleied gyda gwasanaethyddion y fferm, fel na wyddai'r rheini gymaint â chymaint o'u hanes. Gwir yr adroddai Moses weithiau am ryw anghydfod neu'i gilydd y bu o yn llygad-dyst ohono, ond roedd Mos mor chwannog i greu stori allan o ddim byd fel nad oedd y sawl a'i hadwaenai yn gosod gormod o goel arno.

'Mi ddylet fod wedi clywed honno gawson nhw fore heddiw, wrth godi,' chwarddodd y llall. 'Roedd o wedi mynd i sôn am ei wraig gyntaf a phopeth, ond mi ddwedodd Meistres wrtho fo yn bur handi fod honno yn nes at ei oed o na hi.'

'Reit dda. Beth ddwedodd o wedyn?'

'Mwmial fod honno agos gymaint yn hŷn nag o, ag y mae yntau yn hŷn na Meistres. "Nac oedd yn siŵr," meddai hithau, "petaech chi'n cyfaddef y gwir am eich oed. Ta waeth am hynny," meddai hi wedyn, "pe cawn i gario ymlaen fel y gwnaethoch chi efo honno, fuaswn i'n malio'r un botwm corn am eich oed chithau." '

'Ha! Ha!' cymeradwyodd y llall. 'Bychan iddo fo ddeall ein bod ni'n gwybod ei hanes o a rhyw greaduriaid heb hanner eu crasu sydd o gwmpas y lle yma, yn edrych fel 'tai menyn ddim yn toddi yn eu ceg nhw, hyd yn oed petaen nhw'n eistedd ar ben y pentan.'

Nid oedd cael ei difrïo fel hyn yn effeithio fawr ar Mali; ond berwodd trosodd pan ddywedodd y llall,

'Welwn i fy hun fawr o fai ar Meistres petai hi'n caru tipyn efo'r Mr Smith yna. Llawnder o bres ganddo fo, yn lle bod ar hanner digon o hyd, fel mae hi yma, ac yn ddyn hardd, golygus, rhagor y creadur trwm afrosgo yma, efo'i Saesneg di-lun a'i drwyn coch.'

'Mi fyddai cael ymadael â fo y fendith orau gafodd hi erioed. Piti nad âi o i'w foddi ei hun.'

Cododd Mali ar ei thraed, ei hwyneb yn wyn a'i llygaid yn melltennu.

'Rydych chi'ch dwy yn ffitiach i'ch boddi o'r hanner,' ebe hi. 'Ble fuasai'ch Meistres chi oni bai am Meistr, mi hoffwn i wybod—a chithau'ch dwy hefyd, yn stelcian yn y fan yma yn diogi drwy'r dydd. Gwynt teg o'ch hôl chi, ddweda i, gael ichi fynd i rywle o'n golwg ni yma.'

Trodd y ddwy arall i'w Saesneg ac ni fedrai Mali wneud dim o hwnnw. Agorodd y drws a daeth Lili Huws i mewn, a phawb ohonyn nhw'n meddwl ei bod wedi cychwyn i ffwrdd.

'Beth ydi'r twrw yma?' gofynnodd.

Dechreuodd y merched dieithr egluro. Roedd cynddaredd anghynefin Mali wedi rhedeg ei gwrs, gwaetha'r modd, ac roedd hi erbyn hyn mor dafotrwm ag arfer.

'Pe gwelech chi fel y gwylltiodd hi, Mrs Huws, a deud y pethau mwyaf dychrynllyd amdanoch chi a ninnau. Dannod mai'r Meistr oedd piau popeth yma, ac nid y chi, a deud y buasai'n fendith petaech chi a ninnau'n mynd i'n boddi.'

Gloywodd llygaid Lili. Nid oedd yn ddrwg ganddi am y cyfle.

'Os felly, mi gaiff hi fynd oddi yma'n gynta. Dyna'r drwg ar forynion sydd wedi bod yn yr un teulu nes mynd yn hen. Maen nhw bob amser yn anodd eu trin. Mi ellwch fynd ymhen yr wythnos felly, Mali.'

Ei throi o'r Plas, ar ôl bod yno am un mlynedd ar hugain! Roedd hynny'n anhygoel! Rhaid ei bod wedi camddeall.

'Dydych chi ddim yn meddwl imi fynd i ffwrdd, ydych chi, Meistres?' gofynnodd yn hanner syn.

'Ydw—wythnos i heddiw, a pheidiwch â gadael imi glywed dim rhagor yn ei gylch.'

'Lili, Lili!' Clywent Timothy Huws yn dod ar hyd y neuadd dan alw.

Chwarddodd y morynion dieithr. Roeddynt yn eu mwynhau eu hunain yn iawn. Daeth y Meistr i mewn.

'Lili,' meddai. Yna tawodd yn anghysurus. 'Beth ydi'r mater arnoch chi yma, yn enw'r cebyst?'

'Rwyf newydd orfod rhoi rhybudd i Mali ymadael,' meddai'i wraig yn sychlyd.

Agorodd Timothy ei geg mewn braw.

'Mali i ymadael! Mae hynny'n amhosib, a hithau wedi bod yma cyhyd.'

'Paham amhosib? Mi ddwedodd bethau mawr amdanaf i wrth y genethod yma.' Yn ddisymwth, croesodd Lili at ei gŵr a hongian yn ei fraich, fel y gwnaethai'r noson gyntaf y gwelsai Mali hi. 'Deud y buasai'n falch o'm gweld wedi boddi . . .'

'Nage, y nhw ddwedodd amdanoch chi, Meistr . . .' Roedd tafod Mali wedi'i hadfer erbyn hyn, ond cyn iddi allu ei defnyddio, gwelodd wên Timothy wrth edrych i lawr ar ben cyrliog ei wraig, ac fel yr anwylai'i llaw. Dyma'r cymod, wedi ffrae y bore! Tawodd Mali. I beth y difethai ei hapusrwydd trwy ailadrodd disgrifiad y morynion ohono? Cerddodd oddi wrthynt heb air, a'i chelfi glanhau gyda hi.

'Fyddai hi ddim yn well i chi dynnu'r rhybudd yna i Mali yn ôl, 'ngHariad i? Mae hi'n ddiguro ei gwaith, ac wedi bod yma cyhyd.'

'Ie, ers amser "Ann druan",' gwawdiodd Lili, 'ond mi glywais i fod Ann hefyd wedi edifarhau digon o'i chymryd hi.'

'Hen stori wirion oedd honno,' gwadodd yntau. 'Fûm i'n siarad fawr o eiriau erioed â'r greadures ddiolwg. Merched tlws fyddaf i'n eu hoffi,' ymffrostiodd, gan wasgu braich Lili. 'Ond ar yr un pryd, mi wn y byddai colled fawr ar ôl Mali yn y gegin.'

'Mi fydd yno ddwy wedyn, ac rydych chi bob amser yn cwyno eich costau. Mi allwn i feddwl y bydd yn dda ichi gael un forwyn yn llai i'w chadw. Mi wn i hefyd nad arhosai Daisy ac Amelia fyth efo honna ar ôl yr helynt yma heddiw, ac mae'n amhosib i mi wneud hebddyn nhw.'

'Maen nhw'n gwneud llawer llai na Mali, a'u cyflog yn fwy o lawer. Allech chi ddim gwneud ar un ohonyn nhw, Lili fach, a chadw Mali?'

Gollyngodd hi ei fraich.

'Dyna chi eto. Popeth ond fy nghysur i. Mi greda i yn rhwydd bellach fod y stori yna amdanoch chi a hithau'n wir.'

'O'r gore, cymrwch eich ffordd,' meddai yntau, braidd yn swrth. 'Waeth gen i am Mali mwy nag am rywun arall, yn y pen draw.' Yna osiodd ailgydio yn ei braich. 'Ond cofiwch, Lil fach, nad ydw i ddim wedi talu'i chyflog hi ers dwy flynedd a hanner, ac os bydd raid imi dalu pum punt ar hugain yn un lwmp iddi'n awr, mi fydd raid i chi ffarwelio â'r piano yna yr ydych yn cadw cymaint o sŵn amdano.'

'Twt,' meddai hithau, 'mae'n debyg gen i fod rhyw ffŵl fel honna wedi anghofio erbyn hyn fod arnoch chi nhw iddi. Os oedd arni eu hangen, pam na ofynnodd hi amdanyn nhw? Mi ddwedodd Huw wrthyf rywdro ei bod hi'n werth ei miloedd.'

'Wel, os ydi hi,' ochneidiodd Timothy, 'mi fuasai'n dda iawn gen i petai hi'n rhoi benthyg rhai ohonyn nhw i mi.'

'Falle y gwnâi hi, petaech chi'n gofyn yn ddigon neis iddi. "Mali fach, er mwyn yr hen amser gynt." ' Dynwaredodd Lili dôn Timothy, ar ei mwyaf truthiog.

Gofalodd morynion y ffrynt fod pobl y briws yn cael gwybod am ddiraddiad Mali, oblegid felly yr edrychid ar gael rhybudd i ymadael. Os mai'r gwas neu'r forwyn oedd yn rhoi'r rhybudd —popeth yn dda; ond os mai derbyn y rhybudd a wnâi—rhaid oedd holi a dyfalu, 'Beth tybed wnaethon nhw o'i le?'

Chwarae teg i'r gweision a'r ddwy forwyn, roeddynt yn wirioneddol ofidus yn ei chylch. Er eu bod yn ei chymryd hi'n ysgafn yn ei swydd ac yn grwgnach amdani'n aml, allen nhw ddim dychmygu Plas-yr-Allt hebddi. Roedd hi fel hen ddodrefnyn sydd wedi bod mewn tŷ ers cyn cof i'w berchenogion, a hwythau heb sylweddoli mor annwyl oedd o ganddyn nhw nes i rywun ei ddwyn oddi yno a hwythau wedyn yn gweld ei le yn wag. Roedd yr hwsmon wrth gwrs yn eithriad. Dweud wnaeth o,

'Petai'n lwc i'r hen Feistres druan fod wedi gwneud tro mor gall.'

Roedd Mali ar dorri'i chalon, ond doedd hi ddim am ymostwng i ymbil a gwnaeth ei pharatoadau at ymadael. Yng ngwaelod ei chalon, fe ddisgwyliai i Timothy Huws ddod ati i egluro mai camgymeriad y Feistres oedd o, a bod popeth eto fel cynt. Ond ddaeth o ddim yn agos ati—nac i ddweud hynny, nac i dalu ei chyflog.

Oni bai am y gobaith hwnnw, bron na fuasai hi wedi dewis ymadael ar ei hunion heb aros ei hwythnos, er mwyn cael y rhwyg trosodd a darfod â'r peth. Ond wedyn, i ble'r âi hi? Fe gymerai beth amser iddi gael y Wern yn rhydd, ac roedd yn gas ganddi feddwl am chwilio a dechrau mewn lle arall. Yna tynnodd rhywun ddalen mis Mai oddi ar yr almanac, a gwelodd groes Dafydd gyferbyn â thrannoeth. Roedd hi wedi anghofio am ei addewid ef yng nghythrwfl y deuddydd diwethaf.

'Mae Dafydd yn siŵr o feddwl am rywbeth. Mi adawa i bethau'n llonydd nes y daw o.'

Ofnai trwy gydol bore Llun y byddai ganddo angladd neu briodas neu rywbeth o'r fath yn ei alw adref ar ei union. Ond ychydig cyn cinio, fe'i gwelai yn brasgamu ar draws y buarth, a'i gôt ar ei fraich.

'Ychydig iawn o amser sydd gen i y tro yma eto,' meddai'n frysiog. 'Os galla i gyrraedd Tŷ-du erbyn dau, mi gaf fy nghario i'r Dref, ac wedyn mi allaf ddal y trên mwyaf cyfleus sydd i'w gael i'r Waunhir.'

'Rhaid iti aros tipyn. Mae gen i newydd mawr iti.' Ac adroddodd Mali yr hanes wrtho, gan adael i'r cinio a'r golchi gymryd eu siawns am unwaith.

Tynhâi gwefusau Dafydd wrth wrando arni.

'Ie,' meddai, wedi iddi orffen. 'Dyna sut un ydi o. Mi werthai bawb er mwyn ei gyfleustra a'i gysur ei hun, ac mae'n debyg mai cadw'r fabi dol yna mewn tymer dda ydi ei siawns orau o am gysur bellach. Chei di ddim aros yma yr un funud yn hwy. Rhaid iti ddod adre efo fi. Rwyt ti wedi addo dod lawer gwaith. Ydi dy glud di'n barod?'

'Dydi o fawr fwy na phecyn,' meddai hithau, 'ond ddof i ddim ar draws eich tŷ chi chwaith. Mi ofynnaf i Ezra Jones gael y Wern yn rhydd imi.' Ni chyfaddefodd y buasai wedi ymorol ynglŷn â hynny ers deuddydd, oni bai am ei gobaith y ceisiai Timothy Huws ddadwneud camwri ei wraig.

'Tyrd acw'n gynta. A deud y gwir, mae'r gwaith wedi mynd yn feistr ar Hilda y dyddiau yma, ac roedd hi'n deud ddydd Sadwrn y byddai'n rhaid arni geisio rhywun ati am wythnos i'w helpu i gael y lle i drefn. Felly mi fyddet yn gwneud cymwynas â ni. Mae merched yn ddrud iawn ffordd acw.'

O'i roi felly, gorfu i Mali ildio, er croesed i'w graen oedd y syniad.

'Am wythnos 'te,' meddai hi, 'i roi amser i'r hen wraig yna glirio o'r Wern.'

Gwnaeth damaid brysiog o fara llefrith i Dafydd a hithau. Yna, wedi trosglwyddo gofal y cinio i Jân, rhedodd i'r llofft i'w hwylio'i hun, a chyn pen deng munud roedd i lawr yn ôl a'i holl eiddo gyda hi, yn barod i'r daith.

'Gwell iti ddeud wrth Timothy Huws dy fod yn cychwyn,' awgrymodd Dafydd.

'Does dim peryg ei fod o ar gael,' meddai hithau'n ddiolchgar.

'Ydi'n wir, Mali fach, fel mae ryfedda,' ebe Jân. 'Mi welais i'r ddau'n eistedd yn y parlwr chwith pan es i â'r clustogau glân i mewn, ychydig funudau'n ôl.'

'Ffwrdd â thi, 'te,' gorchmynnodd Dafydd, 'os nad wyt ti am i mi fynd yn dy le.'

Ysbardunodd hynny Mali.

'Na, na,' meddai'n frysiog, 'mi af i.'

Roedd arni ofn beth a ddywedai Dafydd wrth y Meistr; ac wedi'r cyfan, ni fuasai brifo ei deimladau yn ateb unrhyw ddiben. Dyna'i chyflog hefyd. Mae'n debyg y byddai am ei gweld ynglŷn â hwnnw.

Curodd y drws, yn ôl rheolau'r rhan honno o'r tŷ.

'Rydw i'n mynd,' ebe hi.

'O'r gore,' ebe Lili.

'Mae'n reit ddrwg gen i, Mali,' mwmiodd y Meistr.

Oedd o'n mynd i sôn am gyflog? Na.

'Pnawn da,' meddai Mali.

'Pnawn da, Mali fach,' meddai yntau.

Ni ddywedodd y Feistres air, a chaeodd Mali'r drws.

PENNOD XVII

Nid wythnos a dreuliodd Mali yn y Waunhir, ond dwy flynedd namyn deufis. Arhosodd yno, nid am ei bod yn hoffi'r lle, nac am y teimlai'n neilltuol o hapus yno, ond am nad oedd ganddi unman arall i fynd iddo, ac am y credai ei bod, trwy ei harhosiad yno, yn ychwanegu at gysur Dafydd. Braidd yn syn yr edrychai Hilda pan gyrhaeddodd y ddau i'r tŷ y noson honno; a phan bwysleisiai Dafydd trosodd a throsodd mor dda y bu Mali wrtho, ac yntau'n amddifad bach, fe ddywedodd yn bur oeraidd,

'Roeddwn i'n deall bob amser ichi gael eich magu gan y gŵr a'r wraig y bu cymaint o sôn amdanyn nhw yma amser eich ordeinio chi, Davie.'

'Rydych chi wedi 'nghlywed i'n sôn ganwaith mwy am Mali nag amdanyn nhw,' gwrthdystiai yntau. 'Tŷ'r hen Feistres oedd o, ond mi fuaswn i wedi llwgu lawer gwaith oni bai am Mali. Hi fyddai'n prynu dillad imi, a hi dalodd am yr Ysgol a'r Coleg imi, a minnau heb orffen o lawer dalu'n ôl iddi eto,' a gwenodd yn serchog ar Mali.

Er iddo bwysleisio hyn, ac nad dyma'r tro cyntaf o lawer iddo wneud hynny, fe glywai Dafydd ei wraig yn disgrifio'u hymwelydd wrth un o'i flaenoriaid, drannoeth, fel 'hen forwyn yng nghartre Davie erstalwm, ac yn meddwl y byd ohono fo wrth gwrs, ac yntau'n meddwl y carai roi lle iddi aros am ychydig'.

Er iddi siarad felly, roedd Hilda wedi meirioli cryn lawer at yr ymwelydd erbyn hyn. Troesai Mali ati o ddifri ar doriad gwawr y bore cyntaf i ddechrau rhoi cartref y gweinidog mewn trefn. Roedd y wraig ifanc yn casáu gwaith tŷ, ac erbyn diwedd yr wythnos roedd hi'n fêl i gyd. Adlewyrchid hynny yn wyneb Dafydd hefyd. Roedd o wedi sylweddoli erstalwm nad oedd caethiwed a gwaith tŷ yn dygymod â thymer yr eneth a briododd. A Mali'n gwneud y gwaith, roeddynt yn driawd digon hapus, er bod Hilda'n tueddu i'w gwthio hi o'r golwg i'r cefn neu rywle pan alwai dieithriaid. Nid oedd Mali ond yn rhy falch o fynd, ond poenai Dafydd lawer am y sarhad arni, ac yntau'n gwybod am y berthynas rhwng y ddwy. Ceisiodd ymresymu'n dringar â Hilda, ac effaith hynny oedd iddo fynd at Mali un diwrnod a rhoi pumpunt iddi.

'Dyma ran fach o'm dyled,' meddai wrthi.

'Cadw nhw am dipyn, i'w troi drosodd,' cynigiodd hithau. 'Mi gei ddigon o gyfle eto.' Fe wyddai hi'n well, ar ôl yr wythnos hon, mor anodd oedd iddo'u hepgor.

'Na,' meddai yntau'n daerach. 'Cymer nhw, a phryn ddillad i ti dy hun. Mae pobl mor arw am wisgo mewn lle fel hyn, wyddost. Mi ddaw Hilda efo ti i'w dewis, os mynni di.'

Deallodd Mali wedyn pwy oedd yn gyfrifol am yr awgrym.

'Na, Dafydd bach, dyw hi ddim yn werth i mi wario ar ddillad drud a minnau byth braidd yn mynd o'r tŷ. Mi fydda i yn ôl rhywle ynghanol y wlad gyda hyn iti.'

'Na, rwyf i'n disgwyl yr arhosi di yma am ychydig.'

'Af i ddim i bwyso arnoch chi yma,' atebodd hithau'n bendant.

'Nid pwyso fyddai o, o gwbl,' ebe Dafydd yn eiddgar. 'Rwy'n gweld y bydd rhaid inni gadw morwyn, a thalu cyflog iddi. Fe'th gaem ni di am ddim, felly mi weli mai i ni y byddai'r fantais. Mae Hilda hefyd yn wyllt am iti aros.'

Parhau i ysgwyd ei phen a wnâi Mali, nes i Hilda ddod yno a rhoi'i braich amdani a'i pherswadio'n serchog, fel y medrai hi pan fynnai hynny. Gwelodd Mali fod Dafydd yn dweud y gwir fod ei wraig yn wirioneddol awyddus iddi aros, felly llaciodd beth.

'Rwy'n siŵr y gwnaiff hi aros,' llefodd Hilda'n llawen. 'A Mali fach, gwnewch adael i mi ddod gyda chi pan ewch i ddewis dillad newydd. Mi fyddaf wrth fy modd yn cael dewis dillad.'

Felly y cymerodd Mali ei pherswadio i aros yno, i brynu dillad iddi'i hun—a het i Hilda i orffen y pumpunt, ac i fynd i'r capel ar dro. Roedd hi wedi gwrthod mynd i gapel Llanala hyd yn oed i wrando ar Dafydd yn pregethu, a gwnaeth hi'n amod yma ei bod i gael eistedd yn y sedd olaf un er mwyn gallu llithro allan o flaen y gynulleidfa. Rhyfeddai at Dafydd yn medru dal ati i siarad cyhyd, a mwynhâi wrando ar ei lais a'i oslef am y carient hi'n ôl i ddyddiau cynnar Plas-yr-Allt, a Dafydd yn llencyn eiddil yn darllen iddi hi ar fin nos. Ni wnâi'r hyn a draethai lawer o argraff arni, ac anaml iawn y medrai gofio gair o'r testun erbyn cyrraedd y tŷ.

Er mai'r sedd olaf a fynnai hi yn y capel, eto fe'i cafodd ei hun, er mwy o syndod iddi hi nag i neb, yn cymryd y rhan flaenaf gydag un adran o waith yr eglwys.

Dychwelodd y gweinidog a'i wraig adref o bwyllgor eglwysig un noson â golwg gwerylgar arnynt. Roedd Hilda'n hanner crio, a Dafydd yn ceisio'i orau i'w pherswadio i rywbeth.

'Fe wnaech yn iawn, Hilda, dim ond ichi drio. A chan mai dyna'r arfer yma, waeth i chithau wneud hynny na pheidio.'

'Na, wna i ddim, a dyna ben. Mi ymdrechais fy ngorau y ddau dro o'r blaen, a chael bod yr hen ferched yna i gyd yn codi'u trwynau ar y te. Fyddai Mam byth yn gwneud, ac mi wyddai hi gystal â neb beth oedd dyletswyddau gwraig gweinidog.'

Ysgubodd Hilda i'r llofft i dynnu ei chôt a'i het, ac eistedd-odd Dafydd wrth y bwrdd a golwg ddigalon arno.

'Gwna di, Mali,' meddai'n sydyn.

'Gwneud beth, 'ngwas i?' ebe hithau.

'Gwraig y gweinidog sydd wedi arfer erioed â chymryd gofal pob te ynglŷn â'r eglwys hon—te'r plant, te'r bobl ifainc, ac yn y blaen. Rwyt ti'n gwybod nad oes gan Hilda fawr o helynt efo gwaith felly ac mae hi'n gwrthryfela'n enbyd yn erbyn ei wneud, felly mae rhai o'r seintiau, y mae arferion a thraddodiadau yn werthfawr yn eu golwg nhw, yn tueddu i ddigio wrthi hi. Ac mae'n rhaid imi gyfaddef, chwarae teg i Hilda druan, na chafodd hi fawr o hwyl ar y ddau de a drefnodd hi o'r blaen, serch i mi geisio 'ngorau i'w helpu hi.'

'Pam na wnaiff rhai o'r gwragedd mwy profiadol?' gofyn-nodd Mali.

'Wel, ie. Dyna fyddai'n gall, ond mi ddwedais wrthyt mai deddf y Mediaid a'r Persiaid ydi hi; a pheth arall, mae rhai ohonyn nhw yn ddigon balch o esgus dros daro unrhyw drafferth fel'na ar ysgwyddau gwraig y gweinidog, a chael cyfle i fod yn farnllyd wedyn. Petait ti'n ei wneud, fe gâi Hilda'r clod, ac fe blesiai hynny hi. Ac yna, mae'n bosib y byddai'n fwy parod i'w wneud ei hun, rywdro eto.'

'Brensiach! Mi wyddost, Dafydd, na fûm i erioed yn fy mywyd mewn te parti.'

'Ond mi fuost yn gwneud digon o fwyd cneifio ac o swper cynhaeaf, a rhywbeth yn debyg ydi'r te yma, ond nad oes yno gymaint o fwydydd ag sydd ym Mhlas-yr-Allt yn awr.'

'Wyt ti'n meddwl,' gofynnodd Mali'n amheus, 'y cawn i fod o'r golwg yr un fath â chyda'r bwyd cneifio?'

'Fyddai dim gofyn iti fynd yn agos at y byrddau, beth bynnag,' sicrhaodd Dafydd. 'Mi allet ti a finnau baratoi llawer ymlaen llaw. Yna, fyddai dim ond rhoi'r merched ar waith amser te.'

'O! allwn i wneud mo hynny,' meddai hi, gan dynnu'i chyrn ati yn gyflym.

'Dim ond iti gymryd arnat mai gwraig y Gaer a Nel Ty'n-y-Gelli a'r criw yna oedden nhw, mi wnaet yn iawn.' Trodd Dafydd wrth glywed Hilda yn dod i lawr y grisiau, yn ddigon sorllyd ei gwedd. 'Hilda, rwyf bron â pherswadio Mali yma i wneud y te yn eich lle.'

'O Mali!' Rhuthrodd Hilda ati, a'i braich am ei gwddf a chusan mawr iddi. 'Wnewch chi yn wir? Mi helpia i fy ngorau arnoch. Mi wna i y gwaith i gyd, dim ond i chi ddeud sut.'

'Gwnewch, rwy'n siŵr,' meddai Mali dan hanner gwenu. 'Wel, mi ddof i yno i olchi'r llestri, os mynnwch chi.'

Hwynt-hwy eu dau a orfu fel arfer, a chymerodd Mali ofal y te. Mwynhaodd y gwaith fwy na heb, hefyd, oherwydd cafodd Dafydd i'w helpu fel yn yr hen amser, tra gwibiai Hilda yma a thraw. Pan ddaeth y dyrfa yno i fwyta, fu dim rhaid i Mali fynd yn agos atynt. Cedwid hi'n brysur yn berwi'r tegellau mawr ac yn gofalu am gryfder a phoethder y drwyth yn y tebotau a ddeuai ati'n barhaus i'w cyflenwi. Ceid digon o'r merched erbyn hyn yn barod i gymryd y blaen wrth ben y byrddau. Derbyniodd Hilda glod mawr am y te hwnnw, a bron na ddaeth i gredu mai hi a'i gwnaeth i gyd. Ond pan ddaeth hi'n adeg y te nesaf, nid oedd hi fymryn parotach i gymryd ato, ac ar Mali y syrthiodd gofal hwnnw drachefn, yn ogystal â phob un arall tra bu hi yno.

Methai Mali â phenderfynu'n iawn a hoffai hi Hilda ai peidio. Fe farnai weithiau un ffordd, a thro arall i'r gwrth-wyneb. Fe wyddai un peth fodd bynnag—fod yn anwylach ganddi Dafydd, ddengwaith trosodd.

Roedd rhywbeth yn bryfoclyd iddi yn Hilda. Codai hiraeth

arni gyda'i thebygrwydd a'i hannhebygrwydd i'r Meistr Ifanc. Ar ambell funud, tybiai ei bod wedi cael gafael ar y tebygrwydd hwnnw, fel na byddai modd iddi ei golli drachefn. Y munud nesaf, methai â deall beth achosodd iddi feddwl hynny. Nid oedd y ferch mor wastad ei thymer â'i thad, ac ar adegau prin yn unig y byddai mor siriol ag ef. Am bob un o'i ffaeleddau, fe'i beiai Mali ei hun.

Cofiai weithiau am eiriau Saro. 'Un yn cymryd y cyfan ydi'r Meistr acw.' Ni chredai hi mo hynny amdano ef, ond cyfaddefai ei fod yn wir am ei blentyn. Derbyn, ac nid rhoi, a wnâi hi yn feunyddiol gyda Dafydd, a'r un modd gyda hithau hefyd; ac yn wahanol i'w thad, fe surai ac fe sorrai os gwrthodid hi o ddim. Etifeddodd yn llawn o'i uchelder ef, er nad adnabyddai Mali mohono felly. Roedd yn well o lawer ganddi bobl fawr y capel na'r tlodion. Cymerai Dafydd hi gydag ef i ymweld â'r dosbarth diwethaf hwn hefyd ar dro, hanner yn erbyn ei hewyllys; a phan âi, byddai'n siriol dros ben gyda hwy a byddent i gyd yn dotio arni. Yn wir, roedd yn fwy poblogaidd gyda'r adran honno o'r eglwys na chyda'r mawrion yno, serch mai i'r rheini yr aberthai hi fwyaf o'i hamser a'i meddwl.

Un amser te, adroddodd hanes ei babandod rhamantus wrth Mali. Cawsai honno ei gnewyllyn yn barod gan Dafydd rywdro cynt, ond ychwanegodd Hilda un ffaith newydd.

'Ac maen nhw'n deud fod merch Iarll Caerarbra wedi cael plentyn tua'r amser hwnnw, ac nad oes neb yn gwybod beth ddaeth ohono fo. Mi fyddai Mam yn arfer deud ei bod hi'n siŵr mai fi oedd hi. Fe wnâi hynny fi'n anghyfreithlon, wrth gwrs, ond dydi hynny ddim gymaint o bwys, ydi o, os bydd y waedoliaeth yn dda?'

Pan redodd ei wraig at y drws am funud, gwenodd Dafydd ar Mali gan ddweud,

'On'd ydym ni'n bâr, dywed? Y hi gydag Iarll Caerarbra, a minnau gydag uchelwyr urddasol Plas-yr-Allt, a'r un faint o sail i'r ddwy chwedl, mae'n debyg!'

Fe'i holai Mali ei hun weithiau tybed a ddewisodd Saro a hithau yn ddoeth wedi'r cwbl. Cafodd yr eneth gartref da, mae'n wir; ond gyda'r gŵr a'r wraig yn mynd i oed ac wedi colli cynifer o blant, roeddynt wedi tueddu i roi mwy o foethau iddi nag a gâi yng nghartref cwpl ifanc, trafferthus eu byd, gyda phlentyn neu ddau neu dri heblaw y hi. Efallai na fyddai ei beiau wedi cael cystal tir i dyfu felly, ac y buasai hithau'n debycach i'w thad.

Aethai Hilda erbyn hyn i edrych ar Mali fel rhywbeth sefydlog yn y teulu, i gymryd y cyfan a wnâi yn ganiataol, ac i droi'n gyhuddol ac edliwgar os na wnâi bopeth yn ôl ei dymuniad hi. Gan fod Mali wedi arfer erioed â chael ei thrin felly, ni feddyliai ddim ohono, ond gwridai Dafydd drosti weithiau, yn enwedig os byddai dieithriaid o fewn clyw.

Ac yna un bore, wele barsel bach gyda'r post i Mali Meredur. Dyfalai'n uchel wrth ei agor beth allai fod ynddo. Dangosai Dafydd a Hilda gryn chwilfrydedd hefyd, oherwydd roedd i Mali dderbyn llythyr, heb sôn am barsel, yn ddigwyddiad anghyffredin iawn.

'Bocs bychan!' meddai Hilda, wedi i'r papur gael ei ddiosg oddi amdano. 'Brysiwch! Agorwch o, Mali!'

Wedi tynnu'r caead, nid oedd yno ond papur i'w weld. Dadlapio hwnnw drachefn.

'Dim ond hen allwedd rydlyd!' llefodd Hilda'n siomedig.

'A chlamp o lythyr,' cysurodd Dafydd hi.

'Allwedd y Wern ydi hi,' meddai Mali. 'Beth sy'n bod tybed? Hwde, darllen di'r llythyr, Dafydd, yn lle aros i mi ei ddarllen. Mi gawn wybod o gymaint â hynny'n gynt beth sydd ynddo fo. Llythyr oddi wrth Ezra Jones ydi o, mae'n siŵr.'

'"Annwyl Mali,"' darllenodd Dafydd yn goegbwysig. 'Dyna'i dechrau iti.'

'Ewch yn eich blaen, Davie,' gwaeddodd Hilda yn ddiamynedd.

'Gwrandewch 'te,

'"Hyderaf eich bod chwi, ynghyd â'r Parch. Dafydd Llywelyn a'i deulu, yn iach. Y mae'n ddiamau y synnwch weld yr agoriad hwn heddiw, ond derbyniais alwad o eglwys Llanrhyd, ym mhen draw'r sir yma, a bwriadaf symud yno ddechrau'r mis nesaf."

'Mi glywais i ryw si ei fod o'n debyg o'i chael,' meddai Dafydd, 'ac roeddwn i wedi llwyr fwriadu deud wrthyt ti, Mali, ond mi anghofiais y cyfan amdano tan y munud yma.'

'Allwch chi ddim codi galwad i rywle, Davie?' torrodd Hilda ar ei draws. 'Rwyf i bron â chael digon ar y Waun yma.'

Aeth Dafydd yn ôl yn frysiog at y llythyr.

' "Yn anffodus, aeth fy modryb yn rhy analluog inni deimlo'n esmwyth i'w gadael yn y Wern ar ei phen ei hun a ninnau heb fod yn ymyl, ac yr ydym o'r diwedd wedi llwyddo i'w pherswadio mai dyfod atom ni i fyw a fydd orau er ei lles. Felly, anfonaf yr agoriad i chwi wneud fel y gwelwch yn dda ag ef. Y mae'r tŷ wedi'i adael mewn cyflwr rhagorol, a'r gwlâu yn gynnes ac yn lân, pe dymunech chwi neu rywun arall fynd yno'n ddi-oed." '

'Chewch chi ddim mynd yno, beth bynnag, Mali,' prysurodd Hilda i ddweud.

'Mi fuasai'n lle campus am fymryn o newid awyr inni'n tri,' awgrymodd Dafydd. 'Mi hoffwn i yn fy nghalon gael wythnos yno.'

'Mae yno ddigon o le hefyd,' cefnogodd Mali. 'Mi fyddai gan Saro wely bach yn y gegin yn y gaeaf, a'i gwely mawr yn y siambr at yr haf.'

'Fuaswn i byth yn mwynhau gwyliau mewn hen le bach unig a thlodaidd fel yna,' ebe Hilda. 'Chefais i erioed fy arfer â lle felly.'

Taflodd Dafydd ei lygad yn ddireidus ar Mali. Cofiai ef mai yn siambr y Wern y ganwyd y ferch ifanc a siaradai mor dalog yn awr.

'Mi fuasai'n llawer gwell gen i fynd i Blas-yr-Allt, hen gartre Davie. Ac wn i ar y ddaear beth sy'n ein rhwystro rhag mynd, serch bod Mali a hwythau wedi ffraeo.'

'Mae yna ychwaneg o'r llythyr, petaech chi'ch dwy'n tewi am funud,' dwrdiodd Dafydd, cyn darllen ymlaen.

' "Y mae'r holl rent a oedd yn ddyledus wedi'i dalu fel arfer i'ch cyfrif ym Manc y Dref. Dymuna'r wraig a minnau ein cofio'n garedig a diolchgar iawn atoch. Cyflwynwch ein cofion hefyd i'r Parch. Dafydd Llywelyn a'i eiddo. Gyda phob dymuniad da, Yn gywir iawn, Ezra Jones." '

'Ond mae yna ôl-ysgrif faith wedyn,' ychwanegodd Dafydd yn araf.

'Beth ydi honno?' gofynnodd Mali.

'Newyddion drwg, mae gen i ofn,' atebodd yntau, gan ddarllen ymlaen yn hanner distaw.

' "Efallai y bydd o ddiddordeb gennych glywed fod yna straeon rhyfedd iawn ynglŷn â Phlas-yr-Allt wedi treiglo hyd yma, o enau i glust. Dywedir eu bod wedi gwario'r cyfan a oedd ar eu helw, ac ychwaneg hefyd. Y mae ef wedi'i daro gan y parlys, a'i wraig wedi dianc gyda rhyw Sais o ymyl yno a'i adael yntau'i hun. Dyna'r straeon, am eu gwerth. Y mae'n berffaith wir, beth bynnag, fod y cyfan yno i fynd o dan y morthwyl heddiw ac yfory, yr anifeiliaid, y dodrefn, a'r fferm. Cyrhaeddodd y murlenni ynghylch yr arwerthiant cyn belled ag yma hyd yn oed. Mân us, yr hwn a chwâl y gwynt ymaith." '

'Y bobl fonheddig hynny a ddaeth i'ch cyfarfod ordeinio chi?' holodd Hilda o dan ei hanadl.

'Ie,' meddai Dafydd yn gwta.

'Pa drên fyddi di'n arfer ei ddal i gyrraedd y Dref rywbryd yn y pnawn, Dafydd?' oedd cwestiwn Mali.

'Y nesa yma. Rhyw bum munud ar hugain wedi wyth.'

Cododd Mali oddi wrth y bwrdd.

'Rhaid imi frysio felly. Does gen i ond prin amser i'w ddal o.'

'I ble'r ydych chi'n mynd?' gofynnodd Hilda, gan afael yn ei braich.

'Mae f'eisiau yn y Plas,' meddai Mali, gan gipio o'i gafael a rhedeg i fyny'r grisiau.

'Mae'ch eisiau yma hefyd,' llefodd Hilda gan gychwyn rhedeg ar ei hôl.

Cydiodd Dafydd yn ei llaw.

'Gedwch iddi, Hilda fach. Allwch chi na minnau mo'i rhwystro hi. Mi all Mali fod mor gadarn â'r graig os bydd hi wedi meddwl o ddifri am wneud rhywbeth.'

'Aiff hi ddim yno i aros heb ei gofyn, debyg gen i, a'n gadael ni yma mewn trybini i gymryd ein siawns, a hwythau wedi'i throi i ffwrdd fel y gwnaethon nhw. Roedd yn ddigon da iddi ein cael ni'r pryd hwnnw.'

'Mae Mali'n ffyddlon iawn, ac wedi treulio tros hanner ei hoes yno,' meddai Dafydd. 'Rydych chithau wedi cael hwb go dda efo'r tŷ, erbyn hyn.'

'Os ydyn nhw mor dlawd â hynny i gyd, fydd yno'r un

forwyn arall ond y hi, a meddyliwch beth ddywed pobl am iddi fyw felly, efo dyn â'i wraig wedi'i adael o.'

'Hilda fach, peidiwch chi â dynwared yr enllibwyr.'

'Dwyf i ddim yn gwneud hynny,' meddai hithau'n gilwgus, 'ond mae'n rhaid i rai yn ein safle ni feddwl tipyn am farn pobl, ac mi fyddai'n anodd iawn inni roi derbyniad iddi yma wedi rhyw sôn felly. Mae gofyn i weinidog fod mor ofalus.'

Safodd Dafydd wrth waelod y grisiau i aros am Mali o'r llofft, er mwyn cario'i chlud i'r orsaf. Ni ddaeth Hilda i'r golwg.

'Rwy'n cymryd popeth gyda mi, hyd y gwn i,' meddai Mali. 'Os bydda i'n dod yn ôl, fydd eu hailgario'n golygu fawr imi.'

'Mi fydd yn dda iawn gennym ni iti ddod yn ôl, Mali,' ebe yntau'n dawel.

'Wyt tithau'n ddig wrthyf i?' gofynnodd Mali.

'Nac ydw. Fe wyddwn i y munud y darllenais i'r llythyr i mi fy hun, cyn ei ddarllen i ti, mai dyma wnaet ti. Ar yr un pryd, alla i ddim deall beth wyt ti'n fwriadu ei wneud ar ôl cyrraedd yno.'

'Mi hoffwn i atal yr arwerthiant.'

'Chyrhaeddi di ddim mewn pryd i hynny. Heblaw nad oes gen ti mo'r arian.'

'Mae gen i yn tynnu ar dri chant a hanner.'

Chwarddodd Dafydd.

'Fyddai hynny ond diferyn yn y môr. Na. Paid â cheisio gwneud peth gwirion felly. Mae yna stoc mor dda yn y Plas fel yr aiff honno'n unig am rai miloedd. Mi fyddai'n well iti ddefnyddio ychydig o'r arian sydd gen ti i roi ailgychwyn iddo fo, os nad ydi ei iechyd o'n rhy fregus.'

'Wel, os ydi hi wedi dod i'r gwaetha arno fo,' meddai Mali'n fyfyriol, 'mae goriad y Wern gen i. On'd ydi o fel Rhagluniaeth iddo gyrraedd fore heddiw?'

Cofiodd Dafydd yn anesmwyth am eiriau Hilda.

'Os ei di â fo yno, cofia y bydd pobl yn siŵr o siarad.'

'Pa wahaniaeth wnaiff hynny i mi, a hwythau wedi siarad cymaint amdana i yn barod?'

'Wel, rho gyn lleied o le iddyn nhw siarad ag a fedri di,' cynghorodd Dafydd yn swil, wrth ysgwyd llaw â hi yn nrws y trên.

PENNOD XVIII

Gorfu i Mali dalu'n hallt am gerbyd i'w danfon o'r Dref i'r Plas, a buasai'r pris yn fwy oni bai fod y gyrrwr yn disgwyl cael llwyth yn ôl o'r arwerthiant.

'Mi ddylen nhw fod yn tynnu tua'r pen yno erbyn hyn,' meddai wrthi, 'a hwythau wedi dechrau arni ddoe; ond roedd yno gymaint o bethau.'

'Oes raid i bopeth fynd?' holodd Mali.

'Oes, neno'r dyn. Wiw iddyn nhw adael yr un llwchyn, a fydd hynny wedyn ddim yn agos ddigon. Maen nhw'n berwi o ddyled, ym mhob pentre a thre am filltiroedd o gwmpas.'

'Ydi hi'n wir fod y wraig oddi cartre?' Ceisiai Mali fod yn gynnil.

'Ydi siŵr, wedi dianc efo'r hen sgempyn Smith yna. Ac maen nhw'n deud iddi blufio'i nyth ei hun yn bur glyd cyn cychwyn. A gadael yr hen greadur druan mor ddi-sut.'

Edifarhâi Mali na bai wedi ymroi i holi'r gŵr yma ynghynt. Roedd hi'n rhy ddiweddar nawr, a buarth y Plas yn y golwg ac mor llawn ag ar ddydd cynhebrwng Ann.

Clywai'i chydymaith yn mwmial mai cadw ceffylau brid a'u difethodd nhw yn y Plas, a cheisio chwarae'r boneddigion a hwythau heb fedru, a hynny felly'n costio mwy iddyn nhw.

Wedi disgyn, fe geisiodd Mali osgoi pawb oedd yn debyg o'i chofio, er y byddai'n rhaid arni siarad â rhywun toc er mwyn cael gwybod hanes Timothy Huws. Clywodd rywun yn rhedeg y tu ôl iddi ac yn galw, 'Mali'. Pwy oedd yno ond Moses, y mwyaf cegagored o neb y gallasai ddigwydd arno. Doedd dim i'w wneud bellach ond ei wynebu.

'Hylô, Mali.' Siglodd ei llaw yn frwdfrydig. 'Sut wyt ti ers cantoedd, yr hen greadures? Mae'n sobor o dda gen i'th weld di, er mi fu agos imi beidio â'th adnabod hefyd. Rwyt ti'n grand drybeilig.' Yna trodd yn ddifrifol iawn ohono ef. 'Wyddost ti beth, mae'n ddrwg gan 'nghalon i dros yr hen Feistr druan. Doedd o ddim yn siort mor ddrwg cyn iddo fo ffwndro efo'r Lili wywedig yna.'

'Sut aeth hi mor ddrwg yma?' Gan fod yr anghaffael o

gyfarfod Moses wedi digwydd, waeth iddi gael hynny o fantais allai hi ohono.

'Roedden nhw ar y ffordd i hyn erstalwm, petaem ni ddim ond wedi cadw'n llygaid yn agored. Mi aeth yn ddifrifol ofnadwy ar ôl i ti ymadael. Mi ddwedais i wrth fy mam, "Y cyfiawn a ddygir ymaith o flaen drygfyd." "Diawc," meddwn i, "rhaid bod yr hen Falen yn gyfiawn iawn." Feiddiai'r un ohonom ni fynd i mofyn neges i unman heb fynd â'r arian gyda ni, ac mi gaem dafod ddrwg hyd yn oed wedyn o achos rhyw hen ddyled oedd wedi sefyll ers cantoedd. Ac roedd hi wedi mynd yn fwy anodd cael sofren allan o Meistr na fuasai hi i dynnu ugain o'r hen Ann.'

'Mi gafodd golledion mawr cyn i mi ymadael,' awgrymodd Mali.

'Mi fu yna golledion trymion wedyn hefyd, i gyd o achos y burgyn diffaith gan Huw yna. Mi wnaeth Meistr gamgymeriad mawr wrth adael iddo fo ailgyflogi yr adeg honno. Roedd llawer yn amau mai'i gynllwyn drwg o oedd y colledion; ac os mai damwain oedden nhw, doedd o ddim ffit i fod yn hwsmon. Mae'r hen genau wedi symud yn ddigon pell oddi yma'n awr, diolch am hynny—i orffen ei ddyddiau, medde fo. Hei lwc, ddwedaf innau. Cofia na wn i mo hanes y diwedd eitha, chwaith. Mi ymadewais i G'lanmai diwetha, ac yn falch o fynd.'

'Ydi'r gwerthu bron ar ben?' gofynnodd Mali, gan gymryd cam i gyfeiriad yr hyn a fynnai ei wybod.

'Ydi, ond rhyw fân betheuach yr anghofiwyd amdanyn nhw ddoe—gêr a rhyw sothach felly. Rhyw Sais o'r cwm nesa brynodd y Plas, yn rhad iawn, medden nhw. O ie, mae Robin Ddu heb ei werthu hefyd.'

'Sut hynny,' rhyfeddai Mali, 'os yw'r ceffylau eraill wedi mynd?'

'Roedd gan Meistr helynt ofnadwy efo hwnnw, os wyt ti'n cofio. Ceffyl nobl ydi o hefyd, er bod ei ddannedd o'n dechrau mynd yn hir erbyn hyn. Mi aeth yr hen law i weiddi a nadu yn sobor iawn pan welodd o Robin yn cael ei gerdded i'w ddangos i'r prynwyr. Y diwedd fu i'r arwerthwr adael iddo gael yr hen geffyl ato i ymyl y ffenest, ac addo ei adael heb ei werthu tan yn olaf. Diawc, mi prynwn i iddo fo, fy hun, petai gen i'r arian.'

'Mi wna i hynny, os galla i,' addawodd Mali. 'Allet ti gael gwybod gan y dyn sy'n gwerthu faint gymer o amdano fo?'

'Nid fel'na maen nhw'n gwneud fel arfer,' gwrthwynebodd Mos. Yna, gan weld gogoniant newydd yn y syniad, 'Ond ar f'engoch i, mi triaf i o, ac mi ddweda i wrtho mai hen ffrind sydd am ei brynu o'n ôl i Meistr.'

'I ble mae o'n golygu mynd?' Hwn oedd y cwestiwn pwysicaf oll gan Mali.

'Ŵyr neb ar wyneb daear. Mae ar bawb ofn cynnig lle iddo fo, am na welan nhw obaith cael byth ymadael ag o'n fyw. Petai o'n ddim ond mater o wythnos neu ddwy, mi awn â fo at fy mam ac fe gâi ei gwely hi ac mi allai hithau gysgu wrth y tân. Ond allai hi ddim gwneud felly'n hir. Mae llawer o'r cymdogion yn deud pam y dylen nhw ei gadw o ac yntau wedi byw mor wastrafflyd. Swnian y mae pawb mai'r Wyrcws ydi'r unig le fydd yn fodlon ei gymryd o yn y diwedd.'

'Ydi o yma heddiw?' Dyma un arall o gwestiynau mawr Mali.

'Ydi siŵr. Ddwedais i mo hynny? Mi fynnodd aros, er bod pawb yn darogan y lladdai'r stŵr o. Mae o'n eistedd yn y ffenest fawr fel drws sydd ar y parlwr chwith. Tyrd i gael golwg arno fo. Mae pawb yn cadw o'r ochr honno i'r tŷ, rhag gorfod ei wynebu o.'

Dilynodd Mali ef heibio i gyrion y dorf swnllyd, lawen. Fel y dywedasai Moses, roedd llawer llai o bobl yr ochr yma i'r tŷ, a'r rhai oedd yno yn cadw'u cefnau'n selog at y ffenest fawr.

'Dacw fo,' cyfeiriodd Moses. 'Os wyt ti awydd mynd i siarad ag o, dos nawr. Mi af innau i geisio gair â'r arwerthwr.'

Gwelai Mali fod y ffenest yn gilagored. Stelciodd o gwmpas am dipyn, mewn ofn mynd yn ei blaen ac eto'n benderfynol na throai'n ôl. Dechreuodd rhai o'r dorf sylwi arni, a chlywodd rywun yn dweud, 'Mali, fu yma'n forwyn erstalwm'. Gyrrodd hynny hi yn ei blaen, nes iddi ddod gogyfer â'r ffenest. Edrychodd o'i chwmpas. Roedd pawb wedi troi'u cefnau eto. Gan wasgu'i dyrnau i'w thawelu ei hun, aeth yn ei blaen at y ffenest. Disgleiriai'r gwydr gan haul, ac ni welai ddim y tu draw iddo. Agorodd y ffenest, a chamodd i mewn.

Nid oedd yma'n awr na phynnau ŷd fel yn amser Ann, na dodrefn gwych fel yn amser Lili; ac o fod yn wag felly, edrychai'r stafell yn enfawr. Wrth y ffenest gosodwyd hen gadair freichiau coed ffawydd o'r gegin gefn, ac ynddi eisteddai Timothy Huws. Prin y buasai Mali wedi ei adnabod, oni bai ei bod yn disgwyl ei weld. Roedd wedi tewychu mwy fyth er pan welsai hi ef ddwy flynedd yn ôl, ac edrychai'n rhy fawr i'w gadair. Yn lle'r gwrid iach fyddai ganddo, roedd ei wyneb yn strempiau glas-goch afiach. Hongiai ei safn yn llac agored, ac ymollyngai yntau'n swp swrth yn y gadair a'i ben yn gwyro ymlaen. Eithr at ei lygaid, a'r olwg lonydd, ddifywyd a diddeall oedd arnynt, yr arswydai Mali. Ni chymerodd sylw ohoni nes iddi siarad.

'Sut ydych chi, Meistr?'

Trodd ei lygaid marwaidd arni.

'Pwy sydd yna?'

'Mali. Rydych chi'n cofio Mali?'

'Mali? . . . O ie . . . Ydw, yn iawn.'

Yna trodd ei lygaid draw.

'Rhaid imi gadw llygad ar Robin. Maen nhw'n ceisio mynd â Robin Ddu oddi arna i.'

Wrth glywed ei enw, daeth y ceffyl at y ffenest agored a gwthio'i ben i mewn mor bell ag y caniatâi'i dennyn. Estynnodd Timothy Huws ei law'n ansicr i'w gyfeiriad. Wedi ymdrech galed, llwyddodd i gyffwrdd blaen ei fys yn ffroen y march.

Agorodd drws y stafell. Moses oedd yno, yn amneidio'n ddistaw ar Mali. Aeth hithau ato. Ni chymerodd Timothy un sylw o'i mynd.

'Mi soniais i wrtho,' sibrydodd y llanc, 'ac mae o'n addo taro Robin i lawr yn rhad iti. Mi af i allan i wylio.'

Ni wyddai Mali'n iawn beth i'w wneud. Roedd yn gas ganddi aros yno, ond tybiai ei fod y lle mwyaf tawel o gylch y Plas y diwrnod hwnnw, a'r lle mwyaf diogel rhag i neb ddod ar ei thraws. Eisteddai'r Meistr yn yr un ystum o hyd. Cerddodd hi ar flaenau'i thraed o gwmpas y stafell gan sefyll weithiau i edrych ar y môr. Dyna un o'r pethau y bu ganddi hiraeth amdanynt yn y Waunhir. Clywai dwrw'r dorf oddi allan ac adlais o'r arwerthwr, ond ni ddeallai mo'i eiriau, ac roedd yn dda ganddi hynny. Un tro, pan safodd yn hwy nag arfer â'i golwg tua'r môr, clywodd symud yn y gadair bren. Roedd Timothy Huws wedi troi ei wyneb ac yn edrych tuag ati.

'Mali,' meddai'n floesg.

'Ie, Meistr.'

'Mali, mi fyddi di'n gefn imi, on'byddi di?'

Cofiodd hithau am ofyniad tebyg pan oedd amgylchiadau'n wahanol iawn i heddiw arno.

'Byddaf, Meistr,' addawodd yn ddibetrus.

Suddodd yntau'n ôl eto, yn sypyn diymadferth.

Blinai Mali ar sefyllian fel hyn heb ddim i'w wneud, a theimlai'r amser yn hir ac yn annifyr iawn. O'r diwedd, agorwyd y drws eilwaith a daeth Moses i mewn eto.

'Mae'r gwerthu trosodd,' meddai'n ddistaw.

'Beth am Robin?' Clywai'i chalon yn curo'n gynhyrfus wrth iddi ofyn. Fe dorrai'r Meistr ei galon pe collai ef, ond allai hithau ddim fforddio arian rhy fawr amdano'n awr, chwaith. Byddai gofyn iddi hwsmona'n dra gofalus os oedd dau ohonynt i fyw ar ei thipyn crugyn.

'Roedd y prynwyr pella a pherycla wedi troi am adre pan ddaeth tro'r Du, a chwarae teg i'r gwerthwr mi eglurodd fod ffrind i Meistr eisiau prynu Robin yn ôl i'w hen berchennog. Mi cychwynnodd o ar chweugain, ond mi'i codwyd o i deirpunt gan ryw hen daclau. Yn y fan honno, dyma'r dyn yn ei daro fo i lawr yn reit sydyn ac yn deud mai'i hen feistr oedd piau fo, fel na chafodd neb gyfle i godi rhagor arno.'

'Mae gen i deirpunt efo fi,' ebe Mali, yn falch fod pethau cystal. 'Wnei di dalu amdano fo'r munud yma?'

Cymerodd y bachgen yr arian ac allan ag ef ar ei redeg. Gwelai Mali fod y lle yn prysur glirio. Gwelai hefyd dwr o'r cymdogion agosaf wedi casglu at ei gilydd ac yn edrych tua'r stafell lle'r oedd hi'n llechu. Wedi llawer o siarad, a throi'n ôl a blaen, fe'u gwelai yn dynesu'n fagad anfodlon at y ffenest. John Williams, Tai'n Rhos, ddaeth trwyddi gyntaf, a dilynodd y lleill ef fel defaid.

Plygodd John at y gadair.

'Sut ydych chi heddiw, Timothy Huws? Mi gawsoch sêl dda.' Siaradai'n araf ac yn uchel, fel petai'n annerch byddar.

Cododd Timothy ei lygaid.

'Do?' gofynnodd, mewn tôn o ddiddordeb moesgar.

'Do,' ategodd John Williams, yn methu â gwybod beth i'w ddweud nesaf. Yna gwelodd Mali. 'O, mae Mali gyda chi,' meddai'n gynnes iawn. 'Mi fyddwch chi'n iawn efo Mali.'

'Byddaf, yn iawn efo Mali,' cytunodd yntau, 'nes daw Lili'n ôl.'

Ysgydwodd y lleill law ag ef yn eu tro, a'r un oedd stori pob un—mor ffodus fod Mali gydag ef. Dyfalai hithau tybed beth a gawsent i'w ddweud pe na bai hi yno. Atebai'r Meistr weithiau, dro arall ni wnâi ond amneidio â'i ben.

'Mi awn ni'n awr, Timothy Huws, wrth fod Mali yma gennych chi, rhag inni eich blino chi ormod.'

'Ie, mae Mali wedi bod yn forwyn efo ni erioed. Mi fydd Lili'n falch ei bod hi wedi dod yn ôl.'

Aethant allan yn un clwm, fel y daethent i mewn, a golwg rhai wedi gorffen â gwaith annymunol arnynt.

Daeth Moses yn ei ôl drachefn.

'Dyna hynna wedi'i orffen,' meddai, 'a dyma iti bapur am dy deirpunt. Ac fe ddwedai'r dyn fod yn ddrwg iawn ganddo, ond y gorchymyn a gafodd o oedd fod y lle yma i'w glirio erbyn deg heno. Sut wnei di, dywed?'

Nid oedd Mali wedi trefnu fawr o ddim yn ei meddwl. Roedd ganddi ryw syniad annelwig mai aros yn y Plas fyddai orau y noson honno, gan ei bod braidd yn hwyr i feddwl cychwyn am y Wern. Roedd hi eisoes yn tynnu ar chwech o'r gloch ac fe fyddai'n dywyll cyn y cyrhaeddent. Byddai'n haws trefnu yn y bore. Fe'i tarfwyd hi gan neges Moses.

'Roeddwn i wedi meddwl y gallai o eistedd fan hyn am heno, a chael cerbyd at ei goleuad hi fory,' meddai. 'Unwaith y cawn i o i'r Wern, mi wnawn yn burion wedyn. Rhed, Mos, i edrych a ydi'r cerbyd ddaeth â mi yma o'r Dref yn dal ar gael. Dywed y tala i'n dda iddo fo am ein cymryd cyn agosed ag y gall o i'r Wern.'

Daeth Moses yn ôl â'i wep wedi syrthio.

'Mae'r gyrrwr yn deud ei bod hi'n rhy hwyr ganddo fo gychwyn heno gan fod arno fo frys am fynd adre, a'i bod hi'n rhy bell i'w geffyl o, p'un bynnag. Mae o newydd orffen hel llwyth i'r Dref. Ac mae pawb arall yr un fath—wedi cychwyn neu ar gychwyn. Mae hyd yn oed y troliau wedi mynd oddi yma, gan iddyn nhw gael eu gwerthu ddoe.'

'Beth ar y ddaear wnawn ni?' holodd Mali hi ei hun ac yntau. 'Fedri di gael benthyg rhyw fath o gerbyd yn un o'r ffermydd yma, tybed?'

'Does dim ond troliau i'w cael, heb fynd filltiroedd oddi yma,' petrusodd Moses. 'Mi ofynnwn am un o'r rheini pe gwyddwn i pwy fyddai'n fodlon rhoi benthyg un. Mae hi'n adeg brysur arnyn nhw, wyddost ti, a fydd y taclau ddim yn fodlon blino ceffyl at y bore, falle ar ôl diwrnod caled heddiw hefyd.'

'Mi tynnai Robin hi,' meddai Mali'n eiddgar.

'Wnâi Robin ddim ohoni efo hen drol drom. Mi gaem fwy o helynt na'i werth. Oni bai i Meistr allu ei farchogaeth,' awgrymodd Moses, 'a minnau'n ei dywys.'

'Na, mae hynny allan o'r cwestiwn,' ebe Mali'n bendant. 'Fe'i lladdai i drio.'

'Wel, mi af i chwilio am siandri fach yn rhywle.' Ni swniai Moses yn obeithiol yn y byd. 'Fe allem roi cais ar Robin yn honno, er nad arferodd o erioed â harnais.'

Bywiogodd y swp yn y gadair.

'Ar gefn Robin,' meddai.

Edrychodd Mali a'r gwas ar ei gilydd.

'Mae arna i ofn ei fentro,' ebe hi.

'Mi greda i y byddai o'n iawn,' meddai yntau.

Ceisiai Mali bwyso'r peth yn ei meddwl.

'Fe allem ni groesi'r ffriddoedd felly,' meddai, 'a dilyn gyda godre'r moelydd. Fe fyddai filltiroedd yn fyrrach nag ar hyd y ffordd, ond yn wir, wn i ddim beth i'w ddeud.'

'Oes yno adwyon i Robin fynd trwyddyn nhw?' holodd Moses. 'Ddylai o ddim neidio'r gwrychoedd heno, wyddost.'

'Oes, ddigon, a'r rhan fwya o'r ffordd does yna ddim gwrychoedd o gwbl.'

'Gadewch imi fynd ar gefn Robin Ddu,' swniai Timothy drachefn.

'Tyrd yn dy flaen. Mi mentrwn ni hi,' anogodd y wagnar.

Gweithiodd Mali ac yntau nes eu bod yn chwys diferol, yn ceisio codi'r corff anystwyth ar gefn Robin. Roedd y Meistr yn fwy a thrymach dyn o'r hanner na Moses, ac ni fedrai hwnnw godi dim arno. A hwythau ar fin rhoddi i fyny'r ysbryd, a Timothy Huws yn nadu fel plentyn, 'eisiau mynd ar gefn Robin', croesodd dyn mewn dillad gwaith i'w cyfeiriad o gefn y tŷ.

'Hylô, Mali, ai ti sydd yma? Sut wyt ti, Mos? Beth ydych chi'n geisio'i wneud, dwedwch?'

Cymerodd funud neu ddau i Mali ei adnabod. Deio, a'i cariodd hi ar fraich ei drol o'r Hafn erstalwm! Nid oedd wedi gweld golwg arno byth er pan briododd ac ymadael â'r Plas. Cofiai ei fod yn ddig wrthi y flwyddyn honno am iddi ail-gyflogi gydag Ann Huws, ond roedd ei dôn yn ddigon cyfeillgar nawr ac ymddygai yn union fel petaent wedi gweld ei gilydd yr wythnos cynt. Adroddodd Moses am eu hanawsterau wrtho.

'Mae gen i siandri fach a cheffyl eitha cryf gartre,' meddai yntau. 'Mi af i'w cyrchu ar unwaith, os byddwch chi'n fodlon aros rhyw awr a hanner amdana i.'

Cytunodd Moses a Mali yn ddiolchgar iawn, ond trodd Timothy Huws i lefain yn uwch,

'Rhaid imi gael mynd ar gefn Robin. Wyt ti'n clywed, Mali?'

'Rhowch gais arall arni, 'te,' awgrymodd Deio. 'Mi rof innau hwb gyda chi.' A'r tro hwn, llwyddasant i gael y dyn claf i'r cyfrwy.

'Lwc imi daro heibio,' llongyfarchai Deio'i hun a hwythau. 'Roeddwn i wedi cychwyn adre, ond wedyn mi es i deimlo'n anesmwyth am adael yr hen greadur heb neb, er 'mod i wedi ymadael oddi wrtho fo ers cyhyd o amser. Mi ddof i'ch hebrwng beth o'r ffordd, rhag ofn y bydd gwaith ei ddal o yn y cyfrwy.'

Diolchai Mali ar hyd y daith am y Rhagluniaeth a drodd Deio yn ei ôl. Erbyn hyn roedd o'n ddyn cyhyrog, cryf, ac oni bai amdano ef buasai Timothy Huws wedi syrthio ganddynt lawer gwaith wrth ddringo'r ffriddoedd. Wedi cyrraedd godre'r moelydd, doedd dim mwy o waith tynnu i fyny, ond parhâi'r llwybr yn anwastad o dan draed. Yma profodd Moses, er nad mor gryf, yn ddefnyddiol iawn. Roedd yn ysgafn a heini ac fe neidiodd i fyny y tu ôl i'r Meistr.

'Mi ddeil yr hen Robin ni'n dau ar y gwastad yma,' meddai, 'ac mi lonydda'r pwysau dipyn arno fo, yn barod at y goriwaered a ddaw eto.'

Wrth i Moses farchogaeth felly, doedd hi ddim agos mor anodd dal y dyn claf yn y cyfrwy, a gallodd Deio droi i helpu Mali gyda thywys y ceffyl. Roedd Robin wedi cael ei gadw i mewn ers dyddiau, ac wedi arfer cael ei gynnwys gan ei feistr i fynd mor gyflym ag y gallai, felly roedd gwaith mawr ei ddarbwyllo nad hynny oedd ei eisiau heddiw. O bob siwrnai a gymerodd Mali erioed, hon oedd y waethaf, a bu raid iddynt wneud y rhan olaf ohoni â'r nos yn cau amdanynt.

Pan ddaethant i gyffiniau'r Wern, rhedodd hi o'u blaen i agor y drws. Gwaeddodd Moses arni,

'Hwde, mae'n well iti gael matsys, neu mi gei fyd i ddod o hyd i dwll y clo.'

Roedd wedi agor y drws a goleuo cannwyll erbyn i'r lleill gyrraedd. Diolchai fod Ezra Jones wedi dweud y perffaith wir. Roedd y tŷ'n barod, fel petai'n disgwyl ei breswylydd yn ôl o'r pentre—y gannwyll ar y bwrdd a'r fasged wiail ar yr aelwyd a'i llond o danwydd.

'Diolch fod gen i rywle i ddod â fo,' meddai Mali'n uchel, 'a diolch fod y lle'n barod fel hyn.'

Aeth at y cwpwrdd cornel. Roedd yn ormod i'w ddisgwyl y byddai yno ddim yn hwnnw. Byddai'n rhaid iddi drafferthu Moses eto i redeg i lawr i'r pentre am dorth fach, beth bynnag. Byddai'r Meistr yn siŵr o fod eisiau bwyd. Trueni dros Moses hefyd, ac yntau wedi blino a'r llwybr i'r pentre yn ddyrys wedi nos, yn enwedig i ddieithriaid. Agorodd ddrws y cwpwrdd. Roedd yno ryw bethau wedi'u lapio mewn lliain glân. Diolch eto! Darn torth, a hwnnw'n ddigon meddal. Rhaid mai ddoe y bu'r gweinidog a'i wraig yma yn cychwyn eu modryb i ffwrdd, a'u bod wedi gadael y bara rhag ofn y deuai perchennog y Wern heibio'n fuan i olwg y lle. Ychydig o fara ceirch a chaws, preinten fach o fenyn, ac ychydig lwyeidiau o de! Digon at heno a brecwast fory! Roedd Rhagluniaeth yn sicr o'i thu y tro yma.

Trodd a gwên ar ei hwyneb i gyfarfod y ddau ddyn oedd yn arwain Timothy Huws i mewn rhyngddynt. Roedd fel petai o mewn llawer mwy o fyd yn cerdded yma nag wrth gychwyn o'r Plas.

'Dim ond blinder ydi o, rwy'n disgwyl,' cysurodd Deio hi. 'Mi glywais i'r Doctor yn deud fod gobaith iddo fo wella llawer mwy na hyn, dim ond cael tawelwch a chwarae teg.'

'A llai o hyn,' ategodd Moses o'r tu ôl iddo, gan godi ei law at ei enau fel petai'n gwagu un o botiau piwtar Mallt. 'Cadw o'n ei wely fory a thrennydd, iddo gael gwella o effeithiau heddiw, ac mi ddaw'n go lew wedyn, siawns.'

'Mi rhown ni o yn y gwely iti, Mali,' cynigiodd Deio, 'ond mae'n well iddo gael gorffwys munud. Mi edrychwn ni a wnaiff y cut yna tu allan y tro yn stabal i Robin.'

'Falle y bydd gofyn ichi glirio rhyw lanast ohono fo'n gynta,' meddai Mali. 'Goleuwch gannwyll i'w chymryd gyda chi. Mi gyneuaf innau'r tân, er mwyn i Meistr gael twymo.' Aeth Deio allan, ond galwodd hi ar ei gydymaith yn ôl o'r drws. 'Moses, tyrd yma. Wnei di ddim gwawd ohono fo fel y mae o heno, ar hyd y lle, wnei di?'

'Mi wn dy fod ti'n meddwl mai hen geg ydw i,' ebe Moses, 'ac rwyt ti o'i chwmpas hi o ran hynny, ond y Gŵr Drwg a'm sgubo i os sonia i air am heno wrth neb byw bedyddiol, nac amdanat tithau chwaith. Mi elli fod yn dawel am hynny.' Trodd y stori'n ddisymwth. 'Mi geisia i gael gafael ar rai o'i ddillad o, a dod â nhw yma nos fory,' addawodd, wrth brysuro allan ar ôl Deio.

Edrychodd Mali'n anesmwyth ar Timothy Huws. Roedd golwg llawer gwaeth arno nag yn y Plas. Beth petai ei gludo mor bell wedi'i ladd? Cyffyrddodd â'i law. Roedd honno'n eithaf tymheraidd. Cododd yntau ei olwg am y tro cyntaf er pan gyrhaeddodd yno.

'Wedi blino, Mali, ac eisiau te.'

'Mi fydd yma dân mewn munud,' addawodd hithau.

Plygodd at y fasged, ond er bod Ezra Jones wedi cofio am danwydd sych, doedd yno ddim papur, a hithau eisiau tân ar frys.

Daeth syniad rhyfedd i'w phen, a chwarddodd yn uchel. Rhedodd i agor ei phecyn, a gariasai o dan ei braich ar hyd y ffordd. O'i ganol, tynnodd y ffrog sidan. Nid oedd Hilda wedi dod i wybod amdani, neu buasai wedi rhincian llawer am ei chael i'w gwneud iddi hi ei hun.

Hongiai siswrn wrth ochr y lle tân. Cipiodd Mali hwnnw a'i redeg yn wyllt trwy'r sidan. Yna taflodd ef yn ddarnau mawr i'r grât. Onid oedd yn briodol mai yng nghartref Saro y deuai diwedd ar y wisg? Rhoddodd ffagl yn y sidan a thaflu'r tanwydd trosto. Fflamiai'r walbon yn y bodis nes goleuo cilfachau pellaf y gegin.

Chwarddodd Mali drachefn. Ni chofiai erioed fod mor ysgafn ei chalon.

'Flinith honna ddim mwy arna i,' meddai.

Plygodd Timothy Huws ymlaen, gan rythu i'r fflamau.

'Sidan lliw'r gwin,' meddai'n eglur, a'i wyneb yn goleuo. 'Gan bwy welais i ffrog fel yna? . . . Gan Lili, mae'n siŵr.'